우리 문화재 수난일지 10

우리 문화재 수난일지 10

2016년 11월 27일 초판 1쇄 인쇄
2016년 11월 30일 초판 1쇄 발행

글쓴이 정규홍
펴낸이 권혁재

편집 김경희
출력 CMYK
인쇄 한일프린테크

펴낸곳 학연문화사
등록 1988년 2월 26일 제2-501호
주소 서울시 금천구 가산동 371-28 우림라이온스밸리 B동 712호
전화 02-2026-0541~4
팩스 02-2026-0547
E-mail hak7891@chol.net

ISBN 978-89-5508-363-7 94910
ISBN 978-89-5508-353-8 (SET)

우리 문화재 수난일지

10

정규홍

학연문화사

목차

우리 문화재
수난일지

1940년

1940년 2월 10일

《명가비장고서화전람회》

　1940년 2월 10일부터 2월 17일까지 화신백화점 주최와 매일신보사 후원으로 종로 화신백화점 7층에서 열렸다.

　출품자는 함석태, 한상억, 김덕영, 김용진, 김영세, 김성수, 오봉빈, 강익하, 최창학, 전형필, 송성진, 손재형, 장택상, 이한복, 이병직, 임상종, 염정권, 민규식, 박흥식, 박창훈, 박기효, 박병래, 박수경, 박준규 등이다.

　『매일신보』 1940년 2월 7일자에는 다음과 같은 기사를 싣고 있다.

　　명가비장고서화전람회

　　문외불출의 진품 망라

　　10일부터 '화신'서 본사 후원으로

　　광휘 있는 2천6백년의 새봄을 맞이하여 이 해를 봉축하는 전람회의 하나로서 종로 화신의 주최와 본사 후원 아래 오는 10일부터 1주일동안 화신 7층 '갸라리' 에서 《명가비장고서화전람회》를 열고 일반에게 공개하기로 되었다. 이 전람회에 출품되는 서화는 모두 다른데서는 도저히 찾아보기 어려운 고서화들로서 이것을 한 마당에 진열하여 조선 고문화의 모습을 어루만져 볼 기회를 갖자는데 그 뜻이 깊은바 벌써부터 인기는 자못 높다.

1940년 3월 20일

부여신궁 예정지 및 군창지 도로를 조사하다.[1]

1940년 3월 22일

3월 22일부터 26일까지 야마나카상회 주최로 《동양고미술전관》이 개최되었다.[2]

1940년 3월 25일

1940년 3월 25일부터 5월 27일까지 동경미술학교에서 《동경미술학교춘계특별전람회》가 열렸는데, 조선회화도 함께 전시되었다.[3]

1 「부여박물관 일지」, 『博物館新聞』 1974년 4월 1일자.
2 『日本美術年鑑』 美術研究所, 1941년 3월
3 美術研究所, 『日本美術年鑑』, 1942년 3월.

1940년 3월 26일

《조선고도기진열회》가 3월 26일부터 30일까지 나고야名古屋에서 개최되었다.[4]

1940년 4월 5일

《부내 박창훈박사소장품매립회》

1940년 4월 5일부터 7일까지 경성미술구락부에서 《부내 박창훈박사소장품
매립회》를 가졌다.

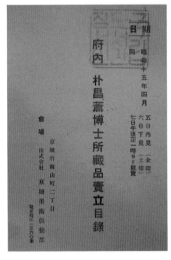

『부내 박창훈박사소장품매립목록』

---

4 美術研究所, 『日本美術年鑑』, 1941년 3월.

경성미술구락부의 경매도록 속표지에는 보통 '세화인世話人'으로 표기하여 경매회를 개최한 실무자와 고객을 대리하는 사람을 기록했는데, 이번 경매도록에는 '찰원札元'으로 표기하고 있다. 이들은 한남서림 이순황, 조선미술관주 오봉빈, 거간 유용식, 취고당 주인 사사키佐佐木, 간송의 수집을 도왔던 온고당 주인 신보

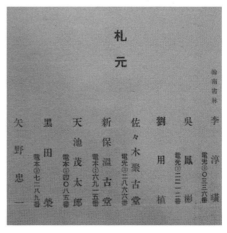

속 표지

新保, 골동상 아마이케 시게타로天池茂太郎, 골동상 구로다 사가에黑田榮, 골동상 야노 쵸이치矢野忠- 등 당시 쟁쟁하게 활동하던 자들이다.

목록에는 274번까지 나타나 있는데 말미에 "이하 수십 점 생략"이라고 기록하고 있어 총 3백여 점이 출품된 것으로 보인다.

이 때 간송도 신보와 이순황을 대리인으로 보내 이한철의 '침계초상', 청의 장심이 그린 '부춘산도富春山圖', 추사 필 '침계梣溪' 현액, 청의 이념증이 그린 '송학명천도松壑鳴泉圖', '청화백자철채반룡농주형연적', '청화백자궤형국모란매화문연적' 등을 비롯한 상당수를 경락시켰다.

도판번호 1번인 동한류편東翰類編은 1932년 《조선고서화진장품전》에 출품하였던 것으로, 도판에는 "본편 43책, 보유편 4책으로 이루어 졌는데, 본편은 이조초엽의 명상 황희를 필두로 역대순으로 하여 말엽의 김홍집, 민영환, 김윤식 등에 이르기까지이고, 보유편은 누락된 이이, 이덕형, 정충신 등을 필두로 근대의 정약용, 전기, 김옥균 등에 이르기까지 1천20여 명의 1인 1점의 수찰진적手

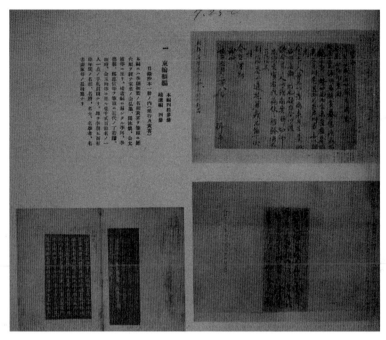

도판번호 1번, 동한류편(東翰類編)

札眞蹟이다. 즉 조선 5백년간의 명상, 명장, 명사, 명학자, 명서화가 등의 묵적집 墨蹟集이다"라는 설명을 붙이고 있다.

국립중앙도서관 위창문고실에 보존된 『부내 박창훈박사소장품매립목록』의 도판 1로 게재된 동한류편東翰類編의 상단을 보면 연필로 메모한 '7,250' 이라고 쓴 글씨가 보인다. 이는 7,250원에 낙찰된 것으로 이 도록을 소지했던 사람이 메모한 것으로 보인다. 이는 『동아일보』 1940년 5월 1일자에 게재한 오봉빈의 「서화골동의 수장가 박창훈 씨 소장품 매각을 기機로」란 글에서 "그가 10여 년 간 고심에 고심을 가한 동한류편(전 50책)이 조선서 최고기록 7,250원으로 경 성 유지 강익하康益夏 씨에게" 낙찰되었다는 내용에서 알 수 있다.

1940년 경매도록 (위창문고 소장 자료)에 실린 추사 필 '梣溪' 현액

도판번호 15, '침계梣溪'는 도판에 "완당阮堂 해예합체행서자제액楷隸書合體行書自題額『梣溪』"라 하고, "침계 윤정현으로부터 글씨를 부탁받고 30년 후에 글씨를 써서 보낸 품自梣溪尹定鉉尙書受託後三十年後書贈品, 손재형씨제첨孫在馨氏題簽 이한복씨상서李漢福氏籍書"란 설명을 붙이고 있다. 목록 상단에는 연필로 쓴 '1,110'이란 숫자가 보이는데 이것은 이 목록 책자를 소유한 사람이 낙찰가를 기록한 것으로 여겨진다.

완당의 현판 글씨 '梣溪'는 침계 윤정현의 부탁을 받고 쓴 글씨로 부탁을 받고 30년이 걸려 쓴 것이라 한다. 그가 얼마나 고심해서 쓴 것인지를 짐작할 수 있다.

1846년 성균관 대사성成均館大司成을 거쳐 이듬해 정월 재신宰臣의 반열에 올라 홍문관 제학弘文館提學을 역임하고, 1848년 황해도관찰사黃海道觀察使로 나갔다가 1년 만인 1849년 의정부 병조판서가 되었다.

추사는 1851년 7월에 북청으로 유배를 가고, 윤정현은 그해 9월에 함경감사를 명받았다. 1852년에 추사가 북청에 유배를 갔을 때 함경도관찰사로 윤정현이 부임해 오자, 추사는 황초령비의 원위치 복원을 부탁했다. 윤정현은 황초령 고개 바로 아래 중령진에 비를 옮기고 추사가 써 준 "眞興北狩古竟"이란 현판을 걸었다.

이 같이 추사와 침계는 오랜 친분을 가지고 있었다. 침계梣溪란 글씨는 추사가 침계梣溪 윤정현尹定鉉으로부터 그의 호인 '梣溪' 두 글자를 써 달라는 부탁을 받고 '梣' 자의 예서 전형典型을 찾지 못해 30년 동안이나 고심 연구 끝에 써주었다는 것으로 추사가 자서한 침계의 제발은 다음과 같다.

침계梣溪 이 두 글자를 부탁받고 예서로 쓰고자 했으나, 한비에 첫째 글자가 없어서 감히 함부로 쓰지 못한 채 마음속에 두고 잊지 못한 것이 어느새 30년이 지났다. 요즈음 자못 북조 금석문을 꽤 많이 읽었는데, 모두 해서와 예서의 합체로 되어 있다. 수당 이래의 진사왕이나 맹법사비와 같은 비석들은 더욱 뛰어났다. 그래서 그 필의를 모방하여 썼으니, 이제야 부탁을 들어 쾌히 오래 묵혔던 뜻을 갚을 수 있게 되었다. 완당 김정희 짓고 쓰다.[5]

최완수에 의하면, 이는 추사체 형성의 과정을 극명하게 보여주는 자료로 높이 평가된다고 한다. 이 작품은 간송미술관에 소장되어 있다.

도판번호 3으로 게재된 쇄금영주碎金零珠는 "碎金零珠 李舜臣 等 九人 墨蹟 手札眞蹟을 모음, 吳世昌氏 提拔 李漢福氏 箱書"란 설명이 붙어 있다.

쇄금영주의 일부인 충무공 이순신의 진적간찰眞蹟簡札은 이번 경매에 나오기 전에 조선중앙일보에서 연재한 「중앙화보中央畫譜」(1936년 1월 17일자)에도 실려 있다. 「중앙화보」의 '부기'에 "과거 조선의 희귀한 사료와 서화와 기명이 근래에 함함

---

5 『위키백과』에서 옮겨옴.

洎洎한 형세로써 해외로 흘러나가고 있다. 그리하야 우리는 다시 이것을 대하며 즐겨야 할 기회를 가질 수 없게 되었다. 『중앙화보』는 금후로 제가의 비장을 소개하여 우 서적, 사료, 서화에 대한 애착심을 환기하야 암암리에 해외로 실종하는 것을 막아보고자 하는 것이니 앞으로 독자제씨는 본 화보를 널리 이용하시기를 바라는 것이니 비장품의 소개 고서화의 감정의 의뢰 등등 사의司議할바 있으면 본사 학예부로 통지하여 주기를 바란다" 라고 하고 있다. 「중앙화보」에는 이순신의 간찰 외에도 박창훈 소장의 동한류편東翰類編에 들어 있는 세종 때의 성삼문의 진필, 장승업의 영모도, 이한철 필 윤정현 초상, 고려자기 등이 실려 있다.

오봉빈은 경성미술구락부에서 개최한 박창훈의 소장품 경매와 관련하여『동아일보』1940년 5월 1일자에 「서화골동의 수장가 박창훈 씨 소장품 매각을 기機로」란 글을 게재했는데,

충무공 이순신 간찰(『조선중앙일보』 1936년 1월 17일자)

> 서화골동 내지 고물 등속은 일부 특수계급의 애완물이라 간주하고 일반은 이 등속에 대하여 별로 관심치 않았었다. 일본 내지인과 중국인사는 선인유적과 고물에 대한 애호심이 일반적으로 상당히 발달되었었다. 그러나 우리 조선에서는 서화 외 골동을 애호하고 수장하는 사람을 기습嗜習이 있는 별-이상한 사람들이 하는 일이라 일반이 간파하여왔다. 필자의 아는

범위로 말하면 진정한 의미로 선인유적先人遺蹟을 애호하고 수장한 이는 우리의 대선배인 위창 오세창 씨와 괴원槐園 전패鮎貝 씨 등이라고 생각한다. 최근 10년 전까지 이것을 성심으로 애호하는 이는 저축은행 두취 삼森씨, 상업은행 두취 화전和田 씨, 경성전기 전무 무자武者 씨 등이라고 기억된다. 현하 우리 조선인사 중 대수장가는 다 10년 이내로 성의가 열심히 수집한 이들이다. 여하간 서화골동의 애장열이 일반화 보편화 되는 것은 <중략> 만권의 윤리학서 보다도 이편의 선인의 유묵은 산 교과서요 일대 교훈이라 할 수 있다.

라는 머리글을 시작으로,

오랫동안 고갈하고 암묵하던 우리의 전동에도 상서祥瑞가 광명이 비치어 오는 중 선인의 유적을 애호하자고 사방에서 외치는 소리- 숭고한 뜻이야 말로 평범하고 심상한 소리가 아니로다. 전형필 같은 이는 수백만금을 투하여 내외지에서 국보적인 선인의 유적을 모아 장차 성북정에 일대 박물관을 개설할 계획이라 한다. 어떤 의미로 보아 전씨의 장거는 전문학교나 대학을 창설하는 이상으로 심원한 의무가 있고 우리 사회에 일대 공로자라고 볼 수 있다. 낙양의 지가紙價는 누가 올렸는지 근래 조선 서화골동 값을 올린 이는 전씨라 볼 수 있다.아직도 내지와 중국의 그것에 비하여 조선서화의 값은 10배나 백배나 더 오를 가능성이 있다 본다.

라고 하며 전 재산을 털어 고미술품을 수집하는 간송을 칭송하고 있다.
　그리고 본론에 들어가서, "금번 조선초유의 성황으로 대 매립을 한 의학박사 박창훈이라기 보다 더 유명한 박창훈 선생은 대체 어떠한 물건을 모았길래 그와 같은 인기가 있었던가" 하면서, 박창훈의 열성적인 수집에 비해 "의업으로 성공자 중 1인이니 물적 고통이 만무할 것이다. 그러면 그 진위가 어디에 있는가 우리 지인은 매우 궁금하였고 속으로 박씨를 책하기도 하였다"라고 하며 쉽게 경매장에 내놓는 그의 태도에 대해 의문을 제기하고 있다.

이번 경매에서 간송미술관으로 들어간
'침계 윤정현 초상'
(『조선중앙일보』 1936년 1월 23일자)

박창훈이 소장품을 내놓은 이유는 박창훈은 9대독자로 8남매를 두었는데[6] "자녀교육비를 적립하여야 부모의 책임을 다하겠다"는 이유에서 내놓았다는데,[7] 경성의학전문학교를 졸업한 외과의사 박창훈은 경성에서도 상류그룹의 모임인 '청구구락부' 라는 사교단체의 회원으로 경제적으로 상당히 풍족함을 누렸다는 것은 다 아는 사실이다. 또한 이번 경매에서 7만수천원의 매립가를 올린 그의 소장품 경매의 이유

---

6 『每日申報』 1941년 1월 7일자에 「子福家庭을 찾아서」라는 기사에는 박창훈은 9대독자로 8남매를 두었다는 내용과 함께 가족사진까지 공개하고 있다.

7 『東亞日報』 1940년 5월 1일자에는 "박씨는 8대독자 더구나 자기는 유복자로 태어나서 소시에 무한한 고초를 받으면서 자라나서 사회의 은덕으로 받침되었으며 게다가 윤대에 없던 복까지 차지하여 지금 슬하에 8남매가 있다고 작년에 자가 성남중학에 여가 경성고여에 입학된 것을 계기로 자녀교육비를 적립하여야 부모의 책임을 다하겠다고 누구보다 책임감이 약한이라 금번 매립의 동기가 여기에 있다한다"라고 하고 있다.

『동아일보』 1940년 5월 1일자 기사

를 '자녀교육' 하는 것은 그 이유치고는 궁색한 느낌이 든다.

또 "옛날에 복불쌍전福不雙全이라 하였으니 자신이 선대에 못 가졌던 이와 같이 복을 다점多占하였으니 중요미술품까지 점유하고 동호유지자에게 분양하노라 라는 지극히 아름다운 의사에서 출발한 것이다" 라고 하는데 순전히 돈을 목적으로 하는 사람이 '분양 운운' 하는 것은 어울리지 않는 표현이다.

다른 얘기지만 박창훈은 언어, 외모, 행동 등이 일본 사람과 많이 닮았든지,『별건곤』(1930년 11월)에 실린「경성 명인물」을 보면, "의사 박창훈 씨가 진고개 일본사람 부락에서 살았다면 누구나 일본사람으로 볼 것이다" 하고 있다. 또 얼굴이 원숭이처럼 생겨 학창시절에 동료들이 그를 보면 '몽키몽키' 하였다고 한다. 그의 집에는 변상벽의 원숭이 그림 한 폭을 걸어 두었는데 임진년(원숭이 해 1932년) 새해에 어떤 친구가 그의 집에 놀러 왔다가 그 그림을 보고는 박창훈에게 하는 말이 "금년은 당신네 해이니까 조상의 영정까지 모시었다" 하여 한바탕 웃음보가 터졌다고 한다.

『동아일보』 1940년 4월 6일자 기사

그는 1941년에도 소장품 3백여 점을 경성미술구락부를 통해 경매에 붙였다.

1940년 4월

도쿄박물관 특별제1실 진열품

1940년 4월에는 도쿄제실박물관 고고실에 '특별제1실'을 마련하여 한국유물을 진열하였는데 이 진열품은 하라다 요시토原田淑人가 낙랑토성에서 발굴한 유물과 낙랑 왕우묘 출토품을 비롯한 낙랑유물, 양산 부부총의 일괄 유물 등이 주진열품으로 진열되었다. 이 진열실의 낙랑유물 진열품 속에는 오구라가 평양 등지에서 수집한 것들도 일부 진열되기도 하였다. 오구라의 소장품이 워낙 중요한 자료라 함께 진열하였던 것이다. 특별실에 진열된 유물 중 중요한 몇 가지를 소개하고 있는데 다음과 같다.[8]

---

8 「帝室博物館考古室陳列」, 『考古學雜誌』 제30권 제5호, 1940년 5월, p.5.

품명	출토지	출처	비고
弩機 2개	낙랑 유적	「帝室博物館考古室陳列」, 1940	
延熹7年在銘畵像鏡 1면	낙랑 유적	「帝室博物館考古室陳列」, 1940	
鼎	토성지	「帝室博物館考古室陳列」, 1940	原田淑人이 토성지에서 발굴
釜와 甑		「帝室博物館考古室陳列」, 1940	小倉武之助 소장
金錯銅筒		「帝室博物館考古室陳列」, 1940	동경미술학교 소장
각종 칠기		「帝室博物館考古室陳列」, 1940	
제127호분 출토품		「帝室博物館考古室陳列」, 1940	
왕우묘의 옥류		「帝室博物館考古室陳列」, 1940	
封泥, 明器, 塼瓦, 그 외 토제품		「帝室博物館考古室陳列」, 1940	
양산부부총의 일괄 유물		「帝室博物館考古室陳列」, 1940	
塼, 瓦	백제시대	「帝室博物館考古室陳列」, 1940	
玉類	토성리 출토	「帝室博物館考古室陳列」, 1940	

1940년 5월 28일

부소산 신궁지 분묘 이장 위령제를 거행하다.[9]

---

9 「扶餘博物館 日誌」, 『博物館新聞』 1974년 4월 1일자.

1940년 5월

고구려불상 발견

1940년 5월에 평양 외성 밖 평천리에 있는 고구려 폐사지에서 '금동미륵반가상'(국보제118호)이 발견되었다.[10] 이곳 폐사지는 오랫동안 버려져 있으면서 경작지로 변해 있었는데 이곳에다 일본인들이 병기창을 지었다. 1940년에 이곳에 공장 증축을 위한 기초공사를 하던 중에 인부로 일하던 20세 가량의 한국 청년이 발굴하였다.

김동현은 평양에서 화천당이라는 골동상점을 운영하고 있었다. 그는 금속에 대한 감식안이 뛰어났으며 특히 불상에 대한 높은 안목과 수집에 열성을 쏟았다.

청년은 이곳에서 함께 발견한 '대진원강大晉元康' 명이 있는 와당과 불상을 가지고 김동현의 점포에 나타났다. 이것을 김동현이 입수한 것이다.

청년의 말인 즉, 작업장에는 다른 인부도 많아서 불상만 몰래 감추어 가지고 왔을 뿐, 이 불상 외에 광배와 방형3중좌대가 따로 있는 것을 미쳐 다 못 가져왔다. 그 좌대와 광배는 남이 알까 두려워서 도로 파묻고 왔다고 한다. 김동현은 그것까지 탐이 났으나 그 청년에게 상당한 돈을 주면

금동미륵반가상(국보 제118호)

---

10 黃壽永, 『韓國의 佛像』, 문예출판사, 1989, p.129.

서 나머지는 그대로 두고 다른 곳으로 이사를 가라고 하였다. 만약 이 사실이 탄로 나는 날에는 불상을 압수당하고 상당한 곤혹을 당해야 하기 때문이었다.

후일의 일이지만 북한에서 발표한 「평천리에서 나온 고구려 부처에 대하여」[11]라는 글을 보면, 김동현이 소장한 불상이 발견된 평천리의 같은 자리에서 1944년 10월에 광배 하나와 좌대 금속장식품 7체 분이 발견되어 해방 직후 북한박물관에 보관하였다. 해방 후 한참동안 북한 측에서는 불상의 발견 사실을 알 리가 없었다. 1960년대에 와서야 김동현 소장의 불상이 지상에 발표되면서 북한에서도 알게 되었다. 1944년에 발견된 광배와 좌대는 국보 제118호 '금동미륵반가상'과 관련한 것이다.

김동현은 불상을 며칠 간 가지고 있다가 무슨 일을 당할 것 같아 먼 곳에 있는 매형의 집으로 옮겨 보관하였다. 그 후 어떻게 새어나갔는지 평양의 한 일본인 수장기와 한국인 한 사람이 자세한 내막을 알고 있으나 경찰에 알리지 않고, 관찰을 하고는 거액의 가격으로 팔기를 권하였다고 한다. 나중에 대구의 오구라小倉도 이 사실을 알고 찾아와 세심하게 관찰을 하고는 팔기를 간청하였다. 오구라는 불상에 있었어도 대단한 비중을 가지고 수집하였기에 김동현이 가지고 있는 불상에 대해 유독히 눈독을 드렸다. 오구라는 당시 거래금액으로는 최고가라고 할 수 있는 50만원을 들고 김동현을 찾아가 간곡히 양도해 줄 것을 청했으나 거절당하고 말았다고 한다. 그 후에도 오구라는 미련을 버리지 못하고 금액을 더 올려 다시 청했으나 뜻을 이루지 못하였다. 그들이 끝까지 경찰에 알리지 않고 비밀을 지켜준데 대해 김동현은 "나의 진의를 잘 알고 이

---

11 도유호, 「평천리에서 나온 고구려 부처에 대하여」, 『고고민속』 3호, 북한고고학 및 민속학
연구소, 1964.

해하여 주었는데 예술에 국경이 없다는 서언西諺대로 그분들의 예술적 양심과 학자적 태도에 심탄心嘆을 금치 못하였다"고 하고 있다.

2년 후에 일본 경찰이 불상의 존재를 알고 내사하는 낌새가 있자 김동현은 불상을 가지고 야반도주하였다. 이후부터는 함흥의 처가의 뜰 한 구석에 불상을 묻어 두고 도피생활을 하였다. 도피생활을 하면서 부랑자로 몰려 보국대원으로 강제 징집되어 함흥제철소에서 일하였다고 한다. 3년 후 해방이 되자 불상을 파내어 천신만고 끝에 서울로 내려 왔다.[12]

김동현은 아무리 생활이 어려워도 불상을 매각하지 않았다. 6·25 때 부산에서 막노동을 할 때에도 높은 가격으로 불상을 매각하라는 권유에도 팔지 않았다.

김동현은 이 불상에 대해 얼마나 철저하게 갈무리를 했는지, 1948년 황수영 박사가 국립박물관에 재직시에 김동현 소장의 '고구려금동미륵보살반가상'의 소문을 듣고 김동현에게 보여 줄 것을 간청한 일이 있었으며 6·25 후에도 여러 차례 부탁을 하였다고 한다. 그러나 김동현은 소개疏開를 이유로 조사를 거부하여 오다가 1963년 5월에 조사를 자청해 옴에 따라 황수영, 최순우 두 사람이 함께 김동현의 집에서 처음 대면 할 수가 있었다. 이후 문화재위원들의 조사가 따르고, 1963년 9월 문화재위원회에서 '금동반사사유보살 傳 평천리 출토' 라는 명칭을 달아 국보 제118호로 지정되었다.[13] 이로써 일반인들과 북한 학계에도 알려지게 되었다.

전쟁이 끝난 뒤 삼성그룹 이병철의 형인 이병각이 금동미륵반가상을 3억환에 팔라는 것도 거절하였다. 1964년에 또 다시 개인박물관을 지어주고 노후생

12　金東鉉,「高句麗佛像과 生死를 같이하다」,『月刊文化財』7호, 1972년 5월.
13　黃壽永,『韓國의 佛像』, 文藝出版社, 1989.

활을 보장해 준다고 했어도 거절하였다고 한다.[14] 이 불상은 김동현이 마지막까지 가지고 있었는데 현재는 호암미술관에 소장되어 있다.

1940년 6월 3일

요네다 미요지米田美代治와 홍재우가 부소산 고적지대를 측량 조사하다.[15]

1940년 6월

평양박물관장 고이즈미 아키오小泉顯夫와 총독부 촉탁 노야마野山는 강서군 임차면 사기동의 고려유적을 발굴하여 자기편 다수를 채집했다.[16]

『매일신보』 1940년 6월 16일자 기사

14 朴滿基, 「恥辱과 受難의 骨董秘史 100年」, 『史談』, 1987년 11월.
15 「扶餘博物館 日誌」, 『博物館新聞』 1974년 4월 1일자.
16 『東亞日報』 1940년 6월 14일자, 7월 6일자; 『每日新報』 1940년 6월 16일자.

아마메마(天沼) 교토대 교수 각지의 석탑을 조사

총독부 촉탁 경도대 교수 아마메마 준이치天沼俊一은 전북 익산군 미륵사지 석탑과 부여 부근에 있는 서천의 석탑을 조사하기 위하여 11일에 부산에 상륙하여 대전으로 향하였는데 차중에서 다음과 같이 말하였다.

"익산과 부여에 있는 두 석탑은 아주 옛적의 것으로 이번에 잘 살펴 볼 터이다. 일정은 15일 동안이니 광주, 청주, 대구, 또 해인사에 있는 신라시대 등롱 등을 살필 작정이다."[17]

사찰에 창씨개명 상담소 설치

1940년 3월 14일에 총독부 내무국에서 각도에 조선인에 대한 창씨개명에 관한 사무에 관한 통첩을 발하고,[18] 1940년 5월 20일에는 경기도 관내 3부 20개 군의 부윤군수회의에서 오늘 도지사는 창씨 등 당면한 과업에 대한 전반적인 훈시와 지시가 있은 후[19] 일반인의 창씨개명이 더욱 강요되었다. 이에 발맞추어 불교계는 사찰에 창씨개명 상담소까지 설치하여 개명을 독려했다. 다음은 『매일신보』 1940년 6월 19일자 기사다.

---

17 『每日申報』 1940년 6월 13일자.
18 『每日申報』 1940년 3월 15일자.
19 『東亞日報』 1940년 5월 20일자.

『매일신보』 1940년 6월 19일자 기사

불교도의 창씨열創氏熱

각 사찰에 사무소 설치

병사 위문 부인단체도 조직

수십만 불교신자들의 총본영인 부내 수송정 44번지 조선불교총본산 건설사무소에서는 일반교도들에게 창씨를 전부 하도록 하기 위하여 17일 오후 2시 창씨려행에 관한 협의회를 열었는데 총본산 측에서는 광전종욱廣田鍾郁, 장룡서張龍瑞 씨와 안양암 측의 대표 이태준李泰俊, 선리참구원 측의 응촌유성應村諭成, 유점사포교소 대표 길전추웅吉田秋雄, 범어사포교소 측 대원덕림大原德林 등 6씨가 모여 그 선전과 실행방법을 결정한 후에 산회하였다. 그 결정 사항은 첫째 일반신도들에게 오는 8월 10일 창씨 기한으로 한 사람도 빼놓지 말고 전부 창씨를 하기로 하되 편의를 주기 위하여 수송정 중앙포교소, 안양암, 선리참구원, 범어사포교소, 유점사포교소 등에 창씨상담소를 설치하고 무료로 주선을 하여 줄 것과 둘째 병사위문에 관한 것에 있어서 조선부인봉사단 같은 것을 조직하여 가지고 위문방법을 구체적으로 결정하기로 하였다고 한다.

『백신수길수집고고품도록』 간행

　시라가미 쥬키치白神壽吉는 1919년에 한국에 건너와 진남포고등여학교장으로 재직하였다. 1921년에 평양공립고등여학교장, 경성사범학교 주사로 근무하다가 1931년에는 대구로 옮겨 해방 때까지 대구여자보통학교장으로 근무했다. 평양에 있을 때부터 낙랑문화에 흥미를 가지고 유물을 접하기 시작하여 평양 일대에서 출토(도굴)된 각종 유물들을 수집하였다.

　그가 평양에서 수집한 것은 모두가 고고학적으로 매우 가치가 높은 것으로 그는 평양에 있을 당시에도 그곳에서 대단한 수장가로 알려졌다.

　『대정11년도 고적조사보고』 제2책에는, 평양의 어느 농부로부터 구입한 시라가미의 소장 동검과 동경이 여러 점 소개되어 있다. 세키노는 1924년 『낙랑군시대의 유적』을 집필하면서 평양의 수집가들의 손에 넘어간 도굴품들을 조

『백신수길수집고고품도록』 표지 및 도판

사 촬영하여 도판으로 실으면서, 시라가미 등의 수집가들을 거론하고 "제씨는 그 애장한 유물의 촬영과 연구를 쾌히 허락하고 또 제종의 편의를 주었다."라 하고 있다.『낙랑시대의 유적』에는 시라가미의 소장품을 도판으로 한 동검, 동경, 화문경 등을 포함한 상당수가 있다.

대구로 옮겨와서는 신라문화에 관련한 유물을 수집하였다. 고적조사요원들의 안내는 물론 대구 일대의 발굴에도 참여하였다. 당시 민간인 중에는 고고학 및 고고유물에 관련하여 가장 권위 있다고 알려져 있었다. 도굴품들이 성하게 시중에 나올 때는 시라카미에게 감정을 구하고자 문전성시를 이루었다고 한다. 그 역시 대구 일대의 도굴품 수집에 열을 올렸다.

1940년 6월에는 회갑기념으로 고고품도록을 간행하였다. 본 도록에 들어 있

는 것은 평양 재주시에 수집한 낙랑 유물이 주를 이루고 있다. 대구에 와서는 신라 고려 시대의 유물은 물론 서화부분에도 많은 것을 수집, 도록 안에는 조선총독부박물관 및 경성제국대학 참고품실 소유로 돌아간 것도 있다. 퇴계 이황의 서한 완당 김정희의 서한 및 시축 서애 유성룡의 글씨 등도 시라가미의 수집『고고품도록』에 들어 있다.[20]

『매일신보』1945년 1월 12일자

---

20 阿部薰, 『朝鮮人物選集』, 民衆時論社, 1934, pp.832~835; 朝鮮新聞社編, 『朝鮮人事興信錄』, 朝鮮新聞社, 1922; 『白神壽吉氏考古品圖錄』, 朝鮮考古學會, 1941; 『日本美術年鑑』, 1941, p.113; 朝鮮總督府, 『樂浪郡時代の遺蹟』, 1925; 朝鮮總督府, 『大正11年度 古蹟調査報告』第2冊, 1931.

그의 수집품들은 해방이 되어 일본으로의 반출이 불가하게 되자 모두 대구시에 기증하였다.

시라가미는 교육 현장에서 한국인의 황민화에 주역을 맡았던 자이다. 이런 공로로 총독부로부터 수 차 표창을 받기도 했다. 특히 2차 대전이 종말로 접어들자 한국 청년들을 전쟁터로 몰아넣기 위해 각종 선동에 앞장섰던 자이다.

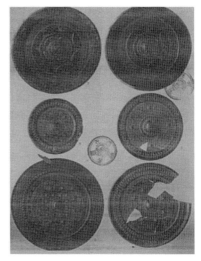

『백신수길수집고고품도록』에 실린 동경

다산 박영철의 소장품 경성대학에 기증하다.

『매일신보』1940년 6월 13일자에는 다음과 같은 기사가 있다.

성대에 다산문고, 고 박영철 씨의 고서 기증

고 다산多山 박영철朴榮喆 씨가 생존시에 애독하던 고서 130권을 유족이 보관하던 중 유언에 의하여 얼마전 경성제대에 기증하였는데 특히 문고 건축비로 현금 2만원까지 기부하야 그 대학에서는 도서관을 따로 짓고 다산문고라는 이름을 부치어 영원히 씨의 유서를 보관하기로 되어 불원간의 그 도서관의 공사를 착수하게 될 모양이라고 한다.

城大에 多山文庫
故朴榮喆氏의 古書寄贈

고故 다산(多山) 박영철(朴榮喆)씨가 생존시에 애독하든 고서 일백三十二권을 유족이 보편하든...

『매일신보』1940년 6월 13일자 기사

다산多山 박영철朴榮喆은 일본에 건너가 사관학교를 졸업하고 러일전쟁 말기에 근위사단 기병연대사관으로 만주에 종군했다. 그 때의 사단장이 2대 총독을 역임한 하세가와 요시미치長谷川好道이었다. 구한 국무관학교 교관, 시종무관을 역임한 뒤[21] 합방 후에도 탄탄대로를 달려 군수, 도지사를 역임하고 중추원참의와 상업은행 대표를 역임하였다. 일제강점기 최고의 권력과 부를 다 잡고 있던 거물이다.[22]

1936년『삼천리』에 실린 박영철의 인

---

21 1935년 滄浪客(筆名)과의 대담에서 "東京서 士官學校를 맛치고 나와서 日露戰爭 末期 때에 우리들 靑年士官이 舊韓國政府의 요직에 있어서 군제개혁에도 참여하고 군대 교련에도 관계하든 그 때였지요, 말 타고, 긴 칼을 차고 그야말로 천하에 호령하는 듯, 유쾌한 날을 보내었지요, 그 때의 나라일이야 말이 못되었지만, 그런 國事를 떠나서 나 개인으로 생각할 때는 그 때가 가장 得意之秋였지요"란 대목이 나온다.

22 朱潤의「朝鮮最大財閥 解剖(四), 2百萬圓의 銀行王 朴榮喆氏 - 朝鮮商業銀行, 米穀倉庫 等에 關係」(『삼천리』제14호, 1931년 4월)에는 다음과 같은 구절이 있다.
세상사람들은 민영휘 씨의 재산을 1천만 원 이상, 金性洙 氏系를 5백만 원 이상, 崔昌學 씨를 3백만 원 이상이라 하거니와 지금 논하려는 朴榮喆 씨의 재산에 대하여는 혹은 4, 5백만 원이라고도하고 혹은 단백만원 이라고도 부르는 모양이나 필자의 조사로 보건대 약 2백만 원은 된다고 본다. 이것은 氏가 근대산업방면(卽工場其他)에 투자한 것이 뚜렷하게 나타나지 않아 어느 곳 어느 곳에 얼마 얼마의 投下資金이 잇는지를 알 길이 없어서 그리함이나 그러나 현재 頭取의 椅子를 차지하고 있는 상업은행의 소유주권(조선인 주주 중에는 최대주주이다)과 경성 소격동의 반양제가옥 및 기타(時價 약 만원)과 저금과 미곡창고 기타의 은행회사의 주권과 그러고 전주와 이리평야에 가지고 있는 토지를 평가 합산한다면 2백만 원은 不下할 것이다 함이 正鵠을 얻은 測定이리라.

물평(「은행 두취 인물평」)을 보면,

> 박영철 씨는 그 거구에 필적할 만큼 유장悠長하고 무게가 있어 보인다. 그를 처음 대하는 사람은 거구에다 씩씩한 맛이 있음을 깨달을 것이오. 태연한 위풍이 있음에 자연 고개가 숙여질 것이다. 좀 더 친근한 사람은 뢰뢰磊磊한 풍모와 당당한 언론이며 훈풍 같은 장자의 풍골이 있음을 깨달을 것이다. 얼른 보면 코끼리 상에 마치 수호지에 나오는 노지심의 모양으로 거므테테한 뚱뚱보 얼굴에 부리부리한 눈과 위엄이 있는 얼굴을 대하게 되면 인정사정도 불구하는 일개 무골한에 불과하다고 할 것이다. 그러나 자세히 보면 무골이라기보다 다정한이 무뚝뚝한 것 같으나 눈물 많은 사람임을 알 것이다.

이라 한다. 그의 외모상으로는 전혀 서화 골동과는 거리가 먼 사람처럼 보이지만 특별한 취미를 가졌던 것 같다.

그의 명함도 특별하여 전면에는 조선은행 두취 박모라 하고, 뒷면에는 조선총독부 중추원참의, 경성부상공회의소 특별의원, 조선미곡창고주식회사 취체역, 조선철도주식회사 취체역, 조선맥주주식회사 취체역, 주택 경성부 소화통 144라 하였다.

박영철은 수집벽이 특이하여 그의 집 번지도 144번지, 전화번호도 144번, 자동차 번호도 144이다. 일찍이 서구 유럽을 돌아보고 귀국할 때 각국의 화폐와 유명한 골동품을 수집해 오기도 하였다.[23]

1926년에 간행한 『인물평론』이란 책자를 보면, 박영철은 강원노지사보 있을 당시

---

23 江村居士, 「銀行 頭取 人物評」, 『三千里』 8권 8호, 1936년 4월.

에도 대단한 독서가로서 서화를 완상하고 바둑 두는 것이 취미라고 소개하고 있다.

1935년에 잡지 삼천리사의 창랑객[24]이 1935년에 박용철 댁을 방문하여 대담한 기록이 있는데, 그의 댁에 들어서면 먼저 '百世淸風'이란 병풍이 둘려있고, '溪山無盡'이란 추사의 필액筆額과 '多山詩座'라는 오세창의 필액筆額이 걸려있다고 한다. "이것은 내가 다산 박영철 씨의 응접실 현관에 서서 일별—瞥하는 사이에 내 시야에 들어온 제유명諸有名한 필액들이다. 그리고 현관을 통하여 응접실에 들어앉은 내 눈에 비취는 것은 모피로 하여 깐 긴 의자와 한편 유리장합 속에 들여다보이는 고려자기와 꽃무늬 있는 몇백 년 전, 몇천 년 전의 귀중한 화병들이다. 이것으로 보아 일찍 은행가로 유명한 백만장자 다산 박영철 씨의 취미와 기품을 알 수 있겠다" 하고 있어 당시 엄청난 서화골동을 수집했음을 알 수 있다.

『매일신보』 1941년 1월 15일자 기사

이 같이 그가 고서나 고미술품을 수집한데에는 창랑객滄浪客과 나눈 대화 중에 "글쎄요, 아직은 가친께서 생존하시기에 재산을 내 마음대로 할 수 없지만, 내 손으로 쓸 수 있는 때 오면 나는 도서관 같은 것을 하나 마련하고 싶습니다. 그런 생각으로 나는 우리 조상들이 끼쳐준 희귀

24 시인 金東煥의 筆名.

한 고서를 아무쪼록 많이 수집하고 있습니다. 고서 뿐 아니라 고려자기 같은 미술 공예품도 또 그림 같은 것도 벌써 모아 놓은 것만 수천 점이 됩니다"라고 하고 있어,[25] 이미 사회에 환원하고자하는 생각을 일찍부터 가지고 있었던 것으로 보인다.

다산 박영철은 1939년 3월에 10일 61세로 별세했다. 그는 평소의 생각대로 임종 전에 유언을 남겨, 생전에 수집한 모든 골동서화와 서적을 경성대에 기증하고, 40만원을 교육사업에 써달라고 했다.

그의 유가족들은 고인의 뜻을 받들어 1차적으로 1940년 6월에 경성제대(서울대)에 다산문고를 설립하도록 건축비 2만원과 그가 생전에 수집한 골동서화와 서적을 기증했다. 이어 2차로 1941년에는 불우한 학생들을 위해 40만원을 기부하여 재단법인 다산육영회를 설립케 했다. 이 다산육영회는 1941년 1월 14일부로 당국에 정식 허가가 났다.

『매일신보』1941년 1월 15일자에는 다음과 같은 기사가 있다.

겸재의 '금강산만폭동도'
박영철 구장, 현 서울대박물관 소장

이 그림은 겸재 정선과 현재 심사정의 그림을 모은
『겸현신품첩(謙玄神品帖)』에 실려 있다. 제에는, '일천봉 바위는
시새워빼어나고, 만 골짝 물은 다투어 흐르고, 풀과 나무 하도
무성하여, 구름 일고 놀이 너울거리는 듯'이라 하고 있다.

25 滄浪客,「百萬長者의 百萬圓觀」,『삼천리』제18호, 1935년 9월.

서화골동과 문고

성대에 2만원을 기부

별항과 같이 육영사업에 40만원을 희사하여 육영회를 조직하게 된 고 박
영철 씨의 유지遺志는 조선 교육계에 한 이채를 띄게 되었거니와 이 육영
사업과 한 가지로 고인이 평소부터 수집해오던 서화골동 약 150점(싯가
20만원어치)을 경성제국대학에 기부할 것과 이것을 관리하도록 다산문고
多山文庫를 만들라는 의미에서 2만원을 기부하라는 유언이 있었다고 한다.
이 유언을 받아 작년 가을 역시 그 미망인과 그 유자는 성대 총장 시노다篠田 박
사에게 이것을 전하였는데 이렇듯 40만원 현금과 지금은 좀체로 얻기 힘드는
귀중한 서화골동을 전부 내어놓은 것은 고인의 유덕을 더 한층 우러러 보게 하
는 것으로 경성제대와 일반의 칭송이 자자하며 이 골동 기증과 2만원 기부는
지금까지 세상에 들어나지 않은 사실로 이번에 비로소 알려진 것이라 한다.

박영철은 고서화 등을 모으기는 했으나 매각했다는 기록은 보이지 않는다.
그만큼 경제적으로 워낙 여유가 있기도 했지만 후일 도서관을 만들겠다는 생
각이 있었기 때문이기도 한 것 같다.

다산 박영철이 언제부터 서화골동을 수집했는지는 명확하지 않으나『매일신보』
1928년 3월 18일자에 실린 「취미인 순례기」에서, "(박영철)씨가 서화에 취미를 들
여 각 방면으로 옛것 새것을 모아들이기는 최근의 일이라고 겸손을 한다. 그러나
400종에 가까운 서화에 일일이 유래와 권위가 있어 보는 이로 하여금 경탄케 한다"
하는 대목이 있어 대략 1920년대 중반 이후부터 수집을 했을 것으로 추정된다.

그는 서울에 넓은 터전을 마련하여 여러 채의 양옥집을 지어 고미술품을 진

1928년의 3월의 응접실에 있는 박영철의 모습(『매일신보』 1928년 3월 18일자)

신문기사에 의하면, 사진에서 응접실벽에 걸려 있는 글씨는 박영철이 깊이 감추어 소중히 간직한 임진왜란 시 재상 서애 류성룡이 당시에 군수로 있던 그의 형님에게 보낸 서간으로 그 사연 중에는 중국사신 심유경의 이야기며 군졸이 죽을 쑤어 연명을 한다는 비장한 시사時事도 기록되어 있다고 한다.

열하고 여러 지우들과 교우하면서 지냈다. 위창 오세창도 이곳을 출입하면서 박영철이 수집하는 고미술품을 감정을 해주었다고 한다. 박영철은 한국이 낳은 문호 연암 박지원의 필적도 많이 소장하고 있었다. 위창이 이를 보고 권고하여 『연암집』을 간행하기도 하였다.[26]

『조선고적도보』 14권에는 박영철의 소장품으로 겸재 필 '금강산만폭동도', '금강산혈망봉도' 외 1점이 실려 있다.

박영철의 소장품 중에 주목되는 것은 오세창이 수집 편집한 『근역서휘槿域書彙』와 『근역화휘槿域畵彙』로, 이것은 오세창이 1911년에 1차로 완성하고 여러 차례 증보한 것이다.[27]

---

26 開闢社, 「百人百話」, 『開闢』, 1935년 1월호 소식.

27 전준현의 「근역서휘와 근역화휘에 대하여」(서울대학교박물관, 『槿域書彙 槿域畵彙 名品

『근역서휘』에 실린 안평대군의 글씨 '鳳池淸'

『근역서휘』의 구성이 권1에서 23까지 일단 마무리된 후 계속 증보되었는데, 후에『근역서휘』와『근역화휘』가 박영철에게 넘어갔다.

박영철이 인수한 시기는 명확하지 않으나 1935년 3월에 조선총독부에서 발행한『조선사료집진朝鮮史料集眞』에『근역서휘』가 박영철 소장으로 나타나 있다.[28] 그리고 1932년 조선미술관 주최의《조선고서화진장품전》이 개최되었을 때 오봉빈은 "박영철 씨 출품의 '신라고려명인서첩'은 서도 대가 오세창 씨가 반생의 시일을 허비하여 고심 역집한『근역서화징』의 제1집인데 신라 김생, 최치원, 고려 강감찬, 길재 선생 등 30여 명의 명현 유묵을 집대성 한 것"이라고 하는 점으로 보아 이는『근역서휘』를 지목한 것으로 보인다. 이로 보아『근역서휘』가 박영철에게 넘어간 것은 1932년 이전으로 추정된다.

이후 박열철은『근역서휘』를 또 다시 증보하였는데 그 중에는 지창한, 정봉시, 정만조, 김돈희, 김용진 등 당대 명사들의 글씨가 포함되어 있다.

『근역화휘』는 오세창이 처음 편집하였을 때는 251점이었는데, 그 중 일부를 박영철이 인수하였다. 박영철이 소장한『근역화휘』는 천, 지, 인 3권으로 이루어졌

選』, 돌베개, 2002)에 의하면,

『槿域書彙』는 권1-23, 再續 전, 후권, 3續 1, 2, 3권, 4續 전, 후권, 5續 1-4권, 그리고 人名卷 2권, 도합 37권으로 이루어 졌다. 특히 5續의 경우에는 모두 19세기에서 20세기 전반에 이르는 인물로 이루어졌다. 이 부분은 박영철의 수집으로 보인다고 한다.

『槿域畵彙』는 각면에 수록된 회화 작품의 좌상단 여백에 적혀있는 작가의 이름과 호등의 글씨가 오세창의 글씨와 다를뿐더러 오기가 보이기도 한다고 한다.

28 朝鮮史編修會,『朝鮮史料集眞』, 朝鮮總督府, 1935.

는데, 천첩 25점, 지첩 21점, 인첩 21
점 총 67점의 그림이 실려 있다. 조선
초의 안견, 신사임당을 비롯한 조선
중기 후기의 작가들의 작품이 골고루
포함되어 우리나라 회화사상 중요한
작품이 다수 포함되어 있다. 인첩 후
반의 일부는 박영철이 그의 지인들로
부터 받은 그림으로 증보하였다.

『근역화휘』에 실린 신윤복의 '두 여인'

　박영철의 소장품은 그가 작고 후
영구 보존키 위하여 서울대학교에 기증하였다. 이것이 계기가 되어 서울대학
교에는 부속박물관이 생기게 되었으며 박영철의 소장품은 현재까지 잘 보관되
어 있다. 골동 수장가로서는 모범적인 사례라 할 수 있다.

1940년 7월 20일

《강원도모가소장품 매립회》

　1940년 7월 20일, 21일 양일에 걸쳐 경성
미술구락부에서 《강원도모가소장품 매립
회》를 개최했는데, 300여 점이 출품되었다.

『강원도모가소장품 매립목록』 도판

1940년 7월 29일

불신구 헌납운동 단합회를 개최

전시하戰時下 중요한 금속자원을 충원하기 위해 시국강연과 시국좌담회[29]를 열고, 아울러 전국의 사찰의 헌금운동은 물론 불신구 등 전시물자과 교회의 불신구 헌납운동이 전개되었는데 전시물자활용회戰時物資活用會와 문부성文部省은 1940년 7월 29일 쓰지 않는 불신구 헌납운동 단합회를 개최하여 문부성 관계관과 각 종파 대표가 출석, 협의한 결과 10월부터 전국 신사 및 7만1천 신도교회, 1만의 불교사찰, 1만 기독회를 일으켜 청동, 동철 등 신불도구의 일대 헌납운동을 전개히였다.

조선총독부 발행 기념우편엽서

---

29 『朝鮮總督府官報附錄』第19號(1938년 4월 15일)에 의하면, 時局座談會는 주로 경찰관主催로 행하였는데, 1938년 4월까지의 통계는 54,773回로 集會 延人員 3,595,944人으로 기록하고 있다.

1940년 7월 30일

부소산성의 일부를 보물고적명승천연기념물의 보존 지정을 해제

부여신궁 경역에 부소산성이 포함되자 보존지역으로 묶여 있던 이 지역에 대해 총독부는 1940년 7월 31일부로 조선총독부 고시 제807호로 부소산 일대를 '조선보물명승천연기념물보존령'에서 지정을 해제하였다.[30]

해제된 지역의 유물 유적 조사를 부여분관 근무 스기 사부로杉三郎에게 조사 협조 의뢰했다.[31]

신궁 장소는 부소산 남쪽 기슭(백제 때의 세 충신인 계백, 성충, 홍수의 의혼을 모신 지금의 삼충사 자리)으로 잡았다. 원래 이 자리는 바위가 길게 뻗어 나왔던 곳인데 가장 좋은 자리라 하여 다이나마이트로 폭파작업을 하여 정지공사를 하였다.[32]

이처럼 소위 '내선일체'를 표방하던 부여신궁의 조영계획은 조선인의 정신을 완전히 소멸하는 데 그 최종적 목적이 있었다. 이에 따라 백제 구도의 고대유적은 람굴濫堀되었다. 이때 발굴된 서복사지西腹寺址, 동부건물지東部建物址, 금성산사지錦城山寺址, 구아리사지舊衙里寺址, 부여 정림사지 등에 관한 귀중한 자료는 고스란히 갖고 도망간 후 아직껏 보고서를 내어주지 않는 사실이다. 오늘날 백

---

30 『관보』 1940년 7월 31일자.
31 「扶餘博物館 日誌」, 『博物館新聞』 1974년 4월 1일자.
32 이 자리는 후에 홍사준이 부여교육감에게 건의하여 삼충사를 세우게 되었다.

제 고도의 연구에 치명적 상처로 남아 있다.

부여신궁의 조영계획으로 고대유적이 마구 파헤쳐지자, 총독부 고적조사에 관여한 우메하라梅原는 토목공사 때 당연히 발견될 유물수습을 위해 그의 제자인 후지사와 가스오藤澤一夫를 현장에 보내어 주재케 했다. 후지사와는 많은 유물을 수습하여 부여박물관 창고에 보관하였다. 그러나 이때 작성한 모든 자료는 해방이 되면서 일본으로 가지고가 근일까지 보고서 공간을 보지 못했다. 우메하라는 이를 "일본인의 손에 의한 고적조사사업의 결말을 장식함에 경하하는 바이다"[33]라고 하였다. 이는 바로 그들이 우리나라 고적조사에 대해 얼마나 독점하려 했는지를 보여주는 단적인 예라 할 수 있다.[34] 이 기간에 있어서의 성과는 백제의 문화와 미술연구에 있어서 중대한 내용을 포함하고 있을 것인데[35] 유물은 있되 보고서기 없어 시료적인 기치를 기의 발휘하지 못하고 있는 실정이다.

---

33 梅原末治,『朝鮮古代의 文化』, 國書刊行會, 1972, p.106.
34 북한학자 김석형은 일제의 한국고적조사의 독점에 대해『古代 韓日關係史』(pp.60-61)에서 다음과 같이 말하고 있다.
   일본의 학자라는 사람들이 발굴된 유물을 어느 정도나 발표했는지, 얼마나 총독부박물관이나 이왕가박물관에 남기고 얼마나 도둑질을 해갔는지 알 길이 없다. 다만 이 시기에 그러한 소위 발굴한 유물들 중에서 한국 땅에 남긴 것 보다 훨씬 더 많은 것들을 저들의 나라로 날라 갔다는 것을 말 할 수 있을 것이다. 오늘날에도 계속 조선고고학에 대하여 일본 사람들이 '새로운 것' 말할 거리를 적지 않게 가지고 있다는 것으로써도 이 사정은 짐작할 수 있다.
35 黃壽永,「百濟 半跏思惟石像 小考」,『歷史學報 第13輯』, 歷史學會, 1983, p.27.

1940년 7월 31일

부여신궁지진제 거행

부여신궁지진제는 당시 장마 등으로 수 차 연기되어 1940년 7월 31일에 거행되었다.[36]

지진제가 끝나고 곧 바로 신궁 조영 봉사대가 투입되었다. 부여신궁 조영의 근로봉사대는 1940년 8월 5일 제1착으로 시작되었다.

봉사의 제1일을 맡은 지방, 부여군 은산면의 정동연맹 제1대는 예정인원 100명을 초과하여 면장 이하 143명이 참가하였다.

먼저 부소산의 신사神明神祠 앞에 모여 봉사대 명부에 대표자가 서명하고 신사예배, 궁성요배, 묵도, 인사, 봉사원의 서사,[37] 황국신민서사제송 등의 식을 행했다. 그 다음은 작업반을 10개조로 나누어 총독부, 충남도청, 부여군청, 국민총력동맹 조선연맹의 지도원 지도에 따라 작업을 시작하였다. 작업을 마치고 '천황폐하 만세'를 봉창하고 해산하였다.

근로봉사는 부여군은 물론이고 논산, 공주, 청양, 각 군이 계속하여 73일간 하고 점차 부근 도, 군으로 연장하였다.[38] 그리하여 신궁조영이 착수된 지 반년 만

---

36 『東亞日報』 1940년 6월 21일자, 7월 9일자.
37 봉사원의 誓詞.
　　1. 我等은 건국의 대정신을 발양하고 厚하온 황은에 응하여 봉사할 것을 期한다.
　　2. 아등은 內鮮一體의 취지를 구현하고 聖域完成을 위하여 봉사의 赤誠을 다하고자 한다.
　　3. 아등은 근로를 존중하여 심신을 단련하며 協心斷力 국가에 奉公할 것을 기한다.
38 『東亞日報』, 1940년 8월 9일자.

근로봉사 장면

에 개인 또는 단체로 조영공사에 참가하여 근로 봉사한 인원은 수만에 달했다.

이 지역을 성지 순례화하여 대신전의 건립에 대대적 선전과 아울러 신궁조영에 근로봉사勤勞奉仕라 기만하여 강제노력동원에 박차를 가하였다.

일제는 한국의 문화단체들을 완전히 해산시키고 그 대신 일제의 어용단체로서 1938년에는 '국민정신총동원조선연맹'을 조직하고, 1940년에는 '국민총력조선연맹'을 조직하여 모든 한국인은 이 조직 아래 둠으로써 모든 행동을 묶어버렸다.[39] 국민총력조선연맹 총무부장 도리카와鳥川僑源는 "국민총력연맹운동이라는 것은 단적으로 말하면 전시국민 생활운동이다. 전시국민생활은 물심양면의 모든 힘을 전쟁 수행을 위하여 집중시키는 것과 또 하나는 신동아를 건설하여

---

39 국민총력조선연맹의 조직은, 총독부 내에 군 관민 대표자들로 국민총력운동지도위원회를 설치하고, 각도에 국민총력과를 두었다. 그 아래 부, 군, 島에 이르기까지 관리(지도요원)를 두었다(朝鮮總督府, 『半島ノ國民總力運動』, 1941).

세계평화에 공헌하려는 운동인 것이다"[40]라고 하고 있다. 국민총력운동의 첫째 목적은 전쟁 수행이라는 것이다. 그래서 모든 한국인 문화 활동가들을 국민총력조선연맹에 강제 가입케 하여 강제 노력봉사 또는 선전화에 활용하였다.

국민총력연맹에서는 총독부와 충청남도청을 비롯하여 철도국, 자동차회사, 부여사적현창회와 협의하여 전 조선 관민으로 봉사대를 조직하여 부여신궁 조영에 봉사케 했다.

부여신궁 조영 봉사대는 각 도 및 부의회 의원들, 읍, 면협의회 의원, 기타 각 지방별 단체, 유지들 그리고 각 기관, 학교 학생들로 봉사대를 조직하였다. 이들은 부여신궁 정지작업은 물론이고 논산 부여간의 도로 보수공사, 부여 시가지 도로공사에 적게는 하루에 수백 명 많게는 하루에 수천 명씩 동원되었다. 이러한 일이 가능했던 것은 바로 국민총력연맹이라는 조직이 있었기에 가능했던 것이다.

부여신궁의 조영에는 부여 신도시계획까지 포함되어 신가지 계획, 참궁 도로정비, 식림사업 등이 함께 추진되었다. 신역의 정지작업과 식림작업에 대하여는 조선 내는 물론 일본, 만주 기타 각 지방으로부터 근로봉사대를 불러들여 국민의 근로도장으로 활용하기로 하였다. 이들 봉사대의 수용과 숙박 등에 대하여는 원활하게 하기 위하여 대규모 숙박소를 건축하기로 하고, 소요 경비 수만 원을 1940년도 예산에 포함시켰다.[41]

부여신궁조영의 과정은 철저한 내선일체, 조선인의 황국신민화皇國臣民化에 역점을 두어 시행하였다. 그들은 부여신궁조영이 마치 조선인에게 엄청난 은

40　鳥川僑源,「國民總力運動의 意義와 實踐 要綱」,『春秋』2-1, 1941년 2월.
41　『동아일보』, 1940년 1월 16일자.

혜를 주는 것처럼 기만하였다. 사이토齋藤忠는 『조선고대문화의 연구』에서,

부여신궁을 조영한다고 발표하여 반도에 있는 사람들을 감격케 하였지만 당시 나는 조선총독부박물관에 봉직하고 있었으므로 특히 부여의 고적과 유물에 친숙하였기에 한층 더 감동이 깊었다. 공사의 진척에 따라 사람들은 우리의 먼 조상들의 분투했던 부소산성에서 지나간 내선관계의 역사를 생각하니 감격이 깊었다. 더구나 조선동포에 대하여 징병제를 시행한다는 결정과 의무교육도 실시한다고 하니 반도동포의 광영과 만족은 실로 컸으며 내선일체가 실로 완성단계에 도달하였으니 이제야 명실 공히 황국신민으로서 지성껏 봉공奉公하는 기운이 팽배하게 되었다.

라고 하고 있다.[42]

1940년 7월

경성 본정서 고등계는 형사대를 총동원하여 관내에 있는 각 고본상古本商을 일체 검색하여 時局에 맞지 않는 책과 적색서적을 압수하다.[43]

---

42 齊藤忠, 『朝鮮古代文化の研究』, 地人書館, 1943.
43 『東亞日報』 1940년 7월 14일자.

함북 종성면 석기시대 유적 조사

7월에 총독부에서 함북 종성군 행연면 지경동 석기시대 유적을 발굴하여 대부완 등 토기 약간을 발견했다.[44]

대부완(『박물관진열품도감』 제15집)

회령군 석기시대 분묘 조사

1940년 7월에 총독부박물관장 후지타藤田 외 2명은 함경북도 회령군 벽성면 영수동 연대봉의 석기시대 분묘 수기를 발굴하여 부장품으로 타제석기, 마제석족, 패옥, 석부, 옥환 등 각종 석기시대 유물이 나타났다.[45]

발견한 유물
(『박물관진열품도감』 제15집)

---

44 朝鮮總督府博物館, 『博物館陳列品圖鑑』, 第15輯, 1941년 3월, '해설편.'
45 朝鮮總督府博物館, 『博物館陳列品圖鑑』, 第15輯, 1941년 3월, '해설편.'

『동아일보』1940년 8월 9일자 기사

평남 대동군 대동강면 낙랑고분 조사

1940년 7월부터 9월까지 조선고적연구회에서 평양 정백리 제138호분, 정백리 제200호분, 정백리 제356호분, 정백리 제360호분, 남정리 제117호분을 발굴했는데 구체적인 보고서도 남기지 않고『일본미술연감』(1941년판, p.112)에 출토 유물만 일부 게재하고 있다. 그런데『조선고문화종감』제2권 도판 제10으로 소개되어 있는 평양 대동군 정백리 제200호분 출토의 동완銅盌을 보면 "제실박물관 장"으로 소개하고 있다. 이것이 어떤 경로로 도쿄박물관에 들어갔는지 알 수 없으나 1940년 7월부터 9월까지 발굴 조사한 유물의 일부가 일본으로 반출되었을 것으로 추정해 볼 수 있다. 이를 정리해 보면 대략 다음과 같다.[46]

정백리 제200호분 출토 銅盌(제실박물관 소장,
『조선고문화종감』제2권 도판 제10)

46 『日本美術年鑑』美術研究所, 1942년 3월(1941년판), p.112.

조사 시기	조사 장소	조사자	조사 고분	출토 유물
1940년 7월~9월	평양 대동군	朝鮮古蹟保存會	정백리 제356호분	金銅鉾格 1개, 木柄付鐵斧 1, 金銅轡 1, 金銅馬面 1, 靑銅車軸頭 1, 木製品 1, 有紋漆杓 1, 水晶切子玉 4
1940년 7월~9월	평양 대동군	朝鮮古蹟研究會	정백리 제360호분	靑銅龍闕鐶金具 1
1940년 7월~9월	평양 대동군	朝鮮古蹟研究會	정백리 제200호	漆奩 1, 漆盂 2, 永平十一年銘漆耳杯 1, 漆耳杯 4, 建武三十年銘漆耳杯 1, 木製斧 1, 環頭鐵刀 1, 花紋鏡 1, 銀盌 1, 漆案 1, 漆扁壺 1, 기타 7점
1940년 7월~9월	평양 대동군	朝鮮古蹟研究會	정백리 제138호분	耳飾 1대, 腕飾 1, 銀釧飾 1, 琥珀獸形飾 1, 花紋鏡 1, 金銅馬面殘缺 1
1940년 7월~9월	평양 대동군	朝鮮古蹟研究會	남정리 제117호분	銀釵 1, 金銅漆器附屬品 1, 五銖錢

충남 부여군 초촌면 세탑리 5층석탑 이건 계획

1940년 7월 4일부 충청남도지사가 학무국장 앞으로 보낸 '고적관리에 관한
건'에 의하면, 부여군 초촌면 세탑리 311번지 화강암 5층탑은 당해 군에 보관하
고 있는데 이를 사유물로 지난 해 5월 석탑 최상부의 솔석 절취 사례가 있어 보
존의 십분을 기하기 위해 박물관 부여분관으로 이건하는 하는 방안을 신청한
다. 하지만 이건은 실현되지 않았다.[47]

---

47 『국립중앙박물관 소장 총독부박물관 공문서』, 목록번호 : 96-151.

세탑리5층석탑 및 도면

1940년 8월 19일

　부여신궁 조영공사 지역 내의 유적유물의 발견에 관한 사항과 고적보존에 대한 것을 공사관계자와 협의하여 처리할 것을 학무국장으로부터 스기 사부로 杉三郎에게 지시가 내려오다.[48]

48 「扶餘博物館 日誌」,『博物館新聞』1974년 4월 1일자.

1940년 9월

1940년 9월에 곡물검사소 부산지소 기수 오치아이 히데노스케落合秀之助와 야마모토 시게로山本茂 두 사람은 경남 창녕에 출장했을 때 조선식당 앞을 산책하면서 부근 농작물 상황을 시찰 중 부근 작은 언덕의 고분이 발굴한 형적처럼 석벽이 노출된 것을 발견했다. 이곳 고분으로부터 석부와 선형토기船形土器를 발굴하여 부산고고회에 기증했다.

이 유적은 창녕군 창녕면 교동 87-3, 91, 90번지의 밭 내에 소재하는 고분지로 1932년 본부에서 대규모로 발굴을 하고는 그 후 발굴지의 정리를 하지 않고 방치해 두어 일견 토취장의 흔적처럼 보였다고 한다.[49]

1940년 10월 12일

《재경모씨소장서화골동매립회》

1940년 10월 12일, 13일 양일에 경성미술구락부에서 《재경모씨소장서화골동매립회》가 열렸다. 서화골동 총 220여 점이 출품되었다.

『재경모씨소장서화골동매립목록』

---

49 「경상남도 창녕군 창녕면 교동 고분 유적 발굴」, 『국립중앙박물관 소장 조선총독부박물관 문서』, 목록번호 : 97-고적조사05.

1940년 10월 14일

신국민조직 요강 확정 발표

총독부는 그동안 협의해오던 소위 조선의 신국민조직의 요강을 확정 발표하다. 그 내용은 다음과 같다.

국민조직신체제요강[50]

一. 명칭 국민총력연맹

二. 강령 단체의 본의에 기하여 내선일체의 실을 거하고 각 그 직역에서 멸사봉공滅私奉公의 성을 봉하여 협심륙력하여 국방국가체제의 완성, 동아 신질서 건설에 매진할 것을 기함.

三. 실천방책 강령에 기하여 국민정신총동원운동, 농촌진흥운동을 비롯하여 물심량면의 각 부문의 제운동을 통합포섭하여 그 직역에 응하여 실로 국민총력 발휘의 실을 거하도록 발랄하고 강력한 실천운동을 전개할 것.

四. 조직

(1) 지도조직

가. 조선총독부에 국민총력련맹지도위원회를 둠.

나. 위원장은 정무총감으로써 이에 충당함.

다. 위원은 본부 각국장, 국민총력과장, 국민총력조선련맹 전무리사, 조선

---

50 『每日申報』1940년 10월 14일자.

군관계관 및 총독이 위촉한 자로서 이에 충당함.

지도위원회에서는 국민총력련맹의 기본방책을 심의책정함.

(2) 중앙조직

1. 명칭 국민총력조선련맹

2. 구성원 조선의 전 단체와 개인으로서 구성함.

3. 역원

가. 연맹의 총재, 부총재, 고문, 이사, 참여, 참사 및 평의원을 둠.

나. 총재는 조선총독을 추대함. 총재는 본 연맹을 총리함.

다. 부총재는 조선총독부 정무총감을 추대함, 부총재는 총재를 보좌하고 총재사고 시에 이를 대리함.

라. 고문은 총재가 이를 위촉함.

고문은 총재의 자문에 응하고, 또는 중요사항에 대하여 의견을 술함.

마. 리사는 본부 각국장 국민총력과장 및 학식 경험있는 자 중에서 총재가 위촉한 자로서 이에 충당함.

이사 중 약간 명을 전문이사로 함, 이사는 이사회를 조직하고 연맹의 기본방책의 실천사항을 심의함.

바. 참여 및 참사는 총재가 이를 위촉함, 참여는 참여회를 조직하고 총재의 자문에 응함.

사. 평의원은 각종단체의 역원과 기타 경험있는 자 중에서 총재가 이를 위촉함.

평의원은 평의원회를 조직하고 총재의 자문에 응함.

4. 사무국

  가. 국민총력조선련맹에 사무국을 두고 사무국 총장은 각부의 사무련락
    조정에 임함.

  나. 사무국에 총무, 기획, 상공, 농림, 저축, 보호, 사상, 훈련, 선전의 각부를 둠.

(3) 지방조직

 1. 도

  가. 명칭은 국민총력도련맹으로 함.

  나. 구성원은 중앙조직에 준함.

  다. 도연맹에 회장 고문 리사장 리사를 두고 필요에 응하여 중앙조직에
    준하여 참여 및 평의원을 둠.

  라. 회장은 도지사로서 이에 충당함.

 2. 부 군도 읍면

  가. 명칭은 국민총력군도읍면연맹으로 함.

  나. 구성원은 중앙조직에 준함.

  다. 부 군도 읍면련맹에 이사장 이사를 두고 필요에 응하여 중앙조직에
    준하여 참여 및 평의원을 둠.

  라. 이사장은 부윤 군수 도사 읍면장으로써 이에 충당함.

 3. 정리부락

  가. 명칭은 국민총력정동리부락연맹으로 함.

  나. 구성원은 중앙조직에 준함.

  다. 정동리부락련맹에 이사장을 둠.

  라. 이사장은 정총대구장 등으로 이에 충당함.

4. 애국반

　가. 정동리부락영맹에 기저조직으로서 대개 10호를 단위로 하여 애국반
　　을 결성시킴.

　나. 애국반에 반장을 둠.

1940년 11월 7일

《재경모씨가소장품 고려이조도기매립회》가 1940년 11월 7일부터 9일까지
경성미술구락부에서 열렸다. 그 목록은 100번까지 나타나 있으나 어느 하나 빠
지지 않는 우수품이다.

목록 도판(백자철회호죽로문호, 청화백자추초문호, 두 점 모두 일본으로 반출)

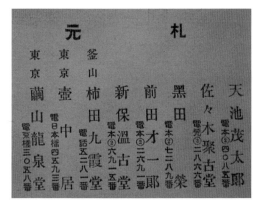

『재경모씨가소장품고려이조도기매립목록』

본점은 일본에 두고 한국에 진출한 도쿄의 류센도龍泉堂와 고쥬교壺中居는 일본을 대표하는 골동상점으로 총독부 설립 후 구미로 고려자기를 수출하여 큰 돈을 번 것으로 알려져 있다.[51] 이들은 수시로 한국에 건너와 고미술품을 매입해 일본으로 가져가 매각했으며, 경성미술구락부를 통해서도 많은 미술품을 구입하기도 했다. 류센도龍泉堂는 한 때 몽유도원도를 구입하여 소장하기도 했다.

1940년 11월 22일

시정기념관 개관

조선총독부는 시정30년을 맞아 항일합방 전에 일본공사관, 통감부로 역사를 가진 왜성대의 구 총독관저를 보존하기 위하여 이를 수리하여 11월 15일에 문을 열었다. 그러나 그동안 미나미 총독이 동경에 출장 중이었기 때문에 개관기념식은 미나미 총독이 돌아온 후 11월 22일 오전 11시에 정식으로 거행되었다.

---

51 佐佐木兆治,『京城美術俱樂部創業20年記念誌』, 株式會社 京城美術俱樂部, 1942,

이날의 모습을 『매일신보』 1940년 11월 23일자에는 다음과 같이 표현하고 있다.

시정30주년기념으로 탄생한 총독부 기념관 개관식은 동상 중이던 남 총독의 귀선을 기다려 22일 오전 11시부터 기념관인 남산 밑 왜성대 구 총독관저에서 성대히 열렸다.

이 날 식장에는 미나미南 총독, 나카무라中村 군사령관, 오노大野 정무총감, 마쓰바라松原 선은총재, 시노다篠田 성대총장, 각 국장 이하 군관민 각계 대표자 백여 명과 특히 개관식에 참열하기 위하여 내성한 고 하세가와長谷川 전 총독의 사자 육군소장 하세가와 이사부로長谷川猪三郎 백도 참열한 가운데 정각에 개식 국가합창과 궁성요배 묵도에 이어서 주최자를 대표하여 오노 정무총감의 식사가 있었고 다음 나카무라 군사령관 마쓰바라선은총재의 축사가 있은 뒤 황국신민의서사 제창으로 식을 마치었다. 폐회 후 일동은 관내에 진열해 있는 이등공의 유품을 위시하여 역대 총독 통감의 유품 서화 시정관계의 여러 가지 도서 등 귀중하고 진귀한 물건을 관람하고 대식당에서 다과회를 마친 다음 폐회하였다.

개관식장 모습(『매일신보』 1940년 11월 23일자)

이곳은 원래 남산 기슭에 자리 잡은 녹천정綠泉亭이 있었던 곳으로 갑신정변의 결과로 체결된 한성조약(1885)에 따라 조선정부가 내어준 곳이다.[52] 1884년 갑신정변으로 교동 일본 공사관이 소실되자. 경기감영 선화당 건물에 이사하여 잠시 사용하다가 1885년 1월에 경기감영에 있던 공사관을 녹천정으로 옮기고 증설공사를 하였다. 일본인들은 이 건물을 헐고 서양식 공사관을 짓고 1906년부터는 통감관저로 사용하였는데, 1910년 당시 통감이었던 데라우치와 총리대신 이완용이 강제병합조약에 서명한 자리이기도 하다.

『매일신보』1940년 4월 12일자 기사에는 다음과 같은 기사가 있다.

왜성대 총독관저, 반세기의 역사를 비장한 유서 깊은 건물

남산 왜성대에 있는 전 총독관저를 오는 10월 1일 시정30주년 기념일을 복

왜성대 통감관저(『경성부사』 제2권, 왜성대 통감관저로 초대된 소학교학생들의 모습)

---

52 한성조약 4조, "공사관부지 및 건물을 교부하고 신축비 2만원을 배상할 것."

하여 시정기념관으로 만들어 총독부 학무국에서 보관하는 동시에 일반에 공개하기로 되었다. 이 건물은 50여 년의 유서깊은 것으로 다케조에竹添공사 시대인 명치17년(1884)의 변란 당시 현재 경운정에 있던 일본공사관이 불에 타자 그 이듬해인 18년(1885)에 한국정부에 교섭하여 왜성대기지에다 공사관을 세운 것인데 이래 다케조에竹添, 오오시마大島, 하라原, 하야시林 등의 역대 공사시대를 지나서 통감부에서 인계한 후 이토伊藤, 소네曾彌, 데라우치寺內 등의 세 통감을 거치어 데라우치寺內, 하세가와長谷川, 사이토齋藤, 우가키宇垣, 미나미南 역대 총독이 있던 공관 또는 관저이다. 특히 그 본관 2층에서 명치43년 10월 1일 당시 이토 통감과 이완용 총리와에 역사적 일한합병 조인을 하던 곳이며 현관 앞에는 약수가 있어 유명한 곳이다. 그리고 그 부근 5천평은 소공원을 만들어 80만 부민에게 공개하기로 되었다고 한다.

1939년 8월에 경무대에 새로이 총독 관저가 준공됨에 따라 왜성대 관저는 자동적으로 비게 되었다. 그래서 이곳에 시정기념관을 만들고 왜성대 부근 일대는 공원화 하겠다는 구상인데,[53] 식민지 조선을 집어삼킨 역사적인 현장을 잘 보존하여 두고두고 자랑거리로 삼겠다는 것이다.

이에 따라 이곳에 진열할 각종 자료를 수집하게 되는데, 그 수집은 가토 간가쿠加藤灌覺가 담당했다. 상당량은 1940년 8월에 일본에 건너가 이미 작고한 통감이나 총독들의 유족들을 만나 기증 받기도 했다. 『매일신보』 1940년 9월 20일자에는 다음과 같은 기사가 있다.

---

53 『東亞日報』 1939년 8월 17일자.

30년 위업의 집대성

시정기념관에 역대 총독의 유물 공개

반도 인식에 불후의 활표본活標本

총후반조의 새로운 약진을 기약하며 따라서 <중략> 이 옛집을 일반에게 공개하는 것은 통감시정 이래 금일에 이르기까지 역대 총독의 빛나는 업적을 여기에 진열하여 총후반도의 금일을 재인식케 하는 것으로 총독부에서는 그 공개준비에 바쁘며 각지로부터 많은 진열품을 거두어 드리는 중이다.

그래서 총독부 학무국 촉탁 가토 간가쿠加藤灌覺 씨가 지난달 하순 동경 각지로 출장하여 역대 총독의 유족을 찾아 현재까지 남아 있는 것을 출품케 한바 쾌히 승낙하여 불멸의 공적을 떨쳐 여러 가지 귀한 보물 약 3, 4백점이 인연깊은 옛 땅으로 오게 되었다는 바 이것이 진열되는 날에는 역대 총독들의 고심참담한 그 옛 모습을 회고하기에 족한 훌륭한 기념물로 이 기념관에 한 이채를 떨치게 되었다.

즉 1대통감 이토 히로부미 씨 유족으로부터는 일한합병까지 이왕가로 부터 하사하옵신 서축書軸을 비롯하여 제2대 총감 소네, 제1대 총독 데라우치 <중략> 등 제씨의 여러 가지 사적에 관한 것을 모아 왔다는 것이다. 그리고 거기에 현 미나미 총독 시정의 핵심이 된 내선일체에 관한 것도 출품될 터인데 운운.

이곳에 진열한 자료에 대해서 『매일신보』 1940년 11월 22일자 기사에 시정기념관의 개관 전날인 11월 21일에 탐방한 내용을 '시정기념관始政記念館 오늘 개관식開館式, 방마다 보이는 것마다 회고와 감격의 유물, 새조선의 역사적 산실도 이곳!' 이란 제목으로 담고 있는데 일부는 다음과 같다.

먼저 왼편으로 1호실- 이 방에는 데라우치寺內 총독이 날마다 쓰던 벼루와 소네曾 통감의 필적, 하세가와長谷川 총독이 입던 명치시대의 군복과 예장, 육군대장 통상복 등이 진열되어 있다. 그런데 유난히도 이 방안에서 기자의 눈을 끄는 것은 한켠 구석에 놓여 있는 풍금風琴이다. 이것은 이토공伊藤公이 지금으로부터 35년 전 불란서로부터 가지고 온 것인데 풍금이라기보다 축음기라 하는 편이 옳을 것이다.

태엽을 감아 놓으니 직경 두 자 가량의 둥그런 철판이 돌아간다. 그 철판에 뚫어진 수백 개의 구멍이 세 개의 바늘과 같은 것에 스치자 뜻하지 않은 '라파뿐마'의 음률이 흘러나와 텅 비인 옛집에 일층 신비스러운 느낌을 준다.

다시 그 옆으로는 제2호실! 여기는 사이토齋藤 대장의 '세비로' 양복과 해군대장의 정복이며 대정8년(1919) 폭탄에 맞은 가죽털띠며 모자, 통상복, 구두 또 대정15년(1926)에 강진군 대구면康津郡 大口面에 가서 친히 모아온 23점의 고려자기高麗磁器 또 우산, 단장 등이 진열되어 있다.

그리고 옆에는 농부가 되어 모를 심는 사이토 총독의 사진이 걸려있다. 3호실에도 역시 사이토 자작이 친필로 시구詩句를 쓴 도기陶器 19점이며 손수 쓰던 책상이 옛 주인을 기다리는 듯 고요히 놓여 있다. 기자는 책상을 들여다보다가 뜨끔하고 가슴을 찌르는 무엇에 두손을 모으고 몸을 가누었다. 서랍 속에 꽉 채워진 노끈꾸러미를 본 것이다. 이런 것에는 아무런 부자유도 없으련만 거리의 저자에서 무슨 물건이든 사서오면 그것을 묶어온 노끈을 옛 어른은 하나도 버리지 않고 일일이 모아두었고 그것을 채 다 써보지도 못하고 이집을 떠난 것이다. 지금 기자의 눈앞에는 흰머리에 흰수염 난 할아버지가 "어떠한 적고 하찮은 것이라도 아껴두면 쓰느니라"하며 의자에 앉아서 노끈을 추려서 서랍 속에 간수해두는 풍경이 떠오른다. 책상 위에는 필통, 붓, 송곳집게, 칠요표七曜表, 신문 오려놓은 것 어느 것 하나라도 사치한 것은 없고 모두 질소한 것들뿐이요 그것이 하루같이 그 어른의 손때에서 정들어온 것들이다. 이층에는 17점의 사군자폭四君子幅이 걸려있다. 모두 당시 나라와 백성과 정치를 말하던 어른들의 글씨요 그림이다. 이것을 보아가던 기자는 우뚝 걸음을 멈추지 않을 수 없는 방안에 나섰다. 이 방은 합병조인실合倂調印室, 이 방이 바로 30년 전 일한합병의 도장을 찍던 그 한순간을 가졌던 방인 것이다. 오늘의 조선을 낳아놓던 역사적 산실産室이요 이 강산 백의인에게 새길을 밝혀준 봉화대烽火臺도 되었던 것이다.

여섯 칸 남짓한 방안에 엷은 햇볕이 숨어들어 거울을 좌우로 이토공伊藤公

치욕의 합병조인실(『매일신보』 1940년 11월 22일자)

으로부터 미나미 총독에 이르기까지 8대 통감 총독들의 흉상胸像이 놓여 있고 중앙의 '테블' 그 위에는 벼루집과 '잉크 스탠드'가 있고 좌우로 네 개의 의자와 한 개의 '쇼파'가 놓여 있다.

1940년 11월 28일

삼전사학회三田史學會 주최 《경응의숙대학문학부고고실전람회》가 11월 28일부터 29일까지 동 대학 고고실에서 개최되었다. 일본, 조선, 중국 등지에서 수집한 출토품이 진열되었다.[54]

1940년 11월 29일

전라남도 해남군 삼산면 구림리 심적암深寂庵을 폐지하다.[55]

1940년 11월

평양 재주 시바타 레이조(柴田鈴三)의 소장품 조사

평양의 계림상사 대표 시바타 레이조柴田鈴三는 낙랑고분에서 나온 도굴품을 많이 소장하고 있었다.

1940년 11월에 총독부 학무과의 사와澤, 가야모토榧本 촉탁과 평양박물관장 고이즈미小泉 일행이 평양의 시바타의 수집품을 조사하였는데 그가 수집한 유물은 낙랑군시대, 고구려시대, 고려시대 등에 이르는 700여 점의 유물을 소장하고 있었다.

---

54 美術研究所,『日本美術年鑑』, 1941년 3월.
55 『朝鮮總督府官報』1940년 11월 29일자.

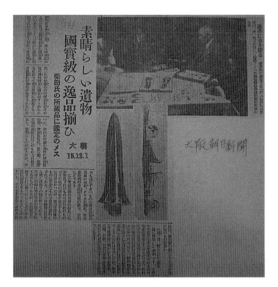

시바타(柴田)의 소장품 관련 기사
(『대판조일신문』 1940년 12월 1일자)

당시 오사카아사히신문大阪朝日新聞에는 그가 수장한 낙랑 전기의 마차, 마구, 동검 등은 고고학계에 진중한 국보적 유물이라고 하며, 보물로 지정하기 위해 조선총독부에서 개최하는 조선보물고적명승천연기념물보존위원회에 보고할 예정이라고 하고 있다.[56]

시바타의 소장품 중에 동검, 동탁銅鐸, 동령銅鈴 등으로 이루어진 일괄 유물은 총독부박물관 수장의 정백리 취토장에서 발굴한 것과 일치하여 동일 유적의 출토품으로 판단되었다. 그러나 이에 대한 아무런 조사도 하지 않고 1941년 10월 2일 보물 지정자격을 인정하였다. 이는 우메하라梅原와 후지타藤田가 공저한 『조선고문화종감』 제1책에 6매의 도판이 수록되어 있다.

한일협정 때 한국 정부는 시바타가 반출해간 평양 정백리 출토의 동검 등 일괄유물 19점과

『조선고문화종감』 제2책에 실린
시바타(柴田) 소장의 동기(銅器)

56 『大阪朝日新聞』 1940년 12월 1일자.

평양 미림리 출토 유물 21점, 그 외 21점에 대하여 반환을 요구하였으나 실패하였다.

같은 해

1940년도 도쿄박물관 기증품

「1940년도 동경제실박물관 신수품목록」[57]을 보면, 1940년에 조선 충청남도 부여 출토의 과운문전, 봉황문전, 반용문전, 귀형문전 등을 구입한 건이 보인다.

부여 출토의 우수한 문양전은 1937년에 규암면 외리라는 곳에서[58] 한 농부에 의해 처음 발견되어 부여경찰서에 신고 접수되었다. 이는 총독부에 보고되고 조선총독부에서 아리미츠 교이치有光敎一, 요네다 미요지米田美代治를 이곳으로 파견하여 1937년 4월 8일부터 5월 3일까지 발굴을 하였다. 이곳에서 많은 문양전을 발굴하였다. 문양전은 파편을 포함하여 약 150개에 달했으며 문양은 8종류로 나타나 있다.[59] 도쿄박물관에 들어간 문양전은 이곳에서 발견한 것으로 구입으로 처리된 것이 의문이다. 1940년 부여 출토 문전 구입으로 되어 있으나 고적보존회의 기증으로 추정된다.

57　美術研究所,『日本美術年鑑』, 1942년 3월(1941년판), p.113.

58　이 유적은 일찍이 대구의 市田次郎의 소유로 돌아간 백제금동관음보살상의 출토지로 전하는 지점이다.

59　有光敎一,「扶餘窺岩面に於ける文樣塼出土と其の遺物」,『昭和11年度 古蹟調査報告』, 朝鮮古蹟研究會, 1937, pp.65~73.

도교박물관 신수품

품명	출토지	출처	비고
粉引茶盌	조선시대	『日本美術年鑑(1940)』[236]	기증. 宮崎光太郎
過雲文塼	부여 출토	『日本美術年鑑(1940)』	구입?(고적연구회의 기증으로 추정)
鳳凰文塼	부여 출토	『日本美術年鑑(1940)』	구입?
蟠龍文塼	부여 출토	『日本美術年鑑(1940)』	구입?
鬼形文塼	부여 출토	『日本美術年鑑(1940)』	구입?
銅劍	평남 출토	『日本美術年鑑(1940)』	구입?

---

60 美術研究所, 『日本美術年鑑(1940)』, 1941.

우리 문화재
수난일지

1941년

1941년 1월

부여신궁조영 근로봉사 수기문(手記文) 강요

부여에 신궁 조영에 관한 것은 각 신문에서 연일 대서특필하여 보도하였다. 이들 신문들은 부여 신궁 공사가 진행되는 동안에 여기에 동원된 사람들의 동정과 미담들을 계속 보도했다. 특히 부여 신궁 공사장에 독립운동을 하다 변절한 인사들이 나타나, 공사에 동원된 사람들을 격려하게 되면 크게 보도하여 그들의 정책선전에 앞장섰다.

근로봉사자들의 수기문을 강요됐다. 1941년 1월 9일에는 서울의 제계, 교육계 인사 13명이 부여신궁 조영의 근로봉사를 했다. 그 후 소감문을 1941년 3월에 발간한 잡지『삼천리』에 게재하였는데, 그 내용의 일부는 다음과 같다.

중추원 참의 고원훈
문자 그대로 실연이었습니다. 무언의 부소산은 서기를 나타내고 적막한 낙화
춘색이 돌아온 듯, 영역전구靈域全區의 일초일목은 모두 다 영기靈氣와 광명이
충일充溢하였소. 내선일체의 표징인 숭고한 전우殿宇를 조영하는 일비력—臂力
일적한—滴汗이 되는 것을 생각할 때 오직 감격이 일을 뿐이었습니다.

동일은행장 민규식
역사적으로 유서 깊은 부여에 신궁을 봉건하게 되는 내선일체적 정신발휘
에 명의名義깊음을 느끼고 국민으로서의 성충의 일단을 다하려 신궁 어조

영 근로봉사에 참가하여 일토양―土壤 일토괴―土壤를 움직일 때 마다 무한한 신성神聖과 긴장을 느꼈고, 표현할 수 없는 감격에 넘쳤습니다.

화신사장 박흥식

1,200년 전에 내선일체의 정신을 이미 구현하여 야마토족大和族과 조선인의 피를 함께한 사적은, 현재 내지에 있는 고려촌의 18,000의 내선혼혈민이 이를 증명하지만, 황송하옵게도 백제 성왕의 증손녀를 환무桓武천황의 모후로 모시어서 황실에 까지도 내선의 피가 함께 한 그 아름다운 정신을 다시금 부활케 하기 위하여 그 정신의 전당으로 조영하는 관폐대사 부여신궁의 공사에 나도 성스러운 가래를 잡게 된 것은 나의 무상의 감격이었습니다.

문화교류 김기효

이곳에 현해탄의 물결을 가운데 두고 우리 조상과 야마토 남자들이 여기에서 악수하여, 그 의복, 그 가옥제도, 그 정치, 경제, 문화의 온갖 방면에서 한 뿌리에서 뻗은 두 입사기 같은 교류를 이루었던 왕고往古역사의 발상發祥을 생각할 때 팔뚝의 피가 새로운 정열과 감격에 용솟음치는 것을 깨달았습니다.

중추원참의 방의석

부여 성지로 향하여 피와 땀을 다하여 한 줌의 흙, 한 무더기의 돌덩어리를 움직이어 정성을 표하고 나니 새삼스러히 조선 안과 지나에서 이루어지고 있는 제국의 거룩한 뜻에 머리가 숙여지더이다.

중추원 참의 한상룡

우리 옛 조상이 야마토족과 피를 함께 한 그 정신이 다시금 우리 후손에게

부활케 되어, 내선일체가 구현화 됨은 실로 우리 조선인의 행복인 것이오.[61]

각 신문과 잡지들은 다투어 이들 근로봉사대의 활동을 게재하였으며, 소감문이나 일화 등을 소개하기에 여념이 없었다.[62]

1941년 2월에는 조선연극회협회, 조선영화인협회, 음악가협회, 시우회의 간사와 회원으로 조직된 근로봉사대가 부여신궁 조영에 참가하였다. 그들 일행은 차안에서부터 '부여신궁근로봉사대'라는 완장을 두르고 결의를 다졌다. 謎여 명이 국민문화의 수립을 위하고 일본정신의 파악과 그 보급을 위하여 단결한다면 결코 적은이 아님을 나는 단언한다, 우리 일행은 서로서로 포부를 파악하고 미래의 계획을 꿈꾸면서 화기애애한 가운데서 담화는 끊이지 않았다"고한다. 그 중 한 소감문은 다음과 같다.

---

61 「부여성지 근로봉사기」, 『삼천리』 제13권 3호, 1941년 3월.
62 1941년 3월에 발간한 『新時代』의 「神域에 봉사하고」에 게재한 것을 보면 다음과 같은 것이 있다.
　　芳村香道(朴英熙: 조선문인회), 「꾸밈없는 野心」.
　　柳致眞(조선연극협회), 「아름다운 神都」.
　　李圭煥(조선영화인협회), 「聖地의 봄빛」.
　　白鐵(조선문인협회), 「皇蘭寺」.
　　安田辰雄(安鍾和: 조선영화인협회), 「四路寸感」.
　　李瑞求,(조선연극협회), 「사람값을 한 기쁨」.
　　安田榮(安夕影: 조선영화인협회), 「神域에서 받자온 그 크신 뜻」.

부여야 말로 내선일체의 성지라 할만한 감개가 끊어 나는 곳이다. 1,300년 전 백마강을 끼고 널부러진 황량한 넓은 들판에 15만호가 즐비하게 살아가던 백제는 당과 신라의 연합군에게 패하여 백제사의 종말을 고할 때에도 일본의 원군이 이곳에서 백제군과 한가지로 분전하였으나 사실상 내선관계의 시작은 이보다 훨씬 올라가서 그 역사를 찾게 되는 것이다. 이렇게 양국의 1,680년 전 즉 신공황후46년 백제 근초고왕대의 백제사신이 처음으로 일본에 건너간 것을 시작으로 국교는 날로 두터워 갔으니, 응신천황16년에는 백제로부터 왕인 박사가 논어와 천자문 등을 일본조정에 헌납하였으니 흠명천황13년에는 성명왕이 불상과 경론을 봉헌한 일이 있으니 이것이 일본불교가 건너간 시작이라고 한다. 천지천황2년에 백제가 멸망할 때까지 왕래가 빈번하였으니 <중략>

이곳에 관폐대사 부여신궁을 조영함은 마땅한 일이거니와 이 조영의 역사를 비롯함에 당하여 우리의 힘이 이에 가하여지니 내 땀이 이 성지에 떨어짐은 실로 한없는 기쁨이며 또한 몸에 넘치는 영광이다. 이 저버릴 수 없는 감격이다. <중략>

작업시간은 오래지 않았으나 수양된바 실로 컸다. 이곳에 와서 근로봉사를 해보지 않은 사람에게는 도무지 이해할 수 없이 깊이 감명된바가 있는 것이다. 이것을 확실히 체험하기 위하여 반도인은 누구나 이 성지에 와서 한 줌의 흙이라도 파내는 일을 반드시 할 필요가 있다고 나는 생각한다.[63]

---

63 芳村香道(朴英熙), 「부여신궁어조영 근로봉사에 참열하여」, 『춘추』2권 3호, 조선춘추사, 1941년 4월.'

다음은 당시 '문화인부대_{文化人部隊}'의 일원으로 참가했던 유명문인의 「부여신궁어조영 문화인부대근로봉사기」이다.

부여신궁조영에 대한 정성과 감격이 선중_{鮮中}에 사모처 있는 이 지음에 마침 매일신문사의 주선으로 각계의 문화인 대표를 망라하여 문화인부대가 조직되어 지난 2월 8일을 기하여 부여신궁 어조영근로봉사에 참가하게된 것은 여러 가지 의미에 주목되는 문화계의 근래에 드문 장거_{壯擧}였던 것이다.
<중략> 이번 부여신궁의 어조영지는 바로 이 부소산의 동편의 산대상_{山臺上}으로서 석시_{昔時} 백제의 궁중처였으며 따라서 거기는 내선_{內鮮}의 연고가 가장 깊었던 성지였던 것이다.

우리 문화인부대의 일행은 어제부터 그 성역에서 근로봉사를 하기 전에 먼저 부여신사_{扶餘神祠}에 참배를 한 뒤에 신궁어조영 근로봉사에 착수하는 행사를 어조영사무국에 있는 국원_{局員}의 지휘로서 행하였다. 먼저 동방_{東方}을 향하여 궁성요배_{宮城遙拜}를 행하고 국가봉창_{國歌奉唱}, 황국신민서사제창_{皇國臣民誓詞齊唱}, 묵도_{默禱}가 있은 뒤에 우리들은 근로봉사에 착수하기 위하여 신궁어조영 죽원외_{竹垣外} 광장 일우_{一隅}에 비치한 정수에 청결히 세수를 하고 나서 어조영장으로 향하게 되었다.

일행은 각각 삽을 메고 괭이와 들것을 들고서 어조영장을 향하여 행진하는 광경은 실로 금일 반도의 시국을 어깨에 떠메고 있는 건전한 문화인들의 기세를 높여주는 장한 일경_{一景}이었다.

어조영에 나아가자 일행은 실지로 근로작업에 착수하기 전에 다시 한 번 어조영지의 산을 향하여 배례를 하고서 비로소 근로작업 장소에 오르게 된 것이다.

10시 20분경 일행이 지금까지 고대하던 성스러운 근로작업은 착수되었다. 우선 우리들은 3대隊로 나누어 삽을 가진 부대 괭이를 매는 부대 들것을 든 부대가 각각 일을 분담해 가지고 우선 괭이를 멘 부대부터 힘차게 토벽을 파 내렸다.[64]

심지어는 '애국미담'이라고 하여 소개한 바, "모친 별세의 전보를 받고도 적성일념赤誠一念 근로봉사 성역부여에 핀 감격의 미담"이라고 소개하고 "근로봉사대원 가운데서는 별세한 모친의 전보를 받고도 나라를 위하여 애쓴 아름다운 이야기의 꽃이 피기 시작하였다는 소식이 17일 천안사무국 총장에게 보고가 와서 관계자 일동을 감격시켰다"[65]고 하고 있다.

산청 범학리3층석탑(국보 105호) 반출

원위치는 경남 진양군 산청면 범학리로 이곳 사지는 신라시대의 절터로 삼층석탑은 1920년 중반에 영문도 모르게 도괴되어 있었다.[66] 그런데 1940년 11월경에 정점도란 자가 채광시採鑛時 이를 발견하고 범학리 부락민들에게 매각할 것을 요청하였다. 부락민들이 반대하자 100원을 부락 동사 건축비로 기부를 하고 반출에

64　백철, 「扶餘神宮御造營文化人部隊勤勞奉仕記」, 『文章』, 1941년 3월호.
65　삼천리 편집실, 「愛國美談」, 『삼천리』 13권 7호, 1941년 7월, '소식'란.
66　朴敬源, 『慶南의 古蹟과 그 文化』, 慶尙南道 鄕土硏究會, 1955, p.199.

해체된 모습(국립중앙박물관 소장 유리건판)

대하여 묵인해 줄 것을 요청하였다. 부락민들의 묵인 하에 하라原 모란 자가 본년 1월초순경부터 약 30일간에 걸쳐 동 부락민 5백여 명(연인원)을 사용하여 현장에서 도로변까지 운반하여 그곳에서부터 진주까지는 화물차로 진주에서 대구까지는 철도로 각각 운반하여 대구의 오쿠 지스케奧治助란 골동상에게 팔아 넘겼다.[67]

1941년 5월 20일자 아리미츠 교이치有光敎一의 조사복명서에는 다음과 같이 보고하고 있다.

본 석탑이 대구부에 반입되었다는 사실에 대해서는 먼저 본부박물관 경주분관 오사카大坂 촉탁으로부터 보고가 있었다. 소관 동촉탁과 함께 그 현상을 조사하였다. 현 소재지는 대구부 동운정 5번지 키츠타카橘高 모택某宅의 전정前庭이 된다. 석탑은 현재 해체된 채로 탑석 각개마다 지상에 놓여져 있다.

---

67 金禧庚 編,「韓國塔婆硏究資料」,『考古美術資料』第20輯, 考古美術同人會, 1969, pp.12-13.

<중략> 이 우수하고 보존상태가 양호한 신라시대의 석탑을 원주소로부터 반입하여 현재의 대구부 영정榮町고물상 오쿠 지스케奧治助란 자이다. 지금 동인이 점유자임.

<부기>

반출자는 원지에서는 진주부 거주 정점도와 외에 하라原모의 명을 말하였음. 동사洞寺 기부의 신입인申込人의 명은 정점도란 자였다. 그러나 대구부에서 현재 본 석탑의 점유자인 동부 영정고물상 오쿠 지스케로부터 들은 바에 의하면 반출의 일을 직접 당한 것은 전기 2명이지만 소요의 비용은 전액 오쿠奧가 지출한 것임[68]

그 후에 이 탑은 대구의 오구라 다케노스케小倉武之助에게 넘어 갔다. 처음부터 오구라小倉의 은밀한 모의 하에 이루어진 것인지는 알 길 없으나 오구라小倉는 이 탑을 시골에 숨겨놓았던 것이다.

스기야마杉山의 기록에,

현재 총독부박물관에 옮겨져 있는데, 무단으로 원위치에서 옮겨져 대구로 운반되어 간 것을 발견, 다시 원위치로 옮기려다 결국 박물관으로 가져왔다.[69]

라고 하고 있다. 오구라小倉가 시골에 숨겨둔 사실을 탐지한 총독부에서 이 탑

---

68 金禧庚 編,「韓國塔婆研究資料」,『考古美術資料』第20輯, 考古美術同人會, 1969, pp.12-13.
69 杉山信三,『朝鮮の石塔』, 彰國社, 1942.

을 총독부박물관으로 가져 왔으나 해체된 채로 그대로 방치해 두었다.

『광복이전 박물관 자료목록집』에는 다음과 같은 목록이 수록되어 있다.

1, 범학리 3층석탑에 관한 건

  * 총독부 학무국장이 경남도지사에게 보낸 건(1941년 5월 17일)

  * 총독부 학무국 사회교육과 아리미츠 교이치有光敎一가 학무국장에게 보

    낸 건(1941년 5월 20일)

  * 총독부 학무국장이 회계과장에게 보낸 건(1944년 5월 30일) 외 5건

2. 범학리 3층석탑 취기取寄 견적서 2부(1941년 12월 20일)

3. 범학리 3층석탑 취기에 관한 건(1941년 11월 13일~1942년 1월 28일) 4건

4. 조선운송주식회사 대구지점장이 조선총독부박물관장에게 보낸 석탑

  운반에 관한 건(1942년 4월 19일)

범학리석탑(문화재청 자료)

5. 범학리 3층석탑 건립비 청구서
(1942년 4월 19일)

   위 목록을 보면 대구에서 경복궁으로 옮긴 시기는 1942년 초로 보인다. 또한 '건립비 청구서' 목록으로 보아 바로 복원 하고자 하였으나 당시 예산이 부족했음인지 복원이 이루어지지 못하고 해체된 채로 그대로 방치한 것이다.

석탑의 재건이 이루어진 것은 미군정 때로 미군 공병대의 힘을 빌어서 세워 놓은 것이다. 이 때 도움을 준 사람이 크네비치 대위였다.

오구라의 하수인이 맨 아래 지대석을 가져오지 않았고 박물관에서도 원 소재지에 가서 지대석을 찾아오지 않았기 때문에 현재 지대석은 시멘트로 대신하고 있다. 상륜부는 전실全失되었다. 현재는 용산 국립중앙박물관 수장고에 보관 중이다.

1941년 2월

낙랑고분 도굴 상태

1940년 가을부터 1941년 2월까지 5개월 동안 낙랑고분 21개소가 도굴을 당했다. 고이즈미 박물관장은 3월에 낙랑고분을 조사하고 금년도 발굴준비를 하던 중 낙랑토성에서 겸이포로 통하는 일대에 석암리고분을 비롯하여 조왕리고분 일대에 우량고분 21기가 도굴되어 있는 것을 발견했다. 발견되지 않은 것을 합한다면 그 피해가 무수할 것으로 도굴의 형적을 조사하면 극히 대담한 소위어서 백주에 공공연하게 파낸 것으로 추측된다. 1922년부터 1924년에 걸쳐서 도굴을 방지할 목적으로 석암리고분 중심지에 경찰관주재소를 설치하고 감시하여 도굴 수도 감소하였던 중 1940년 여름 주재소를 영제교로 옮긴 후에는 감시가 충분치 못하여 다시 도굴을 당한 것으로 보고 있다.

『매일신보』 1941년 4월 11일자에는 다음과 같은 기사가 있다.

도굴 또 수십 기 발견

세계최고의 목조건물로 그 이름이 높아 1900년의 장구한 역사를 자랑하고 있는 왕우王盱의 무덤이 취체와 감시의 불비로 불길에 싸여 부민들로 하여금 불안을 느끼게 하는 중이라 낙랑고분이 작년 가을부터 금년 2월까지 다섯달 동안에 21개소나 도굴당한 것이 알려졌는데 이대로 방치한다면 형적도 없이 여지없이 파괴될 것으로 크게 염려된다.

즉 고이즈미 박물관장이 지난 달 낙랑고분을 조사하고 금년도 발굴의 준비를 하던 중 낙랑토성에서 겸이포로 통하는 일대에 석암리고분을 비롯하여 조왕리고분 일대에 우량고분 21개가 도굴되어 있는 것을 발견하였다. 발견되지않은 것을 합한 다면 그 피해가 무수할 것으로 도굴의 형적을 조사하면 극히 대담한 소위여서 백주에 공공연하게 파낸 것으로 추측된다.

『매일신보』 1941년 4월 11일자

대체 낙랑문화가 세계의 이목을 놀라게 하고 다시 칠기유물 등이 세계의 진품으로 알려지던 1922년부터 1924년에 걸쳐 이것을 방지할 목적으로 석암리고분 중심지에 경찰관주재소를 설치하고 엄중한 취체를 하여 확실히 도굴도수가 감하여 졌던 중 작년 어름 주재소를 영제교로 옮긴 후에는 감시가 충분치 못하여 다시 도굴을 당한 것으로 해석된다. 그리고 이번 불타버린 세계최고의 목곽분이요 건조물인 왕우묘의 화재도 주재소가 없어서 발견이 늦어지기 때문에 당한 일로 이 사실을 처음 듣는 30만 부민의 '낙랑을 지키자!'는 요망의 소리는 각 방면에서 일어나고 있어 많이 주목되고 있다. 또 고적보존회에서는 이 사실을 도 당국에 보도하는 동시 본부 경무국과 그 대책을 협의 중이다.

1941년 3월 25일

일본의 실업가 요코가와 다미스케橫河民輔가 고려시대 흑유퇴백문수주黑釉堆白文水注 외 4점의 도자기를 도쿄제실박물관(도쿄국립박물관)에 기증하다.[70] 도쿄제실박물관에 도자기류를 기증한 건을 보면 요코가와 다미스케橫河民輔가 기증한 것이 가장 많은 량을 차지하고 있다. 그가 기증한 것은 질적으로도 아주 우수한 것으로, 1937년 10월 16일부터 11월 10일까지《동양고도자전람회》를 개최하기도 했다.[71] 그 후 다시 1938년, 1939년, 1941년, 1943년에 요코가와로부터 기증받은 것이 지금까지 1천점이 넘는다. 이 속에는 한국 도자기가 많이 포함되어 있다.

---

70 美術研究所, 『日本美術年鑑(1940)』, 1942.
71 帝室博物館, 『帝室博物館年譜(昭和11年 1月~12月)』, 1937.

1941년 3월

구례 화엄사 각황전 화엄경석 정리

가야모토 가메지로楹本龜次郎는 화엄사 화엄경석華嚴經石 약 1만 5천 개를 나무상자에 수납하여 다시 각황전覺皇殿 내에 안치하라는 명을 받고 3월 1일부터 10일간 화엄사에서 작업을 종료하고 귀임하여 3월 13일에 복명을 했다.

각황전 내에 쌓아 안치하여 봉인을 하고 작업을 마친 경석 수는 15,060개이다.[72]

1941년 4월 6일

평안남도 대동군 대동강면 석암리 소재 낙랑고분 중 제205호 고분인 목곽분 「왕우군지묘」에 원인모를 괴화가 일어나 4일 간 계속 불타 회진되다.[73] 이 무덤은 1925년에 발굴 완료한 후 일반인들이 관람할 구 있도록 보존한 것이다.

---

72 「전라남도 구례 華嚴寺 覺皇殿 華嚴經石 조사 복명서」, 『조선총독부박물관 공문서』, 목록번호: 96-431.
73 『毎日申報』 1941년 4월 8일자.

1941년 4월 9일

1941년 4월 9일부로 이노우에 고이치井上恒ー 소장의 고려청자인형수적高麗靑磁人形水滴이 일본 중요미술품으로 지정되다.[74]

1941년 4월 10일

전라남도 구례의 화엄사 각황전이 중수되어 그 낙성식이 거행되다.[75]
『매일신보』1941년 5월 2일자에는 다음과 같은 기사가 있다.

국보적인 구례 화엄사 각황전은 그 전 모양대로 중수하여 국고보조 지방비 등 12만원을 들여 4개년간 계속 공사 중 지난 4월 10일에 준공 낙성식을 성대히 거행했다함은 기보하였거니와 각황전 준공된 것을 시찰하려고 전남에 온 권위자 동경제국대학 교수 등도藤島 박사는 30일에 광주에 와서 각황전에 관하여 기자에게 다음과 같은 불교상 내선일체의 흥미있는 말을 하였다.

각황전은 건축양식에 있어 조선 제일의 건물로 어느 것에도 비할 수 없으며 건축연대로도 가치있는 건물이며 그 건축물은 본래 화엄석경을 보존하려고 지은 것으로 일본에 건너온 화엄경본 고장이 이곳이다. 섬진강 수로를 이용하

74 『陶磁』제13권 제2호, 東洋陶磁硏究所, 1941년 12월.
75 『每日申報』1941년 4월 12일자.

여 현해탄을 건너 내선 불교관계가 밀접하였다는 문헌이 많다는 것을 잊어서
는 안된다. 내지에서 화엄종의 총본산인 화엄종은 내량奈良시대 일본에 건너
와 동대사東大寺가 본산이 된 것으로 전기 각황전의 건축은 그것이 1천수배년
전에 되어 있던 것이 지금부터 3백년 전 임진란에 화재를 본 후 벽암대사라는
훌륭한 도사가 현재 건물을 다시 수축한 것으로 내지에서 가장 큰 목제건물인
내량에 있는 동대사와 대조하여 각황전의 규모나 석등롱이 큰 것은 놀라왔다.

수리 후의 각황전

하여간 내선일체에 큰 기념이 될 만한 것임은 물론 국가의 보물이다.

시국이 그래서인지 후지시마藤島는 굳이 일본을 끌어들여 억지로 내선일체와 관련을 지으려고 하고 있다.

1941년 4월 23일

충청남도 동화(銅貨) 헌납운동 집계

1941년 3월 10일 육군기념일을 기하여 일어난 1전 동화銅貨 헌납운동이 방방곡곡에서 전개되었는데, 4월 23일 충남도내에서 집계한 것을 보면 헌금한 사람 81만

5천7명으로 전도민의 7할에 달했으며 헌금 매수는 83만4천1백28매나 되었다.[76]

1941년 4월

부여에서 공주 태항아리 발견

조선 중종 14년경 왕녀의 태항아리가 부여 규암면 함양리에서 나왔는데 이것은 그 동리의 유모가 건물 터를 닦던 중 발견한 것으로 철요형 돌궤 속에 항아리 2개가 나오므로 부여박물관에 신고하여 스기杉 분관장이 현장에 나가 조사를 한즉 높이 1자 두께 1치 되는 돌궤의 전면에 다음과 같은 각자가 발견되었다.[77]

皇明正〇十六年 三月二十六日 寅時生 王女公主.....嘉靖二年四月十三日

범종 헌납

역사적 고종도 세상과 하직

함흥공회당 앞마당에 놓여 있어 행인들의 눈을 끌고 있는 유서 깊은 7천근이나 되는 커다란 종도 고철로 정부에 헌납했다. 이 종은 함흥부가 함주성 남

76 『每日申報』1941년 4월 24일자.
77 『每日申報』1941년 4월 27일자.

헌납된 범종(『매일신보』 1941년 4월 1일자)

문에다 달고 아침마다 시간을 알리는 소리를 전달하였다. 종의 유래는 1843년 9월 관찰사 유종기가 몇백 년 내려오는 종을 녹여 다시 만든 것으로 싸이렌 역할을 하기 위해 공회당 옆에 자리잡고 있던 것이다. 이번 함흥부에서 다른 고철과 함께 헌납하게 되었다.[78]

야스쿠니신사의 무비(武備) 전람회

일본 야스쿠니 신사의 유수칸遊就館에서는 4월 20일부터 5월 19일까지 한 달 동안 무비전람회를 개최하기로 되었는데 이는 동관 창립 60년을 기념하는 의미도 포함되어 동관에서는 대대적으로 진귀한 예날 병기, 피복, 탄약, 위생재료 등을 진열해 놓았으며 이 전람회를 여는 목적은 막말유신 당시 병제의 모든 장비와 현대 무장과 어느 정도의 차이가 있는가를 알리자는 것으로 명치유신 이후 무비전람회는 아국 고금의 무기, 전역 충사의 유품, 전역기념품 등 1만점이 넘었다고 한다.[79]

---

78 『每日申報』1941년 4월 1일자.
79 『每日申報』1941년 4월 24일자; 5월 3일자.

1941년 5월 4일

오구라 다케노스케(小倉武之助) 소장품 공개

오구라 다케노스케小倉武之助는 해방 전 일본에서 그의 소장품을 중심으로 일반에게 공개를 했는데, 1941년 5월 4일 제46회 일본고고학회 총회 때 도쿄의 그의 사저에서 전시회를 가졌다. 이 때 공개했던「소창무지조소장품전관목록」[80]을 보면 다음과 같다.

* 「小倉武之助所藏品展觀目錄」

유물명	수량	출토지	시대	비고
石劍	1구		석기시대 및 금석병용시대	
銅劍	1구		석기시대 및 금석병용시대	
銅劍	1구		석기시대 및 금석병용시대	
銅戈	1구		석기시대 및 금석병용시대	중요미술품
鏃	1개		석기시대 및 금석병용시대	중요미술품
多鈕細文鏡	1면		석기시대 및 금석병용시대	중요미술품
銅劍	1구		낙랑시대	
銅劍柄裝具	1구		낙랑시대	

---

80 「小倉武之助所藏品展觀目錄」, 『考古學雜誌』 제32권 제8호, 1941년 8월.

유물명	수량	출토지	시대	비고
銅鏃	1개		낙랑시대	
銅鏃	5개		낙랑시대	
初葉文鏡	1개		낙랑시대	
半圓方格帶神獸鏡	1면		낙랑시대	
香爐形銅器	1개		낙랑시대	
釜, 甑	1조		낙랑시대	중요미술품(1937년 도쿄박물관에 진열)
鐎斗	1병		낙랑시대	
弩	1기		낙랑시대	
弩箭	6개		낙랑시대	
釧	1대		낙랑시대	
銅印	2과		낙랑시대	
棺金具	1개		낙랑시대	
耳杯	1개		낙랑시대	
耳杯金具	2개		낙랑시대	
獅嚙金具	1개		낙랑시대	
金銅金具	1개		낙랑시대	
漆鉢	1구		낙랑시대	
漆盤	1구		낙랑시대	
漆匣	1구		낙랑시대	
獅子像	1개		낙랑시대	
綠釉籠釜	1조		낙랑시대	
綠釉博山爐	1개		낙랑시대	
圓形土器	1개		낙랑시대	

유물명	수량	출토지	시대	비고
綠釉鳥	1개		낙랑시대	
金製指輪	1개	경주군 경주읍 출토	고신라	
帶金具	일괄	경주군 경주읍 출토	고신라	
金銅革帶金具	일괄	경주군 경주읍 출토	고신라	
金銅風鐸	1개	경주군 경주읍 출토	고신라	
鈴	5개	경주군 경주읍 출토	고신라	
金銅三環形環頭大刀柄頭	1개	경주군 경주읍 출토	고신라	
金銅雙鳳文環頭大刀柄頭	1개	경주군 경주읍 출토	고신라	
銅製肩甲	1쌍	경주군 경주읍 출토	고신라	중요미술품
金製步搖付勾玉	1개	경주군 경주읍 출토	고신라	
勾玉	일괄	경주군 경주읍 출토	고신라	
蜻蛉玉	4개	경주군 경주읍 출토	고신라	
男女土偶	3구	경주군 경주읍 출토	고신라	
牛形土偶	1구	경주군 경주읍 출토	고신라	
動物形土偶	1구	경주군 경주읍 출토	고신라	중요미술품
步搖付杯	1개	경주군 경주읍 출토	고신라	
陶製角杯	1개	경주군 경주읍 출토	고신라	
陶製燈臺	1개	경주군 경주읍 출토	고신라	
銅製帶鉤	4개	선산군 선산면 출토	고신라	
銀製帶金鉤	일괄	선산군 선산면 출토	고신라	
銀製箸	1대	선산군 선산면 출토	고신라	
銀製匙	1개	선산군 선산면 출토	고신라	
銅製釧	1쌍	선산군 선산면 출토	고신라	

유물명	수량	출토지	시대	비고
金製耳飾	1대	선산군 선산면 출토	고신라	
高杯	1개	선산군 선산면 출토	고신라	
金銅觀音菩薩立像	1구	선산군 선산면 출토	고신라	
金銅觀音菩薩立像	1구	선산군 선산면 출토	고신라	
金銅誕生佛像	1구	선산군 선산면 출토	고신라	
礪佩	1개	선산군 선산면 출토	고신라	중요미술품
銀製帶金具	일괄	선산군 선산면 출토	고신라	
金銅三葉文環頭刀子	1구	선산군 선산면 출토	고신라	중요미술품
金銅杏葉	2개	선산군 선산면 출토	고신라	중요미술품
金銅雲珠	1개	선산군 선산면 출토	고신라	중요미술품
鞍殘缺	1개	선산군 선산면 출토	고신라	중요미술품
管玉	1連	선산군 선산면 출토	고신라	
高杯	1개	경북 출토	고신라	
金銅冠	1두	경북 출토	고신라	
銅製鈴	1개	경북 출토	고신라	
頸飾	2연	경북 출토	고신라	
金銅鞍殘缺	일괄	경남 산청군 단성면 출토	가야	중요미술품
銅製杏葉	일괄	경남 산청군 단성면 출토	가야	중요미술품
金製雲珠	일괄	경남 산청군 단성면 출토	가야	중요미술품
金銅帶金具	일괄	경남 산청군 단성면 출토	가야	중요미술품
金銅覆鉢形金具	일괄	경남 합천군 합천면 출토	가야	

유물명	수량	출토지	시대	비고
金銅帶金具	일괄	경남 합천군 합천면 출토	가야	
黃金耳飾	2개	경남 합천군 합천면 출토	가야	
黃金冠	1두	경남 창령군 창령읍 출토	가야	국보
黃金吊	1쌍	경남 창령군 창령읍 출토	가야	국보
金製釧	1개	경남 창령군 창령읍 출토	가야	국보(오구라컬렉션에는 중요)
金製耳飾	1개	경남 창령군 창령읍 출토	가야	국보
金製單鳳文環頭太刀柄	1개	경남 창령군 창령읍 출토	가야	국보
膓當	1개	경남 창령군 창령읍 출토	가야	국보
黃金冠	1개	경남 창령군 창령읍 출토	가야	
冠飾金具	1개	경남 창령군 창령읍 출토	가야	
鐎斗	1병	경남 창령군 창령읍 출토	가야	국보(오구라컬렉션에는 중요미술품)
頸飾	1연	경남 창령군 창령읍 출토	가야	
金製耳飾	2대	경남 창령군 창령읍 출토	가야	
金製耳飾	4대 및 2개	경남 창령군 창령읍 출토	가야	
金製裝身具	3개	경남 창령군 창령읍 출토	가야	
銀製裝身具	1괄	경남 창령군 창령읍 출토	가야	

유물명	수량	출토지	시대	비고
銀製帶金具	일괄	경남 창령군 창령읍 출토	가야	
銀製帶金具	1개	경남 창령군 창령읍 출토	가야	
銅製鉸具	1개	경남 창령군 창령읍 출토	가야	
釧	3대	경남 창령군 창령읍 출토	가야	
櫛殘缺	2개	경남 창령군 창령읍 출토	가야	
銅製鈴釧	1개	경남 창령군 창령읍 출토	가야	
銅鈴	3개	경남 창령군 창령읍 출토	가야	
大刀	2구	경남 창령군 창령읍 출토	가야	
金銅製單龍文環頭柄頭	1개	경남 창령군 창령읍 출토	가야	
金銅製雙龍文環頭大刀柄	1개	경남 창령군 창령읍 출토	가야	
金製素環環頭柄頭	1개	경남 창령군 창령읍 출토	가야	
環頭刀子	1구	경남 창령군 창령읍 출토	가야	
銀製圭頭柄頭	1개	경남 창령군 창령읍 출토	가야	
雲珠	2개	경남 창령군 창령읍 출토	가야	
銅製馬鐸	2개	경남 창령군 창령읍 출토	가야	
金製耳飾	7대	경남 창령군 창령읍 출토	가야	

유물명	수량	출토지	시대	비고
金製指輪	1개	경남 창령군 창령읍 출토	가야	
金銅竿	1본	경남 창령군 창령읍 출토	가야	
銀製耳搔	1본	경남 창령군 창령읍 출토	가야	
銅製鋏銅鈴	1개	경남 창령군 창령읍 출토	가야	
響	1개	경남 창령군 창령읍 출토	가야	
金銅杏葉	3개	경남 창령군 창령읍 출토	가야	
金銅雲珠	1개	경남 창령군 창령읍 출토	가야	
蜻蛉玉	3개	경남 창령군 창령읍 출토	가야	
水晶玉	1개	경남 창령군 창령읍 출토	가야	
勾玉類	일괄	경남 창령군 창령읍 출토	가야	
勾玉	1개	경남 창령군 창령읍 출토	가야	
蜻蛉玉	3개	경남 창령군 창령읍 출토	가야	
管玉, 小玉	1개	경남 창령군 창령읍 출토	가야	
小玉	1연	경남 창령군 창령읍 출토	가야	
水禽形土偶	1개	경남 창령군 창령읍 출토	가야	중요미술품
馬形土偶	1개	경남 창령군 창령읍 출토	가야	중요미술품

유물명	수량	출토지	시대	비고
金製耳飾	2개	경남 거창군 거창면 출토	가야	
銅鈴	1개	경남 거창군 거창면 출토	가야	
帶金具	일괄	경남 거창군 거창면 출토	가야	
鐙, 轡, 鞍殘缺	일괄	경남 거창군 거창면 출토	가야	
環頭大刀	1구	경남 거창군 거창면 출토	가야	
環頭柄頭	1개	경남 거창군 거창면 출토	가야	
玉 其他	일괄	경남 거창군 거창면 출토	가야	
金製耳飾	2대	경남 동래군 동래읍 출토	가야	
金銅鈴	5개	경남 동래군 동래읍 출토	가야	
銀製馬鐸	2개	경남 동래군 동래읍 출토	가야	
銅製環鈴	1개	경남 동래군 동래읍 출토	가야	
銅製鈴杏葉	2개	경남 동래군 동래읍 출토	가야	
銅製馬鈴	1개	경남 동래군 동래읍 출토	가야	
金銅製馬鈴	1개	경남 동래군 동래읍 출토	가야	
銅製馬鐸	일괄	경남 동래군 동래읍 출토	가야	
銅製環鈴	일괄	경남 동래군 동래읍 출토	가야	

유물명	수량	출토지	시대	비고
銀裝環頭大刀	1구	경남 동래군 동래읍 출토	가야	
鐵製庇付冑	1개	경남 동래군 동래읍 출토	가야	
鐵製鎧殘缺	1령	경남 동래군 동래읍 출토	가야	
金製裝圭環大刀	1구	경남 동래군 동래읍 출토	가야	
銅製香爐	1구	경남 동래군 동래읍 출토	가야	
金銅冠	1두	경남 출토	가야	
黃金冠	1두	경남 출토	가야	중요미술품
變形獸帶鏡	1면	경남 출토	가야	
葡萄文銀平脫六角箱	1합	경남 출토	가야	중요미술품
金銅鞍金具殘缺	일괄	경남 줄토	가야	
金銅帶金具	일괄	경남 출토	가야	
金銅鈴	1개	경남 출토	가야	
金製指輪	2개	경남 출토	가야	
金鈴	2개	경남 출토	가야	
金銅轡	1개	경남 출토	가야	
小玉	1연	경남 출토	가야	
銅製馬鐸	2개	경남 출토	가야	
風鐸	2개	경남 출토	가야	
金銅雲珠	3개	경남 출토	가야	
金銅杏葉	일괄	경남 출토	가야	
金銅雲珠	일괄	경남 출토	가야	

유물명	수량	출토지	시대	비고
騎馬人物土偶	1개	경남 출토	가야	중요미술품
高杯	1개	경남 출토	가야	
高杯	1개	경남 출토	가야	
金銅彌勒半跏思惟像	1구		백제	
金銅藥師如來立像	1구		통일신라	
金銅迦陵頻伽像	1구		통일신라	
銅製唐獅子	1구		통일신라	
銅製釋迦如來立像	1구		통일신라	
銅製童子像	1구		통일신라	
舍利藏器	1구		통일신라	중요미술품
舍利藏器	1구		통일신라	중요미술품
銅製漆塗鋺	1구		통일신라	중요미술품
銀製小壺	1구		통일신라	중요미술품
金銅長方形箱	1합		통일신라	중요미술품
靑銅飯斗	1구		통일신라	
三彩香爐	1구		통일신라	
瓦硯	1면		통일신라	
瓦製水瓶	1구		통일신라	
黃琉璃八曲坏	1구		통일신라	
鬼瓦	1면		통일신라	
迦陵頻伽文綠釉鐙瓦	1개		통일신라	
迦陵頻伽文鐙瓦	1개		통일신라	
迦陵頻伽文鐙瓦	1개		통일신라	
迦陵頻伽文鐙瓦	1개		통일신라	

유물명	수량	출토지	시대	비고
獅子文鐙瓦	1개		통일신라	
獅子文鐙瓦	1개		통일신라	
草花文鐙瓦	2개		통일신라	
綠釉方形敷磚	1면		통일신라	
青瓷九龍水瓶	1구		고려	
青瓷蓮花形香爐	1구		고려	
青瓷蓋付鉢	1구		고려	
青瓷陶枕	1개		고려	
青瓷小壺	1개		고려	
青瓷水滴	1개		고려	
青瓷油滴	1개		고려	
青瓷油滴	1개		고려	
青瓷香合	1구		고려	
青瓷香合	1구		고려	
青瓷合子	1구		고려	
青白磁合子	1구		고려	
銅製圓龕	1면		고려	

이 목록에는 299점을 싣고 있지만 '일괄' 또는 '연' 등으로 기록하고 있는 점을 고려하면 실제의 수량은 더 많은 것으로 볼 수 있다. 이 중에는 국보가 7점, 중요미술품이 25점이나 된다.

현재 도쿄박물관에 소장되어 있는 오구라컬렉션의 유물과 비교를 해보면 오구라컬렉션에 포함되지 않은 것이 많이 들어 있다. 반면에 1941년의 「소창무지조소장품전관목록」에 포함되지 않은 도쿄박물관 오구라컬렉션의 유물도 많다. 1941년의 「소창무지조소장품전관목록」에 포함되지 않은 도쿄박물관 오구라컬렉션의 지정 유물(『일본 도쿄박물관 소장 오구라컬렉션 한국문화재』)을 보면 다음과 같다.

1941년의 「小倉武之助所藏品展觀目錄」에 포함되지 않은 도쿄박물관 오구라컬렉션의 지정 유물(『일본 도쿄박물관 소장 오구라컬렉션 한국문화재』)

도판번호	유물명	출토지	비고
97	금동관모	경남 창녕	중요미술품
98	새날개모양관식	경남 창녕	중요미술품
99	금동신발	경남 창녕	중요미술품
100	금동태환이식	경남 창녕	중요미술품
101	금동팔가리개	경남 창녕	중요미술품
103	단용환두대도	경남 창녕	중요미술품
112	목제안교편	성주 출토	중요미술품
113	철지금동장심엽형투조행엽	성주 출토	중요미술품
116	별모양장식	성주 출토	중요미술품
353	오리형토기		중요미술품
355	수레모양토기	경남 창녕	중요미술품
356	소레모양토기	경남 창녕	중요미술품
357	집모양토기		중요미술품
358	뿔잔받침(각배대)		중요미술품
594	금동원통형사리기	경주 남산	중요미술품
598	금동팔각당형사리기	전남 광양	중요미술품
	동제칠합	경주 남산	중요미술품
	금동경상	경주 남산	중요미술품

이들은 1941년에 내놓지 않은 것이라면 이해가 간다. 그러나 반대로 1941년에 전시했던 것 중에서 도쿄박물관 오구라컬렉션에 포함되지 않은 지정 유물을 보면 다음과 같다.

釜, 甑	1조		낙랑시대	중요미술품(1937년 도쿄박물관에 진열)
鞍殘缺	1개	선산군 선산면 출토	고신라	중요미술품
金銅帶金具	일괄	경남 산청군 단성면 출토	가야	중요미술품
黃金冠	1두	경남 창령군 창령읍 출토	가야	국보
黃金釿	1쌍	경남 창령군 창령읍 출토	가야	국보
金製耳飾	1개	경남 창령군 창령읍 출토	가야	국보
金製單鳳文環頭太刀柄	1개	경남 창령군 창령읍 출토	가야	국보
鐺	1개	경남 창령군 창령읍 출토	가야	국보
水禽形土偶	1개	경남 창령군 창령읍 출토	가야	중요미술품
銅製漆塗鋺	1구		통일신라	중요미술품
金銅長方形箱	1합		통일신라	중요미술품

지정문화재만도 이 같은 차이를 보이고 있다. 1941년의 「소창무지조소장품전관목록」에는 금동관 2점, 황금관 3점이 나타나 있는데, 현재의 오구라컬렉션에는 금제관 1점, 금동관 2점으로 나타나 있다. 그렇다면 차이가 나는 이들은 어디로 갔다는 말인가. 해방 이후 일본에서 소장하고 있는 동안 많은 것은 다른 곳으로 매각했다고 볼 수 있다.

오구라 다케노스케(1870~1964)가 일제강점기 내내 막대한 경제력을 이용하여 한국문화재를 수집하기에 혈안이 되었던 점을 고려하면, 1982년 도쿄국립박물관에 들어간 오구라컬렉션은 그가 일본으로 반출한 한국 문화재의 일부에 지나지 않는다.

일본으로 반출한 문화재의 행방

해방이 되자 오구라는 한국에서 수집한 수많은 문화재와 함께 부산에서 기범선을 빌려 타고 도망을 갔다.[81] 오구라의 회사에 근무하던 조용하라는 사람의 회고에 의하면, 조용하는 보통학교를 졸업하고 오구라의 전기회사에 취직을 했다고 한다. 해방 전에도 오구라의 사택에 자주 불려가 유물의 포장과 지희실 정리 등을 했다. 해방 후에는 해방이 되던 날부터 오구라의 집으로 불려가서 문화재를 하나하나 포장하는 일에 종사했다. 그가 포장한 문화재는 트럭 7대 분량이었다고 한다. 이를 부산으로 운반했는데 조용하는 부산에까지 따라가서 문화재를 기범선에 실어주고 오구라와 이별한 뒤 대구로 돌아왔다고 한다.[82] 오구라는 40여 년간 한국에서 살면서 일본인으로는 가장 많은 한국 문화재를 수집하여 그 대부분을 해방 후 혼란기를 틈타 일본으로 반출한 것이다.

그는 해방 후 일본으로 도망가 고향에 '오구라컬렉션'을 설립하고 전시관을 지

---

81 崔淳雨, 『崔淳雨全集 5』(學古齋, 1992)에 의하면, 그가 우리나라 문화재를 모으는데 얼마나 지독했는지 8·15 직후 한국에 살던 일본사람들이 밤낮으로 불안에 떨던 때에도 당당히 트럭 한 대를 거느리고 부여박물관에 찾아와서 그곳에 남아있던 일본인 직원에게 부여유적에서 발굴한 백제문화재를 자기에게 팔라고 하였다고 한다. 이 요구를 받은 부여박물관의 일본인은 하도 어이가 없어서 "부여박물관의 물건은 나라의 재산이다. 나라의 재산을 내 개인이 어찌 팔아먹을 수가 있느냐"고 반문했더니 그때 오구라는 "지금 나라가 어디에 있느냐"고 하였다고 한다. 이는 그가 한국문화재수집에 대한 집념이 얼마나 강했는지를 보여주는 단면이라 할 수 있다.
82 李慶熙, 「오쿠라(小倉)컬렉션의 行方」, 『(월간)조선』 27권 5호, 2006년 6월.

어 일부 유물을 전시했었다. 그의 사후에는 아들 야스유키安之에 의해 운영되었다. 그러나 생활이 어려워지자 일부 유물은 처분하고, 공개되었던 유물들은 1981년에 도쿄국립박물관에 기증하게 되는데 짐을 싸는 데만 꼬박 10일이 걸렸다고 한다.

1982년 「기증 오구라컬렉션목록」이라는 이름으로 도쿄국립박물관에서 발표한 목록에 실려 있는 우리나라 유물은 1030호까지 있는데 어떤 것은 한 호에 몇 개씩 들어 있기 때문에 실제의 숫자는 훨씬 많다. 이 컬렉션의 도록 '발간사'에서 박물관 측은 "오구라컬렉션은 오구라 다케노스케가 다년간에 걸쳐 수집한 한반도의 미술품, 고고자료를 중심으로 하는 일대 컬렉션이다. 그 내용은 선사시대부터 근세에 이르기까지의 다양한 유물들로서 그 질의 뛰어남과 종류의 풍부함에 의해서 일찍부터 내외의 주목을 받아왔다"[83]고 한다.

그가 일본으로 반출한 문화재는 얼마나 될까? 그 수는 도저히 파악되지 않고 있다. 오구라컬렉션의 총 건수는 1,110건, 그 중 고고자료가 580건으로 그 대부분이 한국 유물이다. 미술공예 관련으로는 494건, 기타 일본회화, 서적, 도자 38건이 있다.

2005년에 발행한 『일본 도쿄박물관 소장 오구라컬렉션 한국문화재』에 나타난 오구라컬렉션의 소장현황을 보면 다음과 같다.

	조선	중국	일본	기타
고고	557	10	4	4
조각	49			

---

83 韓國國際交流財團, 「小倉콜랙션 所藏品目錄」, 『日本所藏 韓國文化財2』, 1995,

	조선	중국	일본	기타
금속공예	128	2		
도자기	130	18	2	2
칠공예	44			
서적	26	1	9	
회화	69		25	
염직	25			
토속(민속)	2	1	1	1
계	1050	32	41	7

오구라컬렉션의 소장품에는 중국, 일본의 것도 일부 포함되어 있지만 대부분은 한국 유물이 주를 이루고 있으며, 그 중에서도 고고품이 주를 이루고 있다.

1941년 5월 16일

황해도 해주부, 벽성군, 신천군 소재 건조물 조사

기수 스기야마 노부조杉山信三, 고원 松岡壽一은 1941년 5월 16일부터 27일까지 황해도 해주부, 벽성군, 신천군 소재 건조물을 시찰하고 7월 17일에 복명서를 제출했다. 복명서에는 황해도 벽성군 신광사, 해주부 해주문묘, 신천군 신천명륜당, 패엽사, 자혜사 등의 연혁, 현상, 향후 수리 여부에 대한 의견과 함께

각 고적의 도면과 사진이 첨부되어 있다.[84]

황해도 벽성군 신광사(神光寺) 보광전(普光殿) 측면

해주 문묘(文廟) 대성전(大成殿) 측면

---

84 「황해도 해주부, 벽성군, 신천군 소재 건조물 조사 복명서」, 『국립중앙박물관 소장 조선
총독부박물관 공문서』, 목록번호 : 96-431.

1941년 5월

평남 대동강면 정백리 낙랑고분 3기 발굴

낙랑고분 발굴이 평양고적보존회의 고이즈미 평양박물관장의 지휘로 5월 초부터 6월초까지 행해졌다. 발굴한 고분은 정백리의 미 도굴 고분 3기를 선정하여 발굴과정을 촬영하기까지 했다. 3기의 고분에서 낙랑종 등 60여 점의 유물이 출토되다.[85]

다음과 같은 관련 기사가 있다.

> 낙랑고분의 발굴작업은 드디어 오는 10일부터 小泉 평양박물관장의 지휘 아래 개시될 터인데 낙랑문화를 세계에 널리 소개하고자 조선영화협회에서는 발굴 작업을 촬영하기로 하였다. 촬영은 발굴 작업과 동시에 촬영하기로 하였다(『매일신보』1941년 5월 4일자).

> 낙랑고분을 발굴
> 현장을 영화로 촬영
> 평양고적보존회 주최 하에 낙랑고분 발굴은 평양박물관장 소천 씨를 중심으로 부외 정백리 미도굴 고분을 금 11일부터 발굴하게 되었다. 따라서 총독부에서는 세계의 자랑꺼린 낙랑고분 발굴을 문화영화로 널리 일반에게 소개하고자 총독부 영화반 일행이 래양 현장에 도착하여 본격 준비를

---

85 『每日申報』1941년 5월 4일자, 5월 15일자, 6월 7일자.

진행하고 있는데 고고학계에 커다란 관심을 일으키고 있는 중이라 한다 (『매일신보』 1941년 5월 15일자).

60여 점을 발굴

고적보존회 발굴대 소천 평양박물관장 일행의 금년도 낙랑고분은 지난 5월 2일부터 개시하여 정백리 3개의 고분 발굴을 마치고 전반기를 종료하고 한편 문화영화부의 낙랑문화영화 촬영대도 촬영을 마치고 대중부의 촬영에 들어갔다.

출토품은 6백점(오기?)에 달하여 새로운 낙랑문화의 사명을 짊어지고 고고학계에 화제를 던지고 있는데 그 중에도 낙랑종 1개는 낙랑시대의 가장 후기에 속한 것으로 지금까지 발견치 못하였던 것으로 고고학계를 기쁘게 하고 있다. 그리고 문자를 박은 종류도 16에 달하며 세계의 이목을 끌만한 철기 토기도 약 20점에 달하고 있는데 국보급의 것은 파내지 못하였다. 지난 4일부터 착수한 석암리 고분에는 다대한 희망을 가지고 있으며 특히 고분에서 우수품이 출토되느니 만치 기대는 자못 크다. 그리고 발굴대는 분실의 완전한 것을 발굴하고서 노력하고 있어 결과는 주목되고 있다(『매일신보』 1941년 6월 7일자).

『매일신보』 1941년 6월 7일자 기사

이 발굴은 학술적인 목적이 아니라, 평양일대의 고분이 무수히 도굴을 당하자 아직 도굴당하지 않은 고분을 선택하여 이를 세상에 보여주기 위한 것이었다. 이에 총독부에서는 문화영화로 촬영하기 위해 촬영반을 파견하기도 했다. 하지만 정백리 고분 3기에서 놀랄만한 유물이 나오지 않자 석암리고분을 추가하여 발굴하게 된다.

『매일신보』 1941년 6월 19일자 기사

1941년 6월 4일

평남 대동강면 석암리 제214호 고분 발굴

평양 석암리 낙랑고분 발굴은 정백리 고분 발굴에 이어 고이즈미의 지휘로 곧바로 개시되었다. 『매일신보』 1941년 6월 19일자에는 다음과 같은 기사가 있다.

목곽분을 또 발견
평양 소천 박물관장 일행에 의한 금년도 낙랑고분 발굴은 지난 4월 1일 개시하여 마침내 최후 단계에 들어가 가장 유망시 되어 있던 대동군 석암리 214호 고분을 일주일 전부터 발굴에 착수하였는데 그것은 지하 10척이나 되는 곳에 천정만 부패한 완전한 목곽분을 발견하고 방금 2개의 칠안漆案, 추두錐頭 외에 훌륭한 유물이 발굴되고 있는 중임으로 발굴대에서는 개가를 부르게되었다. 석암리 제214호 고분은 전번 최대급의 유물이 발견된 212호 목곽분에 달린 고분으로 가장 유망시되어 있던 것으로 발굴대가 기대를 가지고 최후까지 남겨둔 것이라 한다.

1941년 6월 7일

《고경당 소장품 매립회》

이병직은 1937년에 이어 두 번째로 1941년 6월 7일부터 8일까지 경성미술구락부에서 《고경당 소장품 매립회》를 가졌다.

당시 출품된 것은 서화, 도자기 총 327점이란 엄청난 수량이었으며, 중계인으로는 오봉빈, 이순황, 유용식 외 일본인 9명이 대거 참여하였다. 이병직이 경성미술구락부에 그의 소장품을 내놓게 된 것은 교육사업에 사용하기 위해서였다. 당시로서는 거금인 40만원을 의정부중학교 설립금으로 내놓았다.

이병직은 고종을 모셨던 사람으로 궁에서 물러나 나라를 잃은 아픔을 서화 골동에 취미를 붙여 달래야만 했다. 후반에는 일생동안 모은 서화 골동으로 후세를 위한 교육에 희사하였다.

『고경당이병직가 서화골동품매입도록』 도판(국립중앙도서관 위창문고 자료)

도판73 '靑磁蘆花蓮象嵌扁瓶'은 "元宮內大臣田中光顯所藏"이라 설명을 붙이고 있는 점이 주목된다. 경천사지탑을 일본으로 반출하였던 타나카 미츠야키(田中光顯)는 고미술품에 상당한 안목이 있었으며 상당수를 수집한 것으로 알려져 있다. 연필로 메모된 숫자는 경매된 가격을 표시한 것이다. 경매장에 참가하였던 어떤 사람에 의해 기록된 것으로 보인다.

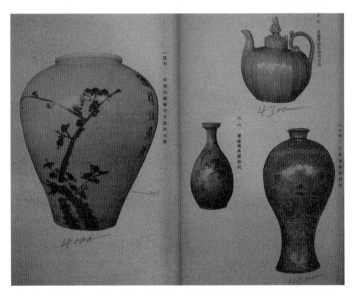

『고경당이병직가 서화골동품매입목록』 사진(국립중앙도서관 위창문고 자료)

『동아일보』 1939년 9월 9일자 기사

1941년 6월 17일

평안남도 동두면 진파리에서 벽화고분 발견

1941년 6월에는 평안남도 중화군 동두면 진파리의 전傳 동명왕릉 근처에서 고구려시대의 벽화고분이 발견되었다.

진파리 1호분과 4호분

당시 평양박물관장이던 고이즈미 아키오小泉顯夫와 가까이 지내던 신바新保라는 군인이 있었는데, 신바新保 소좌는 그림을 그려오던 자로 정물화의 소재로 고와전古瓦塼 등을 그리기 위해 평양박물관에 자주 방문하기도 했던 자였다. 하루는 신바新保 부대가 진파리 동명왕릉東明王陵 근처의 송림松林에서 휴식을 하던 중 부근 일대의 고분군 중에서 도굴되어 개구開口된 고분을 발견하고 살펴본 즉 벽화가 남아 있었다. 이를 평소에 알고 지내던 고이즈미에게 통보를 하여 조사가 이루어지게 되었다. 신바新保 부대가 본 것은 벽화가 있는 도굴분으로 동명왕릉에서 북으로 약 300미터 떨어진 고분군의 동북단東北端에 위치한 것으로 오래 전에 도굴되어 주벽周壁의 벽화가 거의 박락剝落하고 여러 차례 사람의 출입이 있었던 흔적이 있었다.

고이즈미는 다시 근처의 다른 한 기를 수색하여 입구를 파내어 벽화를 발견했다. 고이즈미가 새로 벽화를 발견한 고분은 동명왕릉에서 동북 약 270미터 떨어진 곳에 해당하는 것으로 이 고분 역시 오래 전에 도굴되었으나 다행히 도굴공盜掘孔이 자연 붕괴되어 입구가 막히면서 벽화의 보존 상태는 극히 양호했다.

평남 진파리 1호분(고이즈미가 발견한 고분) 현실 동벽 청룡

벽화를 발견한 고이즈미는 총독부로 보고를 하여, 본부에서 스에마츠 야스카즈末松保和, 사와 슌이치澤俊一, 요네다 미요지米田美代治가 평양으로 출장하여 고이즈미와 함께 20일부터 곧바로 조사하게 되었다.

다음은 『매일신보』 1941년 5월 25일자에는 다음과 같은 기사가 있다.

채색 아직 염려艶麗, 고구려벽화 연구차로 말송末松 성대교수 현지에

강서벽화보다도 약 백년이나 오래고 그 구조 형태가 전혀 다른 동시 아직까지 빛이 선명한 고구려의 대벽화가 중화군 동두면 동명왕릉 제2호분으로부터 발견되어 고고학계를 놀라게 하고 있거니와 이 제2호 고분 실상을 시찰하고자 지난 20일 사계의 권위인 말송 성대교수, 택 촉탁이 현지에 급

행하여 소천 평양박물관장과 함께 자세한 연구시찰을 하게 되었다. 그리하여 나흘간을 예정으로 이것을 발굴하여 촬영을 전부 마치고 다시 매장해 두기로 되었는데 이 고분의 자세한 것을 살펴보면 다음과 같다.

즉 이 벽화고분 제2호는 왕위의 고분으로 지금부터 약 1천4백 년 전에 쌓은 것인데 분실 동서의 길이는 2칸2척, 남북은 1칸4척, 높이는 2칸이며 사방 벽에는 동쪽에 청룡, 서쪽에는 백호, 남에는 주작, 북에는 현무의 4수호신이 그려 있고 공간에는 천녀天女와 천무天武의 상, 그리고 송목松木, 비운飛雲, 천정에는 해와 달 등이 상상도 못할 만치 호화하게 그려져 있는데 더욱 놀라게 하고 있는 것은 한 치 가량 넓이의 두 곳 뿐이 피손되어 있을 뿐 모두 생생한 것이다.

『매일신보』 1941년 6월 27일자 기사에는 이 벽화고분의 발견 동기와 당시의 벽화의 현상이나 고이즈미의 평가가 게재되어 있는바 오늘날 벽화의 훼손 상태를 고려할 때 앞으로의 벽화연구에 참고가 될 만하다. 그 전문은 다음과 같다.

우대받는 대 벽화
천연기념물 영구 보존
금추엔 동명왕릉 부근 일대도 발굴
고구려문화의 정채를 유감없이 발휘한 고분 대벽화가 지난 19일 중화군 동두면 뒤에서 소천 평양박물관장의 손에 의하여 발견되었다함은 기보한 바와 같다. 그런데 이 벽화는 이로전쟁 직후에 발견된 강서의 벽화화 대정4년에 발견한 만주 집안현 27호 고분벽화에 비하여 그 색채가 천4백 년 전에 그렸다고는 볼 수 없으리만치 파손된 곳 없는 공전의 훌륭한 대벽화라 하여 고고학계의 시청을 모으고 있다. 그리하여 지난 22일에 조선고고학계의 권위인 말송末松 성대교수를 비롯하여 본부에서 택澤 촉탁 미전美田, 서양화의 중견인 청수미淸須美 등 제씨와 소천 박물관장 소야小野 박물관 촉탁 등과 함께 현장에 달려가서 분실을 측량하는 한편 벽화를 일일이 촬영하기에 바쁜 중인데 이 촬영과 측량은 오는 27일까지 마친 다음 다시 매장해 두고 '조선보물고적천연기념물'로 지정하기로 되었다.

이에 기자는 지난 25일 현지에서 눈코 뜰 사이 없이 자세한 연구를 거듭하던 여가 박물관으로 돌아와 쉬고 있는 소천 박물관장을 찾으니 이번 발견된 고분에 대하여 다음과 같이 말한다.

참으로 기적이라 할 이렇게 훌륭한 벽화를 보기는 처음이다. 이 동명왕릉 근처에는 훌륭한 벽화가 있다는 풍설은 벌써 오래전부터 듣고 있었는데 그동안 낙랑 고분을 발굴하기에 바빠 그 본격적 탐색을 하지 못하고 있던 중 지난 17일 평양 ○○부대의 신보 소좌가 그 일대를 산책하다가 우연히 고분의 벽화를 발견하였다. 그래서 그 보고를 받고 내가 그곳으로 달려가 조사해 본즉 이것은 인물을 그린 것으로 참 훌륭한 그림이었으나 도굴로 인하여 벽화가 모두 파괴되어 있었다. 그래서 이것을 계기로 이 근처를 예의 탐색하고 있던 중 지난 19일 오후에 세상을 떠들게 하고 있는 지금 이 벽화를 발견하게 된 것이다. 먼저 신보 소좌가 발견한 고분을 동명왕릉 제1호분으로, 내가 발견한 고분은 제2호분이라고 이름을 붙인 다음 곧 본부에 타전을 하여 조사대를 파견하도록 요청하여 지금 이와 같이 촬영과 측량을 하고 있는 중이다. 이 2호고분도 1호고분과 마찬가지로 도굴을 당하였으나 벽화에는 아무런 상처를 받고 있지않는 것이 이상하다만은 1호고분이 파괴되지 않았더라면 이야말로 공절후의 대벽화라 할 수 있었을 지도 모르겠다. 이 2호고분의 인물과 같이 훌륭한 것은 못되나 아직 필치가 선명한 것과 바람벽에 약 한 치 가량이나 두터운게 한 붓으로 칠한 다음 그 위에 붉은 색으로 그린 것이 특징이다. 이 점이 지금까지 선명하고 화려하다고 떠들던 만주 집안현 벽화보다 우수한 것이며 그림은 훌륭하지만 돌 위에 그냥 그림을 강서화江西畵 보다 호화현란하다 그림 그린 양식은 고구의 왕도가 만주 집안현으로부터 옮기어 오던 서기 427년 전후에 모두 그린 것이므로 집안현 27호 고분벽화나 제2호 벽화가 모두 비슷한 점이 있다. 이 점으로 보아 당시의 고분벽화의 양식은 한 계통을 밟고 있었다는 것을 알 수 있다. 단지 기술의 차이나 고분의 크고적은 것에 차이가 있을 뿐이다.

그리고 또 흥미를 끌게 하는 것은 2호고분에 들어가는 입구 양편에는 천무天武의 상이 그려져 있는 것인데 이것은 당시 불교가 성하였었다는 것을 말하여 주며 이로부터 불교사상이 활발하였다는 것을 엿 볼 수 있는 것이다. 그리고 천정에 그린 달月 가운데는 토끼와 개구리가 약을 만들고 있는데 이 그림은 수년전에 경주에서 얻은 기와瓦에서 발견한 그림으로 가장 진품이라 할 수 있다. 그리고 사방 벽에 그린 백호, 청룡, 주작, 현무 4수호신과 공간에 그린 송목松木, 비운飛雲 등은 다른 곳의 벽화와 별로 다른 점은 없으나 밝고 깨끗하다는 것이 국보적 가치를 가지고 있는 것이다. 여하간 이번에 발견한 이 벽화는 조선보물기념물로 인정한 다음 영원히 보관해둘 터인데 이 벽화 외에도 동명왕릉 주위에 있는 약 30여의 적은 고분에도 훌륭한 벽화가 많이 있을 것으로 오는 9월경에는 일제히 조사를 행할 예정이다. 이때에도 세상을 놀라게 할 벽화가 세상에 들어날지도 모른다.

1차 조사가 끝난 후 고이즈미가 말한 일본 군인이 발견한 것은 4호분, 고이즈미가 발견한 것은 1호분으로 명명했다. 이 두 고분은 후일 발굴하기로 하고 일단 입구를 막아 두었다.

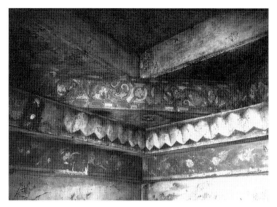

평남 중화 진파리 4호분 현실 모줄임천장

1941년 7월 21일

근로봉사 작업 중 낙랑 유물을 발굴

7월 21일 평양 선교리 성동공립초등학교 어린 생도들이 여름방학에 근로봉사대를 조직하여 근로박업을 하던 중 동교 운동장에서 순금으로 만든 팔찌 2개, 금반지 2개, 은팔찌 2개를 발견하여 이를 평양박물관에 보고를 하여, 박물관에서 현장에 나가 검사를 한 결과 이는 낙랑고분이므로 본부에 보고를 하고 지난 2일부터 발굴을 했다.[86]

---

86 『每日申報』 1941년 8월 5일자.

1941년 8월 21일

공주분관 승격

1934년 공주고적보존회가 발족하여 공주 일대에서 발굴한 유물을 모아 전시하고, 1940년 재단법인 공주사적현창회를 조직하여 새로운 출발을 함과 동시에 박물관 설치에 이르게 된다. 1940년 4월 충청관찰사의 집무관청이던 선화당을 이전하여 공주사적현창회에서 경영하다가 1941년 8월 21일 공주분관으로 승격되었다.[87]

1941년 9월 20일

경성미술구락부《개축낙성 기념특별대전관》

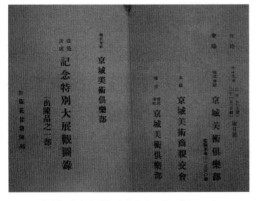

『개축낙성기념특별대전관도록』 안쪽 표지

1941년 9월 20일, 21일 양 일간 경성미술상친교회 주최《개축낙성 기념특별대전관》경성미술구락부에서 개최했다.

1940년대에 들어와 수집가가 급등하자 경성미술구락부의 건

87 『總督府官報』1941년 8월 21일자.

물을 증축하게 되었다. 1941년 9월에 경성
미술구락부 증축공사가 끝나자 낙성기념
특별전관경매회를 가졌다. 당시 도록까지
발간을 하였는데 도록에는 도판만 있고
목록이 생략되어 정확히 몇 점이 출품되
었는지는 알 수 없으나 우수품들을 대량
으로 모아 경매회를 가진 것으로 보인다.

미술구락부 건물의 증축 결과, 1940년
에 구락부의 매상 총액이 21만원이었는
데, 증축 후 1941년 10월 말 현재 경매취
급 총액이 30만원에 달했다.

『개축낙성기념특별대전관도록』 도판사진

1941년 9월 27일

《부내 모씨애장품입찰회》가 1941년 9
월 27일, 28일 양일에 걸쳐 경성미술구락
부에서 열렸다. 목록에는 245번까지 나타
나 있다.

단원 필 구룡연도

1941년 9월

도굴범 검거

평양의 도요가와豊川義坤 외 9명은 공모하여 6월부터 최근까지 정백리, 조왕리, 석암리, 토성 등지의 고분 및 유적지를 도굴한 사실이 발각되어 평양서에 검거되었다.[88]

『매일신보』 1941년 10월 1일자 기사

1941년 10월 1일

금속회수령 공포

1941년 10월 1일부로 조선에서 금속회수령이 공포되어 바로 그 실시에 들어갔다.

일본에서는 1941년 7월 30일 제16회 총동원심의회에 금속특별회수에 관한 칙령 요강을 자문 결정하여, 8월 26일의 각의에서 이에 관한 칙령을 결정하고 8월 30일 금속류회수령을 공포하게 되는데 동시

---

88 『每日申報』 1941년 9월 21일자.

에 이에 관한 사사키鈴木 기획원 총제는 "실시요강을 다음같이 발표하였다. 그런데 특별회수의 실시는 회수물건과 시설지정을 규정한 우 각령이 공포되는 내월 1일을 기하여 일제히 단행할 예정이다. 구 조선, 대만 또는 남양군도에 있어서는 10월 1일부터 이를 실시할 터이다" 라고 하면서 다음과 같이 담화를 발표했다.

금회 특별회수는 시국인식에 기基한 국민의 애국정신에 호소하여 시국하 긴요한 중요국방자원의 공출을 요청하려는 것이어서 그 대상은 널리 전반에 걸친 것은 물론이이거니와 주로 공장사업장 등의 물건에 중점을 두고 그 공출에 있어서는 권고를 원칙으로 하고, 법규에 의한 공출의 강제는 필요부득이한 경우에 한하여 발동하려는 것이며 또 일반 사생활에 있어서의 대체불가능한 필수용구에 대해서는 회수를 강제치 않을 방침이다. 나는 국민의 시국의 중대권과 이들 중요국방물자의 긴요성에 비추어 널리 자원 헌납정신을 가지고 본 계획의 완수에 대해서 전적의 협력을 할 줄로 믿어마지않는다.[89]

이 같은 계획에 따라 조선에서는 1941년 10월 1일부터 금속회수령이 공포, 실시하게 되었다. 이번에 공포실시하게 된 회수령은 국가총동원법에 의하여 회수하는 물건에 대해서 양도, 처분, 이동에 관한 명령을 할 수 있으며, 회수하는 물건은 철, 구리, 황동, 기타 동합금을 재료로한 물건을 회수하기로 했다.

직접 회수할 물건은 철을 중요한 재료로 한 철간판, 철층계, 철책 등 42종이며, 구리 혹은 황동, 청동, 기타 구리를 주로 한 재료의 재품은 재떨이, 커텐에

---

89 『매일신보』1941년 8월 30일자

금속류 헌납 장면(『반도의 국민총력운동』, 1944)

사용한 철봉 등 46종이다.[90]

이로써 밥그릇, 수저, 교회 종이나 학교에 세워져 있던 동상까지 회수해갔다. 밥그릇을 빼앗아가고 그 대신에 조잡한 사기그릇을 주고 그 그릇에는 '공출보국供出報國'이라고 새겨 주었으며, 그리고

'폐물수집廢物蒐集'이라 하여 각급 학교 학생은 매월 1일 혹은 8일에 쇠붙이를 가져가야 했다.[91] 이후 1943년 9월 1일 勅令 제667호로 금속회수령이 개정되어 강제압수가 가능해지면서[92] 전국의 쇠붙이는 씨를 말렸다.

1941년 10월

1941년 6월에는 평안남도 중화군中和郡 동두면東頭面 진파리眞坡里의 전傳 동명왕릉 근처의 고분 2기(제1, 4호분)에서 화려한 벽화를 발견하여 당시 고분에 대

---

90 『每日申報』 1941년 10월 1일자.
91 趙東杰, 「日帝末期의 戰時收奪」, 『千寬宇先生 還歷 記念 韓國史學論叢』, 正音文化社, 1985.
92 勅令 제667號 '金屬類回收令'(1943년 9월 1일), 朝鮮總督府 官報 第4976號.
　　朝鮮總督府令 第269號, 第270號 '金屬回收令施行規則.'
　　總督府告示 第984號, 第985號, 第986號.

한 실측과 사진촬영을 하는 것으로 끝내고 자세한 조사는 후일로 미루어 두었다.

이번 9월에 전에 발견한 두 고분을 포함하여 동명왕릉 근처의 고분 여러 기를 조사하게 된다. 이는 순전히 또 다른 고분에서 벽화가 나올 것으로 생각하고 그 출토를 목적으로 조사를 하게 된 것이다.

9월 13일 위원 오바 쓰네키치小場恒吉, 평양박물관장 고이즈미 아키오小泉顯夫, 요네다 미요지米田美代治가 총독부로부터 발굴을 명받고, 평양박물관원 오오시마大島가 참가했다. 조사 준비는 9월 14일부터 시작하여 실제 발굴은 9월 20일부터 개시했다.

총독부박물관 공문서에는 「평안남도 중화군 동명왕릉東明王陵 고분군 발굴 조사 일지(고적복명서)」가 남아 있는데, 9월 14일부터 10월 28일까지의 기록으로, 너무 소략하여 별로 참고할 것이 없다. 여기에는 1, 3, 7, 9호분에 대한 것만 나타나 있다.

당시 신문에는 다음과 같은 기사가 있다.

평양 중화군 동두면 진파리의 동명왕릉 후배에 있는 11기의 고구려고분 발굴은 소천 박물관장의 손으로 지난 3일부터 발굴을 개시하였는데 1호분과 4호분으로부터 놀랄만한 고구려벽화를 발견한 즉 이는 고구려고분 중 가장 유망한 최북단의 고분에 속하며, 발굴에 착수하고 있는데 11기 중 가장 유명시 되므로 계속 발굴 중이다. 한편 동경미술학교 교수 소장항길은 6일부터 3호분 벽화의 모사를 개시하여 몰두하고 있다(『매일신보』 1941년 10월 14일자).

찬란한 낙랑 유물
동두면의 고분. 9기 발굴 완료
중화군 동두면 의 동명왕릉 뒤에 있는 고분 11기의 발굴 작업은 조선고적

여구회 평양지부장인 소천小泉 박물관장과 본부 미전美田 촉탁의 손에 의하여 순조로이 진행되어 지난 16일 현재로 9기의 발굴을 끝내었으나 지난번에 발견한 제4호와 제1호 고분에 있는 것과 같은 벽화는 아직 한 곳도 드러나지를 않고 단지 제6호 고분으로부터 금빛이 찬란한 낙랑 유물이 속속 나오고 있어 발굴대를 얼마 큰 위로케 하고 있다. 드러나온 유물은 순금으로 만든 장식품 나무로 만든 군배선형軍配扇形에 금광금의 운문, 비룡 등의 모양을 그린 현란한 유물 등을 비롯하여 금구金具 10여 점인데 이것들은 모두 고분 입구에서 발견된 것임으로 내부에서는 어떠한 유물이 나와 세상을 놀라게 할 것인가 하여 주목을 끌게 한다. 그런데 이 고분도 역시 도굴당한 흔적이 많으며 목제군배선형의 유물은 무엇에 사용하던 것인가는 잘 모르겠으나 목관을 장식하던 것이나 아닌가 하고 추측된다고 소천 박물관장은 발하고 있다 (『매일신보』 1941년 10월 20일자).

『매일신보』 1941년 10월 14일자 기사

진파리 제1호분에서는 도굴한 잔여물 중에 금동투조금구金銅透彫金具가 있었는데 투조문透彫紋의 배지背地에 비단벌레의 날개를 붙여 신라의 금관총에서 출

진파리 1호분 금동제투조일상문장식

토된 등자鐙子에서 본 것과 같은 수법이 더욱 주의되었다.[93]

이외에도 함께 조사한 2호분, 6호분, 9호분도 이미 철저하게 파괴 도굴되어 있었다. 특히 2호분은 목관을 석실 밖으로 끌어내어 소각한 흔적까지 있었다.[94] 그러나 여기에 대한 보고서도 나오지 못하고 패전으로 물러가 버렸다.

후일 출토유물에 대한 것은 1966년 우메하라梅原와 후지다藤田가 공저共著한 『조선고문화종감朝鮮古文化綜鑑』에 일부 유물의 도판이 수록되어 있으며,[95] 발굴

---

93 梅原末治,『朝鮮古代の墓制』, 國書刊行會, 1972, p 60.
94 小泉顯夫,「中和眞坡里古墳群の調査」,『朝鮮古代遺蹟の遍歷』, 六興出版, 1986, pp.353~368.
95 여기에 대한 기록은 전후에 발간 한, 梅原末治, 藤田亮策 編著,『朝鮮 古文化 綜鑑』第4
   卷, 養德社, 1966.
   해설 26-32, 도판52-66(진파리 제1호분 벽화)
   해설 33-34, 도판67-70(진파리 제4호분 벽화)
   해설 42, 도판127(진파리 제1호분 출토 금동투조옥충익식금구)
   해설 43, 도판128-129(진파리 제1호분 출토 청동환) 등이 수록되어 있다.
   특히 진파리 제4호분 벽화에서는 북, 서의 양벽에 墨書로「咸通十年□庚寅三月」이라는
   後記가 있어 唐의 咸通10년(서기870)에 이미 後人이 들어갔음을 알 수 있다.

당사자인 고이즈미小泉의 발굴보고서는 1986년에서야 「중화진파리고분군中和眞坡里古墳群의 조사」라 제한 약보고서가 나오게 되었다.[96]

1941년 11월 1일

《부내박창훈 박사 서화골동 애장품 매립회》

박창훈은 1941년 11월에도 경성미술구락부를 통해 나머지 소장품을 처분하였다. 당시 출품한 숫자는 서화 70점, 도자기 256점이었다.[97] 그는 외과의사로서 경제적인 어려움도 없었을 터인데 수집할 때의 정성과 달리 쉽게 내놓은 진의가 어디에 있는지 지인들은 속으로 욕을 하였다고 한다.

「부내박창훈 박사 서화골동 애장품 매립목록」

---

96 小泉顯夫, 「中和眞坡里古墳群の調査」, 『朝鮮古代遺蹟の遍歷』, 六興出版, 1986; 梅原末治, 『朝鮮古代の墓制』, 國書刊行會, 1972, p.60; 『每日新報』 1941년 10월 14일자, 10월 16일자, 10월 20일자.
97 1941년 11월에 판매한 『府內朴昌薰博士 書畵骨董愛殘品賣立目錄』이 있다.

박창훈 구장 '황취박토도', 선문대학교박물관 소장

'황치박토도'는 원래 모리 고이치가 소장하였던 것으로 『조선명보전람회도록』(조선미술관, 1938)에
게재되어 있는 것으로, 모리 고이치의 사후 경성미술구락부의 경매에서 박창훈에게 돌아갔다. 이번 경매에서
고두동에게 돌아갔는데 후에 다시 몇 사람의 손을 거쳐 현재는 선문대학의 소장으로 되었다.

1941년 11월 14일

《부내 무경암 소장품 서화골동 매립회》

1941년 11월 14일부터 16일까지 경성미술구락부에서 《부내 무경암無境庵 소장품 서화골동 매립회》가 열렸다. 이때 출품된 것은 총 373점으로 대부분 다도와 관련한 것이어서 일본인 수집가들이 대거 경매장에 모여들었다.

1941년 11월 18일

제7회 《조선공예전람회》

1941년 제7회는 1941년 11월 18일부터 11월 23일까지 도쿄 한복판의 다카시마야高島屋백화점에 엄청난 규모의 진열실을 마련하고 《조선공예전람회》를 개최하였다.

당시 출품된 것은 낙랑시대부터 조선시대에 이르는 불상, 고려청자, 조선자기, 석조물, 금속공예, 목공예품 등 우수한 미술품을 망라하였다. 도록에 수록되지 않은 것까지 합하면 무려 3천점이 넘었다. 당시 출품된 것 중에 삼국시대 금동불상은 30만원, 낙랑풍령樂浪風鈴은 10만원의 가격표시를 하였다. 도록에는 아사카와 노리타가淺川伯敎의 조선자기에 대한 해설이 붙어 있다.

1972년 일본에서 개최한 《동양명도자전》에서 동양도자 7대명품에 속했던

'고려청자상감죽학문매병'을 위시하여 조선자기 1급품들이 제7회《조선공예전람회》에 많이 반출되어 출품 전시되었다.

제7회 전람회에 관련하여 『매일신보』1941년 11월 24일자에는 다음과 같은 기사가 있다.

이달에 조선고대미술 전람회가 일본 동경 고도옥高島屋백화점에서 개최된 바 우리나라 역대 불상과 도자기 등 5000점이 전시되었는데 이중 약 2만 원어치가 동경미술관에 매약되다.

신문기사에서 5,000점이라 한 것은 과장한 것으로 보이며, 현재 도쿄박물관에 소장되어 있는 한국유물 중에는 상당수가 이때 반출된 것으로 볼 수 있다.

제7회 전람회 주요 목록

품명	목록번호	비고
낙랑도금풍령, 낙랑출토 녹유종	222, 213	

품명	목록번호	비고
삼국시대미륵보살상	210	 구시 다쿠마(久志卓眞)의『조선명도도감』(1941)에 도판으로 나와 있으며, 편찬자 구시는 총독부 박물관과 이왕가박물관에 소장하고 있는 2체의 대표적 미륵반가사유상을 제외 하면 천하에 자랑할 수 있는 명품이라고 평하고 있다.
도금관세음보살상, 신라도금사불사보살사리탑	147, 49	
신라불상	171. 210	

품명	목록번호	비고
고려불상	168	
고려청자쌍사자침	181	 군산 宮崎 구장 安宅컬렉션 소장
고려청자기린개향로	5	 일본경제신문사, 『安宅컬렉션동양도자명품도록』고려편, 1980. 도판188로 所載 이병직 구장

품명	목록번호	비고
高麗靑磁象嵌菊花牧丹文八角面取細口長首瓶	6	『安宅컬렉션名陶展』(1976)에 수록, 『安宅컬렉션』(1980년) 도판138로 수록
高麗靑磁象嵌菊花文瓜形水注	3	
高麗靑磁象嵌双鳳丸文壺	1	『安宅컬렉션』1980. 도판143로 수록
高麗靑磁象嵌三羽鶴文盌	17	"高麗靑磁象嵌雲鶴鉢盌類 중 최고의 名品"이란 설명이 있다.
高麗黑釉白土象嵌描繪雲鶴文梅甁	265	
三島象嵌牧丹文大扁壺	202	

품명	목록번호	비고
진사채문자입표형병	112	 1941년 문명상회를 통해 아타카컬렉션으로 들어갔다. 1976년에 전시되었다.
朝鮮染付花文散總辰砂德利	86	
朝鮮鐵砂龍文扁壺	93	 문명상회를 통하여 아타카컬렉션에 들어간 것이다. 1942년에 간행한 다나카 도요타로(田中豊太郞)의 『이조도자보』에 도판으로 게재되어 있으며, 1977년에 발행한 『동양미술』에 도판 251로 소개되어 있다.

품명	목록번호	비고
朝鮮染付草花文八角壺	264	『조선고적도보』 도판 6400호로 아사카와 이사오 (淺川巧)의 소장으로 실려 있으며, 1941년 도쿄에서 개최한 《조선공예품전람회》에 출품하였던 것이다. 1942년에 간행한 다나카 도요타로(田中豊太郎)의 『이조도자보』에 도판 15로 게재되어 있으며 "이조청화백자의 대표작"이라고 소개하고 있다. 이 '청화백자난초문8각호'는 청화백자의 명품으로 특수한 형태나 품격으로 제일로 꼽고 있는데 문명상회를 통해 아타카컬렉션으로 들어간 것이다. '청화백자난초문각호'는 1956년에 간행한 『세계도자전집』(河出書房) 제14권에도 도판 10호로 실려 있다. 아사카와 노리타가(淺川伯教)의 설명에 의하면, "경성의 스즈키(鈴木) 골동점으로부터 동생인 이사오(巧)가 구입하였다. 그 후 민속박물관에 진열하였다가 그의 유족에 의해 다른 곳으로 매각되어 돌고 돌아 현 소유자의 손에 들어갔다" 고 하는데 현소유자란 바로 아타카를 지목하는 것이다. 풍만한 몸매에 유약 발색이 모두 뛰어나다. 구시 다쿠마(久志卓眞)는 『조선의 도자』(寶雲舍, 1944)에서 "가장 이상적으로 만들어 졌을 뿐 아니라 독창성을 보여주는 최상의 것"이라고 평하고 있다. 1976년 11월에 도쿄에서 개최한 《아타카컬렉션 명도전》에 출품 전시되었다. 『美の求道者 安宅英一の眼-安宅コレクツヨン』 展圖錄(大阪市立東洋陶磁美術館. 2007) 도판 162 로 수록되어 있으며, 모재벌가에 들어갔다가 1958년에 아타카씨가 구입한 것으로 경기도 금사리요지 제작품으로 설명하고 있다. 이상으로 본다면 경성의 스즈키(鈴木)골동점- 아사카와 이사오(淺川巧)- 아사카와 노리타가(淺川伯教)- 문명상회- 일본 모재벌- 아타카컬렉션- 스미토모(住友)그룹- 오사카시립동양도자미술관 소장의 과정을 거쳤다. 2014년에 한국에서 개최한 《청화백자전》에 출품 전시되기도 했다.

품명	목록번호	비고
定窯黑釉金花文盞	46	"황해도 용매도 출토의 백자병과 함께 천하의 대명품"이란 설명이 있다. 김덕영 구장 도판 해설에서는 "『陶器圖錄』제7권 支那編 上 所載"라고 표시하고 있다. 애석하게도 금화문은 그 흔적만 남아있는 정도라고 한다.
백자병	40	『도자도록』 제7권 지나편에 수록. 김덕영 구장
高麗靑磁象嵌竹鶴文梅瓶	218	흑백상감으로 표현한 고려매병 중에 최고의 걸작이라 할 수 있다. 구시 다쿠마(久志卓眞)는『朝鮮名陶圖鑑』에서 '청자상감죽학문매병'을 "상감청자 중 굴지의 명품"이라고 평하고 있다. 1941년《조선공예품전람회》에 출품되었던 것이다. 1976년에 아타카컬렉션 명도전에 출품되었으며, 1978년《아타카컬렉션 동양도자전》에도 출품 전시되었다. 1977년에 발행한『동양미술』에 도판 242로 소개되어 있다. 1992년 뉴욕에서 개최한 아타카콜렉션의《한국도자기전》에도 출품되었다.
高麗靑磁象嵌雲鶴菊花文長頸瓶	169	『女宅컬렉션』1980. 도판210으로 수록
高麗靑磁象嵌雲鶴文盌	9	"고려청자완 중 神品"

품명	목록번호	비고
靑華白磁辰砂高台附德利	94	조선고적도보 제8권 6604로 수록. 김찬영 구장
白磁鐵砂龍文壺	267	"희대의 절품"
낙랑도금향로	220	
신라도금탑	792	
고구려녹유박산로	163	
조선고대3층탑, 5층탑	44, 2	

품명	목록번호	비고
新羅大龜趺	56	야외에 전시하였던 '신라시대'로 표기하고 있는 석비이다. 도록에는 높이가 礎장 2척'(약 6,6미터)라고 표기하고 있는데, 이것이 정확하다면 석비로서는 최고 최대 규묘라 할 수 있다. 그런데 이같이 거대한 석비가 그간의 한국인이나 일본 학자들의 기록에도 나타나 있지 않은 것이 의문이 아닐 수 없다. 물론 비문에는 어떤 내용이 있는지, 현재 어느 곳에 소장되어 있는지조차 밝혀져 있지 않다.
新羅佛	26~33	
高麗佛	34	
이하 2488~3000까지 목록 생략 이하 석공품(특별번호 1~92)		

『조선공예전람회도록』에 나타난 출품 점수를 살펴보면 다음과 같다.

회	전시 및 판매일	출품점수	비고
1	1934년 11월 3일 ~ 11일	2500점	1960번부터 2500번까지는 기타
2	1935년 11월 30일 ~ 12월 5일	2152점(별도18점)	1961번부터 목록에서 제외(별도 18점)
3	1936년 11월 20일 ~ 26일	2005점	1805번이하 200점 학습 참고품, 기타
4	1938년 6월 9일 ~ 18일	1250점	1001번부터 목록에서 생략

회	전시 및 판매일	출품점수	비고
5	1939년 11월 1일 ~ 5일	1500점	1151번부터 목록에서 생략
6	1939년 11월 24일 ~ 30일	2500점	2141번부터 목록에서 생략
7	1941년 11월 18일 ~ 23일	3000점(이외 특별번호 2-92)	2488번부터 목록에서 생략
	계	14,407점	

7회 동안의 출품 총 작품 수는 14,407점과 별도의 18점과 특별번호를 붙인 91점을 포함하면 14,516점이나 된다. 세계 역사상 어디에서도 이렇게 많은 문화재를 반출시킨 예가 없었던 일이다. 일본 고미술 애호가들의 입장에서는 한국의 고미술품들이 일본으로 들어오는 것에 대해서 대환영이었기에 적극적으로 지원을 하였다.

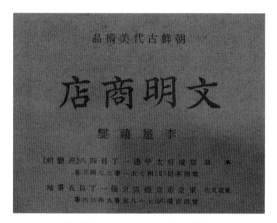

『고미술』153호, 1943년 10월호
뒷표지에 실린 문명상회 광고

이희섭은 이 전람회 외에도 도쿄와 오사카에 지점을 두고 수시 판매를 하였는데 정확히 언제까지 이 지점을 유지 했는지는 정확히 알 수 없으나 일본『고미술』1943년 10월호 뒷표지에 문명상회의 광고가 단독으로 실린 점으로 보아 최소한 1943년 말까지는 활발하게 판매활동을 했을 것으로 보인다. 이런 점으로 미루어 보아 상설매점에서 판매한 수량도 최소한 전람회의 목록에 나타난 수량 이상은 판매되었다고 추정할 수 있다. 물론 전람회에 나타난 수량 모두가 판매된 것은 아니겠으나, 문명상회가 일본으로 반출한 우리 문화재는 전람회에서 판매한 것과 도쿄와 오사카의 상설매장에서 판매한 것을 합쳐 최소한 3만 점 이상은 될 것으로 추산해 본다.

2015년 1월 현재 국립문화재연구소가 밝힌 자료에 의하면 2015년 1월 현재 국외유출 한국 문화재는 160,342점으로 확인되었다. 국가별로 본다면, 일본이 가장 많은 67,708점을 차지하고 있다. 실제는 이 보다 몇 배나 될 것이라고 추산하는 데에는 문명상회가 반출한 숫자가 하나의 척도가 될 수도 있다. 문명상회에서 조선공예전람회에 출품한 것은 모두 우수한 미술품들이지만 목록에 나타난 것조차 현재 소장처가 밝혀진 것은 수십 점에 불과하다.

어찌되었든 이 같이 엄청난 문화재가 한 개인의 상점을 통해 외국으로 반출된 것은 세계 유례가 없는 일로서, 이영섭의 말대로 이 전람회는 단순히 전람회라기보다는 한 나라의 민족문화재의 대이동이라 할 수 있다.

*유방 김찬영

유방惟邦 김찬영金瓚永은 평양의 부호 김가산의 아들로 미술학교를 나온 후 취미생활로 고미술품을 수집하였다. 조선미술관 주인 오봉빈은 그의 수장품에 대해, "김찬영씨의 수집품들은 조선에서 제일이라는 고려자기를 위시하여 서화 골동 전부가 호품이오 진품이다" 라고 히고 있다. 1938년경에는 일본 동경의 경매장에 상당수의 미술품을 출품하여 17만원에 팔았다.

당시 얼마나 많은 양이 반출 출품되었는지 알려진 것이 없다. 박병래는 김찬영이 서화 골동을 일본으로까지 가지고가 팔아버린데 대해 "재신도 넉넉하겠다. 이 세상에 남부러울 것이 없는 김씨가 더구나 깨끗이 모은 모든 물건을 어쩌서 한목에 내놓았는가 하는 의문이 아닐 수 없었다"고 한다. 박병래는 김찬영의 이러한 행위를 보고 "나는 취미로 모으는 이상 절대로 물건을 안 팔기로 작정한바 있었다"고 한다.[98]

1940년대에 들어와서는 그가 소장한 우수한 미술품들을 문명상회를 통하여 《조선공예전람회》에 보내 팔기도 하였다. 특히 1941년에는 삼국시대 금동불입상을 위시하여 고려자기 조선백자 등 일급품들을 문명상회에 넘겨 일본으로 반출하였다.

김찬영이 소장했던 '청화백자진사초화문병' 등 일부는 문명상회를 통하여 일본으로 반출되어 현재 아타카컬렉션에 들어간 것도 있다. 해방 후에는 그의 수집품들은 그 수가 상당히 줄었으며 6·25를 전후하여 사방으로 흩어졌다.

그의 말년은 비참했다. 그의 집에 무장강도가 들어와서 그의 부인을 저격한 것이다. 그 뒤로 김찬영은 아편에 손을 대기 시작하여 가산을 탕진하고 중풍으로 고생을 하다가 세상을 떴다. 그의 사후에는 그가 일생동안 수집하고 소장하였던 모든 서화 골동은 산일되고 말았다.

골동상 김명선은, "김찬영이 소장하였던 추사의 글씨나 고려자기는 그의 동생이 미국으로 이민 가면서 모두 갖고 간 것으로 알려져 있다"고 하니[99] 아마 미국 내지는 어디에선가 유랑하고 있을 것이다.

---

98 朴秉來, 『陶磁餘滴』, 中央日報社, 1974.
99 윤명선, 「일제말기의 수집가와 골동상」, 『전통문화』, 1986년 3월.

1941년 12월

박물관에 기부한 신다 도메지로新田留次郎의 소장 보물 백자투조목단문호

    총독부박물관 공문서 '보물 백자투조목단문호 기부에 관한 건'(소화16년 12월 29일)에 의하면, 보물 제375호 '백자투조목단문호白磁透彫牧丹文壺' 1개가 경성 남미창정 281번지 신다 도메지로新田留次郎로부터 박물관 진열품으로 기부되었다.[100]

이는 조선보물명승천연기념물보존령 제1조 제1항의 규정에 의하여 1940년 7월 31일부 보물로 지정된 것이다.

신다 도메지로新田留次郎는 1906년 통감부 철도관리국 기사로 한국에 건너와, 후에 철도국 공무과장, 1939년에는 철도국부사장을 역임하였다. 신다新田는 분청사기와 백자 명품을 많이 수집하였다. 『조선고적도보』 제15책에는 '백지투조모란문호

신다新田 구장 백자투조모란문호(보물 제240호)
현재 국립중앙박물관 소장
『조선고적도보』에 도판번호 6447로 실려 있다

白磁透彫牡丹紋壺'을 비롯한 백자 5점과 분청사기 10점, 연적 1점이 수록되어 있다.

    신다가 소장하였던 많은 소장품들은 그가 해방 전에 귀국하면서 대부분 가

---

100 『국립중앙박물관 소장 조선총독부박물관 공문서』, 목록번호 : 97-기부02

져간 것으로 보인다. 그가 가져간 '홍정금화서초문잔紅定金花瑞草文盞'은 일본 중
요미술품으로 지정되어 있다.[101]

같은 해

부산 부근 동래에서 발견된 도굴품으로 알려진 철제갑주鐵製甲冑가 오구라
다케노스케小倉武之助의 손에 들어갔다.[102]

추사의 세한도가『중등한문독본(中等漢文讀本)』에 실리다

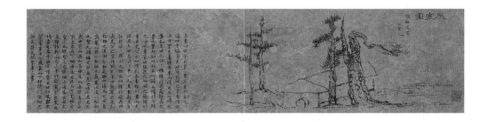

이 그림이 일반인들에게 알려진 것은 1941년 조선총독부에서 간행한『중등
한문독본中等漢文讀本』권5에 42. '제세한도題歲寒圖'로 도판과 글이 실리면서이다.
이 책에는 주로 중국 문장가들의 시와 글이 실려 있는데, 한국 사람으로는 이
황의 글과 추사의 세한도 자서인 편지 글이 실려 있다. 도판으로 함께 실린 이

---

101 『美術研究』제 86호, 1941년 1월, p.102.
102 「彙報」,『考古學雜誌』제21권 제5호, 1930년 5월, p.59.

그림의 소장자는 후지즈카이다.

소장자 후지즈카는 그의 회갑 때 '세한도'를 60벌이나 복사하여 친한 사람들에게 나누어 주었다. 해방 후에는 이 복사판이 세간에 나타나 진품인 것으로 오인되어 혼란이 오기도 하였다. 상당한 감식가라 할지라도 복사판이 있다는 사실을 모르는 사람은 혹 두 장을 그린 것이 아닌가 하고 오인하기까지 하였다.[103]

세한도는 1844년 추사가 59세 때 유배지인 제주도에서 그렸던 것으로 문인화의 최고봉일 뿐 아니라 청의 명사 16명의 제시題詩와 김준학金準學의 제발題跋 그리고 이시영李始榮의 제시와 위창 오세창의 제시가 묵적墨蹟되어 있다.

추사는 1840년에 제주도에 유배되었다. 그 때 나이 55세였다. 추사의 많은 제자 중에서 이상적은 대대로 내려오는 역관의 집안에 태어나 공사貢使를 따

『중등한문독본(中等漢文讀本)』 권5의 '제세한도(題歲寒圖)'

103 李謙魯,『通文館 冊房秘話』, 民學會, 1987.

라 여러 차례 입경하게 되었는데, 그간에 교제한 청의 인사들도 많았다. 이상적은 제주에서 귀양살이하는 추사를 생각하여 자주 물건을 보내어 위로하였다. 1843년에 이상적은 계미곡桂未谷의 『만학집晚學集』 8권과 운자거惲子居의 『대운상방문고집大雲上房文藁集』 4권을 북경에서 구입하여 제주도에서 유배생활 하는 추사에게 보내 주었다. 이듬해 1844년에는 『황조경세문편皇朝經世文編』 120권을 구하여 추사에게 보내 주었다.

고도에서 추사는 이상적이 보내준 그의 깊은 정과 성의에 감격하였다. 추사는 그를 잊지 않고 책을 보내준 이상적李尙迪의 성의에 보답하기 위해 그림을 그렸다. 그리고 그림 옆에 "세상은 오직 권세와 이익에만 쫓아 이리저리 움직이는데 마음과 힘이 다 같이 권세에 있는 자에게 보내지 않고 바닷가에 있는 나에게 보낸 것이 고마워 이 세한도를 보낸다"는 편지를 써 이상적에게 고마움을 표시하였다. 동시에 , 또 "추운 겨울을 당한 후에야 솔 잣나무만이 푸른 것을 안다"는 논어를 인용하여 고고한 선비의 지조를 밝히기도 했다.

이상적은 절해고도의 은사로부터 진심을 담아 보내온 세한도 및 제사題辭를 접하고 감격하여 목이 메었다. 세한도를 받은 이상적은 다음과 같이 답장을 하였다.

이번 사행길에 이 그림을 가지고 연경에 들어가 표구를 해서 옛 지기분들에게 두루 보이고 시문을 청하고자 합니다. 다만 두려운 것은 이 그림을 보는 사람들이 제가 참으로 속세를 벗어나고 세상의 권세와 이득을 초월한 것처럼 여기는 것이니 어찌 부끄럽지 않겠습니까? 참으로 과당하신 말씀입니다.

이상적은 그해 10월 동지사 이정응李晸應 일행을 수행하여 입경하면서 세한도를 행장 속에 넣어 갔다. 1845년 정월 22일 옛 친구인 오찬의 잔치에 초대되어 갔다. 이 잔치는 1837년에 오찬의 처남 장요손과 만나 시와 술로 함께 한 적이 있었는데 그 재회의 환영연이기도 하였다. 이 자리에는 주빈 모두 19인이었다. 이상적은 함께 초대된 문사들과 흉금을 털어놓고 문을 이야기하고 시를 노래하면서 분위기가 무르익자 이상적은 가져갔던 세한도를 내보이며 제찬을 원했다. 여러 문사들은 격찬하여 문과 시를 제하였다. 그 자리에서 16인이 제하였는데, 이들은 추사의 기화奇禍에 대하여 무한한 동정을 보내고 청절고풍을 흠모하고 사제간의 격의를 칭찬하였다.

이상적은 16인의 제산과 세한도를 합상合裝하여, 상복張穆에게 정하여 한 권으로 만들었다.

이상적은 16인의 제시를 얻어 세한도와 같이 가지고 귀국하여 이것을 제주도에 있는 추사에게 갖다 보이게 되는데, 추사는 이같이 많은 시권詩卷을 보고 눈물을 흘렸다고 한다.

후지즈카는 세한도에 대해, "세한도를 둘러싼 청 조의 묵선墨線의 소묘素描이기는 하지만 완당을 중심으로 하여 청유가 어떻게 움직이고 있었는가, 청조문화가 어떻게 조선에 젖어들고 있었는가의 한 단면을 엿볼 수 있을 것이다"라고 하고 있다. 또 「완당의 세한도와 청유16가」의 말미에서, "불행히도 갑자기 기화奇禍에 휘말려 탐라의 고도에 적거謫居하는 몸이 되었으나 고사의인高士義人으로서의 그는 더욱 더 청유탄모淸儒歎慕의 표적이 되어 피아彼我의 묵선학교墨線學交를 점점 깊게 하여 갔던 것이다. 세한도는 이러한 의미에 있어서 우리들에게 가장 많은 시사를 주는 것이다"라고 평하고 있다.

제주도에서 그려진 세한도는 이상적에게 넘어가 연경을 다녀오고 다시 제주도의 유배중인 추사에게 보여 진 후 이상적의 소장이 되었다. 이후 세한도가 어떻게 후지즈카의 손에 들어갔는지 경로가 명확하지는 않지만, 세한도에 붙인 오세창의 발문에,

그림은 우선의 제자였던 매은 김병선 선배에게 돌아갔고 그의 아들 소매 준학군이 쓰고 읊으면서 보관 했으니 그림이 그려진지 칠십여 년 뒤다. 이웃 강대국들이 우리나라를 빼앗아 점령하고 모든 공사의 귀중한 서적과 보물을 온갖 수단을 다하여 탈취하니 이때 그림도 마침내 경성대학 후지즈카藤塚를 따라 동경으로 가게 되었다.

한다. 즉 이 세한도는 이상적의 사후에 그의 제자인 김병선에게 넘어 갔고 다시 그의 아들 김준학이 소장하고 있었다. 그런데 후지즈카는 누구한테서 입수를 하였는지 이겸노에 의하면, 세한도는 그 후 여러 애호가들의 손으로 전전하다가 평양감사를 지냈으며 휘문학원을 설립한 갑부 민영휘의 아들 민규식이 소장하고 있었는데, 후지즈카가 이 세한도를 입수하여 소장하고 있었다고 한다.

이에 대해 허영환許英桓는 세한도가 후지즈카의 손에 들어간 시기에 대해 "세한도는 1930년대 말에 서울에 있던 경성제대 교수였으며 추사연구로 박사학위를 받은 후지즈카 교수의 손에 들어갔다. 그는 아마도 민영휘의 아들 민규식으로 부터 얻어낸 듯하다"[104]고 하고 있다.

---

104 許英桓, 「阮堂의 歲寒圖」, 『書通』 9호, 1979.

이겸노와 허영환의 기술에서 '민영휘의 아들 민규식으로부터 입수'했다는 것은 일치하지만, 입수시기에 대해서는 그 보다 앞서는 것으로 보인다. 1932년 10월 7일부터 10일까지 서울 미쓰코시三越백화점(현 신세계백화점 자리)에서《완당유묵유품전람회》가 개최 되었는데, 이때 추사의 필적과 유품이 80여 점이 전시되었다. 당시 특히 주목되었던 것이 후지즈카가 출품한 '세한도 및 자서'였다. 이로서 처음으로 '세한도'가 애호가들 사이에 알려진 것이다. 따라서 후지즈카가 세한도를 입수한 시기는 1932년 이전이 되는 것이다.《완당유묵유품전람회》에 후지즈카가 출품한 것은 '세한도'외에도 '완당제발화도사용선사탑명阮堂題跋化度寺邕禪師塔銘', '완당기이우선서阮堂寄李藕船書', '완당수비문인시고阮堂手批門人詩稿', '완당서옹당계수찰제간阮堂書翁覃溪手札題簡'을 포함한 16종이나 된다.[105]

민영휘는 한말 정계가 어지러울 때의 당시의 세가인 민씨 문중의 사람으로 출세가도를 달려 영변부사, 도승지, 평안감사 등의 관직을 거치는 동안 막대한 부를 축적하여 조선 제일의 갑부로 알려졌다. 일제 강점기에는 일본제국주의의 식민통치와 침략전쟁에 협력하는 등 친일행각으로 부를 축적하여[106] 그의

---

105 中村榮孝,「阮堂遺墨遺品の展觀」,『靑丘學叢』제10호, 靑丘學會, 1932년 11월.
106 『2007년도조사보고서 친일반민족행위 결정사유서』(대통령소속 친일반민족행위진상규명위원회, 2007)에 따르면,
민영휘는 1907년 일본 황태자가 한국을 방문하자 전 현직 대신, 관리들이 신사회를 조직하여 황태자환영위원회를 조직하였는데 이때 환영위원장을 맡았다.
1910년 10월 12일 '조선귀족령'에 따라 일본 정부로부터 자작의 작위를 받았으며 일본 정부로부터 5만원의 은사공채를 받았다.
1912년에는 일본 정부로부터 한국병합기념장을 받았다.
1918년에는 조선식산은행설립위원을 역임하였다.
1935년 12월에 민영휘가 사망함에 따라 1936년 7월에 아들 민형식이 습작을 하였다.
일본인 細井肇까지도『漢城の風雲と名士』(1910)에서 민영휘를 조선 제일의 재산가로

토지는 평안도를 비롯하여 각도에 없는 곳이 없었다. 이런 갑부의 아들 민규식은 당시 물려받은 재산이 막대했을 뿐 아니라 해방 후 조선은행 총재를 역임했다. 민규식은 막대한 부를 기반으로 많은 서화골동을 취미로 수장하였다.[107] 후지즈카가 당시 거부였던 민규식으로부터 세한도를 인수받았다는 것은 상당한 집념이 아니고는 어려웠을 것이다.

소개하면서, 두루 관직을 거치면서 1천만 한민의 고혈로 재산을 축적하여 수백만에 달했다고 악평하고 있다.

107 申泰翊,「조선 최대의 재벌 해부」,『삼천리』제11호, 1931; 觀相者,「全鮮 208富豪 財閥家 總點考」,『第1線』, 開闢社, 1932년 6월.

우리 문화재 수난일지

1942년

1942년 2월

일제는 전략물자의 손쉬운 조달을 위해 공출제도라는 것을 실시하여 필요한 물자와 재화財貨 일체를 닥치는 대로 수탈해 가는 횡포를 부렸다. 강제적인 금속류 회수령이 선포되자 일반 가정의 놋쇠는 물론 사찰의 불기, 혹은 동종까지 헌납하라고 했다. 이에 따라서 조선 각 사찰에 소장된 범종의 수난도 지대하였다. 당시 조선에 거주하고 있던 일본 거주민들을 중심으로 진출한 일본 불교와 조선불교 조계종은 어용단체 조선불교협회 주최로 일본군의 전승을 위한 합동기도회를 열었다.

『불교시보』 제79호(1942년 2월)에는 다음과 같은 친일 사설을 싣고 있다.

총력 집결은 경제력과 기타 언론사상 문화정치 등의 모든 힘을 종합 집결하야 성전완수로 향하지 않으면 아니 된다. 우리 일본은 고래로부터 조국이요. 불국이니 만치 국가의 대사가 있을 때마다 신불神佛의 가호加護와 영험이 불소不少한 고로 남녀노유男女老幼가 정신을 성신이자誠信二字로 통일하야 신불神佛의 가호로 기도하지 않으면 아니 되는 것이니 우리 불교도는 차삼방면此三方面을 통하여 널리 국민에게 선전하고 성전이 완수될 때까지 스스로 실천하지 않으면 아니 되리라 믿는 바이다.

교회종 헌납

강원도 화천감리교회에서 소위 전시체제하 농촌의 산업보국을 위한다 하여 종전에 1주 4, 5차 집회하던 것을 매월 2회 예배를 보기로 결정하고, 또 군내 4개소 예배당에 비치된 종을 금속회수정신을 일반에게 철저히 주지시키기 위한다 하여 헌납하기로 결정하다.[108]

1942년 3월 19일

골동품까지 헌납하다.

3월 19일 서대문 북아현정의 스스키 규자후로鈴木久三郎은 10여 년 전부터 취미로 모아두었던 골동품 28점과 옛동전 98매를 헌납했다. 이중에는 조선시대 칙사가 지니고 다니던 마패가 15점이고 그밖에 구리남비, 쇠병, 구리주전자 등 14종류가 되었다.[109]

1942년 3월 20일

경성미술구락부《20주년기념전람회 분재서화명기전람회》

1942년 경성미술구락부20주년 기념회가 3월 21일 22일 양일간에 개최되었

---

108 『每日申報』 1942년 2월 22일자.
109 『每日申報』 1942년 3월 20일자.

다. 이 기념회에서 일본인 구락부 관계자들이 중심이 되어 다과회를 가지고 《20주년기념전람회 분재서화명기전람회》를 가졌다.

경성미술구락부 1942년의 운영진을 보면 다음과 같다.

대표취체역(대표이사) : 사사키 쵸지佐佐木兆治

취체역(이사) : 스즈키 코마사후로鈴木駒三郎, 아마이케 시게타로天池茂太郎, 나가노 이치사후로永野市三郎, 후지모토 히라시야스藤本寬寧, 신보 키죠新保喜三

지배인 : 마츠우라 오토지松浦音治

감사역 : 아라이 하츠타로荒井初太郎, 진나이 시게요시陳内茂吉, 마에다 사이치로前田才一郎

경성미술구락부의 경매도록을 살펴보면 해방 전까지 세화인으로 활동한 사람들은 다음과 같다.

이케우치 토라키치池内寅吉, 아마이케상점天池商店의 아마이케 시게타로天池茂太郎, 취고당聚古堂의 사사키 쵸이지佐佐木兆治, 요시다吉田賢藏, 동고당東古堂의 스즈키鈴木宇吉, 온고당溫古堂의 신보 키죠新保喜三, 스키가와 우키지祐川宇吉, 오타太田尾鶴吉, 쿠로다黑田榮, 고수당古壽堂의 키오모토淸元, 촌송당寸松堂의 시라토리白鳥昇平, 스스키鈴木駒三郎, 이케우치池内虎吉, 구하당九霞堂의 카키타柿田, 야노矢野忠一, 겐다元田嘉一郎, 후쿠야마福山一二, 미나토湊佐吉, 문명상회의 이희섭, 한남서림의 이순황, 조선미술관의 오봉빈, 유용식, 이영개 등이 경매의 중개역을 맡았다.

경성미술구락부의 세화인으로 활동은 않았으나 골동상점을 운영하면서 해방 전까지 한국 골동을 취급하였던 자들로는 을지로의 타케우치 야오타로竹内八百太郎, 남대문로의 후지모토 히로야스藤本寬寧, 충무로의 토미타富田상회 등이

있었다.[110]

1942년에 경성미술구락부의 20주년기념행사로 그간에 작고한 경성 고미술 동업자(골동상)의 명복을 비는 추도회를 가졌는데, 그 열거한 명단을 보면 한국에서 사망한 자가 28명이고 일본으로 건너가 사망한 자가 12명이 되었다. 이들은 모두가 경성미술구락부를 중심으로 한국 고미술품의 수집과 매매를 주도하였던 자들이다.[111]

경성미술구락부 20주년을 맞아 이번 행사에서 이 같은 사망자들에 대해서는 추도회를 갖고, 회원들 끼리 전람회를 가졌는데,『경성미술구락부창업20주년기념지, 고미술업계20년의 회고』에는『20주년기념전람회 분재서화명기도록』이라 하여 일부의 사진이 실려 있다.

여기에는 눈을 놀라게 하는 사진 한 점이 실려 있다.

『20주년기념전람회 분재서화명기도록』
도판(아래 오른편 항아리가 순화4년명호)

---

110 京城商工會議所,『京城商工名錄』, 京城商工會議所, 1939.
111 佐佐木兆治,『京城美術俱樂部創業20年記念誌』(京城美術俱樂部, 1942)에 의하면, 한국에 在住하다가 한국에서 사망한 일인 골동상들은 다음과 같다.
伊藤東一郎　毛利猪七郎, 宇津宮源二郎, 鈴木, 島岡玉古, 長谷尾源治郎, 高橋榮古, 大倉龜吉, 東谷嘉代藏, 東谷學, 陳內吉次郎, 赤星佐七, 赤松藤兵衛, 高橋德松, 浦谷, 山田幸七, 廣田倉治, 浮村土藏, 田中久五郎, 白石益二郎, 高田光吉, 中川, 梶村庄太郎, 澤田, 太田尾鶴吉, 吉田賢藏, 中山末吉, 濱田壽太郎.
일본으로 귀국하여 사망한 사람들
近藤佐五郎, 池內寅吉, 浦谷淸治, 宇野平太郎, 林仲三郎, 松田初太郎, 大館, 中山, 吉村亥之吉, 前川, 鳥越, 小貫根古彌.

도록 속에는 '부 병화분재진열附 瓶花盆栽陳列'이 있는데, 그 중에는 '순화4년淳
化四年명銘항아리'가 꽂이 꽂인 화병으로 진열되어 있다. 사진 밑에는,

"花瓶
高麗靑磁
總督府 寶物
裏銘
淳化四年 癸巳 大廟第一室
○器匠 崔吉會造
伊藤氏 藏"

이라고 설명을 붙이고 있다. 보물로 지정된 도자기에 물을 담고 꽃을 꽂아 놓
고 진열한 것이다.[112]

*이토 마사오(伊東愼雄)[113]가 소장하였던 고려황청자순화4년명입호(총독부 지정 보물, 현재 보물237)

'고려황청자순화4년명호高麗黃靑磁淳化四年銘壺'는 1934년에 가토 칸가쿠加藤灌

---

112 佐佐木兆治,『京城美術俱樂部創業20年記念誌』, 京城美術俱樂部, 1942,
113 伊東愼雄은 이름자를 伊東愼雄 으로 사용하기도 한다. 각종 문헌에는 이 두 가지 이름
   을 사람마다 다르게 사용하여 혼동이 되고 있다. 필자는 그동안 伊東愼雄이 아닌 伊東
   愼雄 으로 통일하여 사용해 왔었다. 그러나 陶藝家이자 茶道學者인 崔貞幹 선생께서,
   일본에서 伊東愼雄의 손녀를 만났을 때 伊東愼雄이 본명임을 확인하였다고 필자에게
   전해 주어 이제야 바로잡게 되었다.

고려황청자순화4년명입호(이대박물관 소장)

覺가『도자』(6권 6호)에 처음 소개를 하였다. 이어 1937년에 마츠다이라 요시아키松平義明가 『도자』(9권 4호)에 한국 도자사상 가장 중요한 유품으로 소개하여 일약 유명 도자가 되었다. 1938년에 간행한 『도기강좌』 제7권에도 수록되어 있으며, 노모리 겐野守健의 『고려도자의 연구』(清閑舍, 1944)에도 소개되어 있다.

『고려도자의 연구』에는 '이토 마사오伊東愼雄 장'으로 게재되어 있으며, 노모리野守는 이 책에서 만들어진 연대가 명확한 고려청자 시원의 예로 들고 있다.

1956년에 간행한 『세계도자전집』 제13권에 도판 46번으로 게재되어 있으며, 고야마 후지오小山富士夫는 해설에서, "조선 도자사상 특히 귀중한 자료" 라고 설명을 붙이고 있다.

『동사강목』에, "989년 4월 비로소 태묘를 영건하였다. 993년 성종12(淳化4年) 3월 태묘 실수를 정하여 혜, 정, 광, 경종 넷 임금을 같이 한 묘에 모셔 태묘에 부했다" 한다.

태묘에 대해서 고유섭은, "태묘는 성종8년 4월에 경영되어 11년 11월에 완성되었다. 즉 고려에 있어서 사용 연호를 고치기 직전의 것이고 태묘를 세운 직후의 것이니 태묘를 경영하고 곧 만든 것일 것이다. 태묘란 고려 태조 이하 역대 왕을 제사드리는 곳으로 제1실이란 곧 태조의 묘실이라 생각된다. 태묘의 소재 지점은 지금은 개풍군 영남면 용흥리 부흥산 서록이다"라고 하고 있다. 따라서 "순화사년태묘제일실형기장최길회조淳化四年 太廟 第一室 亨器匠崔吉會造"라 음각한 글씨는 고려 왕실의 제실에서 왕건을 모시는 제사용 그릇으로 993년에 최길회란 사람이 만든 것이 된다. 누가, 언제, 무엇을 위하여 제작하였다는 기록이 나타나는 것으로는 유일한 것이다. 또 이 제기는 고려 이후 계속해서 실제 사용해왔던 것으로 고려자기로서는 극히 드문 전세품으로 여겨진다. 그

『황성신문』
1899년 4월 14일자 기사

렇다면 실제 사용하던 전세품이 어떻게 세상 밖으로 유출되었는지는 미상이다.

『황성신문』1899년 4월 14일자에 의하면, 한식절제(寒食節祭)에 제수물품(祭需物品)을 도난당한 기록이 보이고 있어 혹 이 당시 유출되지나 않았나 하는 추정도 해보지만 확실치 않다.

순화4년명호는 이토 마사오伊東愼雄가 해방직전 인천 스즈시게鈴茂에게 맡겨 놓고 귀국했었다. 스즈시게鈴茂는 해방이 되어 순화4년명호를 포함한 그의 소장품들을 일본으로 가져 갈 수 없게 되자 모든 것을 관리인에게 맡기고 귀국해 버렸다. 그 관리인은 혼란한 시기에 이를 고스란히 보관할 우둔한 사람은 아니었던지 사방으로 처분하였다. 그 중 가장 많은 수량은 석진수에게 넘어 갔다. 이 속에 '고려황

청자순화4년명입호'가 들어 있었다. 그러나 공교롭게도 두 사람은 이것이 일제시 지정 보물인 줄 서로 몰랐다.

석진수는 경기도 광주의 갑부로 수집가이자 골동상으로 처음에는 가게를 가지지 않고 골동상을 하였다. 서울의 자택에는 골동상들이 문전성시를 이루었다고 한다. 6·25 후 공평동에 종로사라는 골동가게를 내게 되었는데, 막대한 자금력을 이용하여 많은 우수한 골동품을 보유하고 있었다.

그 무렵 이대박물관 고문으로 있던 장규서가 우연히 석진수의 골동가게에 들렀다. 새로 생긴 가게라 어떤 것이 있는지 자연 궁금했던 것이다. 진열장을 한번 보고 주인장과 인사를 나누기 위해 안쪽으로 발걸음을 옮기다가 침침한 구석바닥에 쌓아둔 잡동사니 무더기 속에서 무언가 강한 느낌을 받았다. 설마 하는 생각을 하면서도 가슴이 뛰기 시작하였다. 별 흥미 없다는 표정을 지으며 이것저것 물건을 만지며 들었다 놓았다하면서 마지막으로 특별한 모양 없이 황갈색 때깔에 수더분하게 생긴 것을 잡았다. 잡동사니 속에 섞여 있으니 더욱 가치가 절하되기에 충분하였다. 주인이 눈치 못 차리게 밑바닥을 만져보니 분명히 순화4년淳化四年이 느껴졌다. 시치미를 떼고 이것저것 값을 물어보다가 "그러면 이것은 얼마요?" 하니 주인은 "3만원만 주시오 일본인들이 좋아하는 것이요" 하는 것이다. 장규서는 "그게 그렇게 값이 나갈까요" 혼자 말처럼 뇌까리면서 부르는 가격을 건넸다.[114] 주인이 이 물품의 가치를 모르는 바라 겨우 3만원에 사 가지고 도망치듯이 이화여대로 가지고 왔다고 한다. 현재 이대 박물관에 소장되어 있다.

---

114 尹哲圭,「名品流轉」中央經濟新聞, 1985년 10월 2일자,

이토 마사오(伊東愼雄)는 일인 중에서 도자기로는 제일가는 수장가로, 특히 도자기 부문에 있어서는 가장 비대한 수량과 질을 자랑하였다. 심지어는 자료가 될 만한 도자기 파편까지 수집하였다.[115] 일찍이 그가 소장한 것으로『조선고적도보』제15책에 '삼도수문자입명三島手文字入皿(도판번호 6221)', '삼도수문자입완三島手文字入盌(도판번호 6223)'이 실려 있으며, 그 외에도 국가 지정 국보 여러 점을 가지고 있었던 대수장가이다.

그는 일본이 패망할 것을 미리 예견하고 해방 직전에 그가 수장하고 있던 것들을 일부는 국내에서 처분하고 귀국하였다. 해방 직후 국보로 지정된 '상감청자보상화문금채대접象嵌青磁寶祥花紋金彩大接(국보371)'과 '청자상감보주문자입합자青磁象嵌寶珠文字入盒子(국보377호)'[116], '순화4년명병(국보 제371호)' 등이 이런 류에 속한다. 그는 상당수를 매도하거나 맡기기도 했으나 '녹유인화문골호(국보 제125호)', '금동관'[117] 등을 비롯한 상당수는 귀국하면서 가져간 것으로 보인다.

---

115 小山富士夫의「朝鮮の旅」(『陶磁』11-2, 1939년 7월)에는 이토의 도자기 파편을 도판으로 많이 게재하고 요지 및 양식 자료로 제시하고 있다.
　　정읍의 深田泰壽가 부산요지에서 채집한 파편 200여 점을 소장하고 있다는 소문을 듣고 찾아가 우수한 것을 골라서 매입하였다고 한다.
116 伊東愼雄으로부터 최창학이 인수한 '象嵌青磁寶祥花紋金彩大接(국보371)'과 青磁象嵌寶珠文字入盒子(국보377호)'는 최창학이 보관의 부실로 파괴되었다.
117 1967년에 梅原末治에 의해 공개되었다. 梅原이「두개의 금동관」이란 제하로『고고미술』제8권 2호(1967년 2월) 소개한 내용에, "종전 전 경성에 재주하여 반도문물에 깊은 관심을 갖고 있던 고 伊東愼雄 씨의 당시 수집품의 하나로 거의 출토 그대로 青綠銹가 덮여 있는 완호품이다"라 하고 있다. 梅原는 "종전 전의 출토품임에 불구하고 아직 세상에 알려지지 않은 것들이다" 하며 사진은 소개하고 있으나 소장처는 밝히지 않고 있어 어느 개인 수장가에 의해 비장되어 있는 것으로 짐작된다.

1942년 3월 25일

1942년 3월 25일 태고사(현 조계사)에서는 조선 불교 조계종 임시중앙회를 개최하여 종회의원을 겸임하고 있던 31본사 주지들은 국방자재헌납결의안과 종법안 등을 토의 의결하였다. 종무국장 이종욱은 개회사에서 "국가 대업으로 대동아건설도상에 있어서 국민으로 모든 임무를 철저하게 실행하여 주시기를 바라는 바인데 그 선급先急한 일로서 법요구法要具의 금속물에 있어 특히 예술 가치나, 긴급한 것이 아니한 국방 헌납을 실행"할 것을 촉구했다. 각 사찰에 소장하고 있는 철, 동, 청동, 황동 등의 금속류를 군 또는 면의 국민총력연맹을 통하여 군부에 헌납하자는 것이었다.[118]

1942년 3월 28일

교회종을 헌납

함경남도에서 3월 28일 이원 안식교회에서 교회당 대종을 헌납한데 이어 전도 각 교회에서도 종을 헌납하려는 기운이 일고 있다.[119]

---

118 林慧峰, 「친일불교론 하」, 民族社, 1993.
119 『每日申報』 1942년 4월 6일자.

1942년 3월

수난의 이순신대첩비

해남 이순신명량대첩비

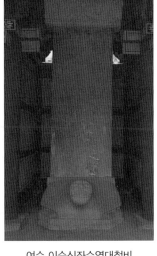

여수 이순신좌수영대첩비

전라남도 해남 이순신명량대첩비李舜臣鳴梁大捷碑, 여수 이순신좌수영대첩비李舜臣左水營大捷碑와 타루비墮漏碑의 수난

이순신좌수영대첩비李舜臣左水營大捷碑는 충무공 이순신 장군과 수군들의 공적을 기리기 위하여 건립한 것으로, 비의 명칭은 '통제이공수군대첩비統制李公水軍大捷碑'로 비문은 이항복李恒福이 짓고, 김현성이 글씨를 썼다.

타루비墮漏碑는 이충무공이 돌아가신지 6년 후인 1603년에 이충무공의 막하 수졸들이 장군의 덕을 기리기 위해 건립한 비이다. 비문에 의하면 "영하營下의 水卒들이 통제사 이순신을 위하여 짤막한 비석을 세우니 이름하여 타루라. 중국

양양 사람들은 양호羊祜를 생각하면서 이를 바라보면서 눈물을 흘린다는 고사에서 인용한 것이니라. 1603년 가을에 세우다"라고 새겨져 있다.

이순신명량대첩비李舜臣鳴梁大捷碑는 이순신 장군이 1597년 정유년 9월 16일 우수영 울돌목에서 거둔 명량 대첩을 기념하여 당시 우수영해전이 벌어졌던 전남 해남군 문내면 우수영에 유림에서 건립하였던 것이다. '통제사충무이공명량대첩비統制使忠武李公鳴梁大捷碑'의 12자 전액篆額은 김만중金萬重의 전서篆書이고 문장은 이민서李敏敍, 글씨는 이정영李正英의 해서이다. 비문은 1686년(숙종14)에 쓰여졌으나 비는 2년 뒤인 1688년 3월 전라우도수군절도사 박신주朴新冑에 의하여 세워졌다.

이 세 비는 일제 말기에 시국과 치안에 장애가 된다는 이유로 원지에서 사라지게 되었다.

이순신명량대첩비李舜臣鳴梁大捷碑는『매일신보』1945년 11월 2일자 '일제하 행방불명되었던 명량대첩비 찾음' 이란 기사에는 다음과 같이 그 경위를 기술하고 있다.

충무공 이순신장군의 기념비가 일본인관리의 손으로 전남 우수영右水營 바다 기슭에서 자취가 없어졌던 것이 이번에 다행히도 전 총독부 박물관구내에 내버려져 있는 것을 발견하였다. 이 민족적으로 자랑할 리순신대첩비李舜臣大捷碑는 지금으로부터 330여 년 전 3천리 강산을 짓밟아 논 소위 임진왜란 때 왜국의 수병을 꼼짝 못하도록 만들어 놓았던 우리 민족의 자랑인 충무공의 공훈을 기려 현장하고자 당시 우수영해전右水營海戰이 벌어졌던 전남 해남군 문내면 우수영에 유림儒林에서 세워 놓았던 것이다. 그런데 지난 소화 17년 5월 어느 날 당시 경남 경찰부장 아베阿部의 손에 높이 열자 폭이 넉자 투레가 두자나 되며 무게가 소 세 마리가 간신히 끄는 이 큰 비를 뜯어내어 어디로 인가 가져가 버렸던 것이다. 그러나 그 당시 야 그 누구가 이 짓을 탓했을 것이냐 그 이유가 치안에 재미가 없다고 치 워 버린 그들에 일언반구라도 그 어찌된 것을 물었을 것인가.

위 신문기사에 경남 경찰부장 아베阿部가 비를 뜯어간 것으로 나타나 있는 데, 경남 경찰부장이 전남에 있는 비를 옮겨갔다는 것은 오기가 아닌가 여겨진 다. 『조선총독부 및 소속관서직원록』을 보면 1942년도에 전라남도 경찰부의 아 베 센阿部泉이란 명단이 보이고 있어, 이 자를 지적한 것으로 보인다. 전남 경찰 부장 아베阿部의 지시에 의해 비각은 무참히 파괴되고 비가 뜯기어 어디론가 가져가 버린 것이다. 그러나 그 당시로서는 어느 누구 이러한 만행에 상대하여 대들 수가 없었던 것이다.

전남 여수시 고소대(고소 3길, 고소동)에 있는 이순신좌수영대첩비 안내문 에는 "1942년 여수경찰서장인 일본인 마쓰키松木가 민족정기를 말살하려고 비 각을 헐고 이 비석과 타루비를 감추어 버렸는데, 이를 1946년 경복궁 뜰에서 발견하고 1947년 여수 사람들이 앞장서서 조직한 '충무공비각복구기성회'가 이 곳에 복원하였다"라고 하고 있다.

안내판에 나타난 마쓰키松木는 마쓰키 규마松木久磨란 자로, 『조선총독부 및 소 속관서직원록』에 의하면 1922년부터 전라남도 내의 장성경찰서, 완도경찰서, 강진경찰서, 나주경찰서 등을 거쳐 1939년부터 여수경찰서장을 지낸 자이다.

이러한 만행은 당시 경찰의 힘이 강하다 해도 전남 경찰부장이나 여수경찰서 장이 단독으로 결정하여 자행하기에는 너무 벅찬 행위로서, 결국 전남도지사와

조선총독부의 지시에 따른 것이다. 1942년 3월 4일자
로 전남도지사가 학무국장에게 보낸 '이순신 대첩비
이치에 관한 건'은 다음과 같다.

『매일신보』
1940년 1월 12일자 광고문

「이순신 대첩비 이치移置에 관한 건」[120]
<중략> 거금 360년 전 임진란에서 소위 우수영 해
전의 총사였던 이순신의 공훈을 현창코자 유생들
이 건립한 것인데 그 비문이 별지와 같아서 현하現
下 민심의 지도상으로 하여도 그대로 방치하여 두
는 것은 적당하지 않으며.... 운운.

이는 전남도지사가 총독부에 건의하여 철거 또는 파괴를 요청한 것이다.

당시 전남도지사는 다케나가 겐쥬武永憲樹란 자로, 이 자는 1890년 평안남
도 순천에서 출생하여 1906년 황주일어학교를 졸업하고 1907년에 통신사무원
으로 근무, 1908년 궁내부 주사를 거쳐 1911년에 군서기, 1916년에 평남 도서
기를 거쳐 1921년에는 평남도 이사관을 역임했다. 1924년에는 군수에 영전하
여 평남 안주군에 재근하고, 1929년에 중추원 통역관 및 서기관, 본부사무관이
되었다가, 1934년는 전임 본부사무관이 되어 학무국 사회과장에 임명되었다.
1936년에는 경상남도 참여관 겸 도 사무관으로서 경남산업부장, 1938년에 함
남내무부장을 거쳐 1940년에 전남도지사로 임명되었다. 1943년에는 경북도지

---

120 黃壽永, 『日帝期文化財被害資料』, 韓國美術史學會, 1973.

사를 역임하고, 1944년에 조선총독부 학무국장 겸 중추원 서기관장을 역임했다. 해방 후 1945년 9월 15일 총독부 각 수뇌부가 해임되기까지 무려 40여 년간, 일제의 압제 기간을 고스란히 거친 악질적인 관료이다.[121]

전남도지사 다케나가 겐쥬武永憲樹는 일본 군국주의 골수로『매일신보』1942년 1월 1일자의 <결전하각도백決戰下各道伯의 신년 첫 맹서盟誓>란에「필승체제를 확립」이란 제하의 기고문에서 그의 면모를 엿볼 수 있다. 그 일부를 보면 다음과 같다.

1. 필승신념의 앙양

대체 승리의 요결은 필승의 신념을 견지堅持함에 있음은 재언을 요要치 않는다. 전쟁은 어디까지나 최후의 승리가 조국 일본에 있음을 확신하고 유언流言에 미迷치 말고 여하한 장애도 단호히 극복하려는 필승불패의 국민적 신념을 견지하고 이를 앙양昻揚하는 것이 가장 간요肝要하다.

2. 내선일체의 구체화

반도의 소승적小乘的 민족주의는 이미 그 과오를 개改하고 대다수는 벌써 내선일체 황국신민화皇國臣民化의 의식意識에 철저徹하여 대동아 민족영도民族領導의 입장에 입立함은 참으로 의意을 강하게 하는 것이나 시국의 장기화에 따라 <중략>

---

121 『朝鮮總督府官報』1940년 9월 7일자;『每日申報』1944년 8월 18일자;『朝鮮總督府官報』1944년 8월 21일자;『每日申報』1945년 9월 15일자.

내선일체의 도道는 반도 전민중이 속히 황국정신을 체득體得하여 이를 생활만반生活萬般에 구현具現하고

3. 국민개노체제國民皆勞體制 확립

아 반도에 있어서는 병역兵役에 대대代하는 의미에서도 전 민중이 모두 총역銃役의 근로전선강화勤勞戰線强化에 분기奮起치 않으면 안 될 것.

『매일신보』1942년 3월 4일자에는 "전남 도민과 일치단결하여 필사의 각오로써 봉공奉公하여 천은에 보답하겠다"는 각오를 밝히기도 했다.

必死覺悟로御奉公

武永全南道知事 謹話

『매일신보』 1942년 3월 4일자

이 같이 전쟁에 광분하여 한국인을 황국신민화하기에 여념이 없던 자이고 보니, 해남 이순신명량대첩비, 여수 이순신좌수영대첩비와 타루비는 시국에 장애가 된다고 하여 그대로 둘 수 없다고 한 것이다.

이에 대해 1942년 3월 8일자 조선총독부 학무국장이 전남도지사에게 보낸 '이순신대첩비이치李舜臣大捷碑移置에 관한 건'은 다음과 같다.

여수읍내 및 해남군 문내면 소재 비석 2기

소화17년(1942) 3월 8일 결재 발송   학무국장

전라남도 도지사 완宛

수제首題 비석은 고적보존의 견지에서 하면 현 위치대로 적당한 시설을 마

련하여 보존함을 타당하다고 사료되나 일반 민심의 지도상 지장 있는 것이라면 옮기는 것이 부득이한 것으로 인정되므로 비신 대석과 함께 전부를 하조荷造하여 본부박물관에 송부하시압.

이 같은 지시에 따라 해남의 이순신명량대첩비, 여수의 이순신좌수영대첩비와 타루비는 비각이 헐리고 경복궁으로 운반되었다.

해남의 이순신 명량대첩비문(탁본)은 1912년 4월 10일부터 3일간 도쿄제국대학 《건축학과 제4회 전람회》가 전시되었다.[122] 이는 세키노 일행이 탁본하여 가져간 것으로 일찍부터 그들이 주시하고 있었음을 알 수 있다. 1931년 총독부 학무국에서 심의한 조선고적명소보물보존령에서 이들은 모두 제외시키고 있다. 그들은 분명히 충무공의 유적 유물이 한국인에게 얼마나 큰 비중을 차지하고 있는 줄을 알면서도 민족의식의 발로를 차단하기 위하여 격파 내지는 은폐 목록에 넣었던 것이다.

무엇보다도 이충무공의 공적은 일본의 입장에선 가장 적대관계에 놓여 있는지라, 당시 내선일체를 내세워 한국의 젊은이들을 전쟁터로 내몰아야 하기에 가장 껄끄러운 것이었다. 내심으로는 완전히 폭파시키고 싶었겠지만 이미 앞에서와 같이 충무공의 공적과 이로 인해 민중들에게 널리 알려져 있어 완전히 소멸시키기엔 국민적 저항을 우려하여 박물관으로 옮긴 것으로 보인다. 또한 조선총독부박물관에 옮겨놓은 다른 석비들과 같이 보존한다는 핑계를 내세우기 위한 것이라고 볼 수 있다. 하지만 이 두 비는 박물관으로 옮긴 후 공개하지 않고 은닉하였기 때문에 소재를 알 수 없게 하였다.

---

122 『考古學雜誌』, 2-5, 1912년 5월.

은닉하였던 이 비들은 결국 해방 이후에 밝혀지게 되는데, 해방이 되자 군내 유지들은 무엇보다도 먼저 향토의 최대 유산인 이 비를 찾기 위하여 사방으로 수소문을 하였다. 4년간 그 자취를 궁금히 하고 있던 박몽익이라는 사람이 1945년 11월 이 비를 찾아 상경하여 국립박물관 근정전 복도에 갖다 둔 것을 확인하였다. 이 비가 무사히 박물관에 있는 것이 알려지자 전라남도 해남군 문내면 유지들의 발기로 '이충무공전첩비복구기성회'가 결성되어 원래의 자리에 비를 세우기 운동을 전개하였다. 회장에는 장지홍, 부회장에는 박용선이고 사무소는 문내면 안에 두었다. 이 회에서 파견된 이용호 외 1명은 국립박물관과 군정청에 교섭을 하여 1946년 3월 28일 비석을 포장하여 우수영으로 이송하였다.

여수좌수영대첩비는 1946년 5월 15일 용산역으로 옮겨져 여수군으로 운반하였다. 이 비는 군정청 밋첼 교화과장에게 원조를 구하여 다시 옛 자리에 옮기게 되었다.[123] 비의 발견 및 이건에 관련한 기사는 다음과 같은 것이 있다.

일제하 행방불명되었던 명량대첩비 찾음

충무공 이순신장군의 기념비가 일본인관리의 손으로 전남 우수영바다 기슭에서 자취가 없어졌던 것이 이번에 다행히도 전 총독부 박물관구내에 내버려져 있는 것을 발견하였다. 이 민족적으로 자랑할 이순신대첩비는 지금으로부터 330여년 전 3천리 강산을 짓밟아 논 소위 임진왜란 때 왜국

---

123 『매일신보』 1945년 11월 2일자; 『서울신문』 1946년 3월 29일자; 『서울신문』 1946년 3월 23일자; 『서울신문』 1946년 5월 20일자; 『동아일보』 1946년 3월 31일자; 『동아일보』 1946년 5월 21일자; 『동아일보』 1948년 10월 19일자; 『동아일보』 1948년 11월 4일자; 『동아일보』 1948년 10월 19일자; 『동아일보』 1949년 12월 13일지.

의 수병을 꼼짝 못하도록 만들어 놓았던 우리 민족의 자랑인 충무공의 공훈을 기리 현장하고자 당시 우수영해전이 벌어졌던 전남 해남군 문내면 우수영에 유림에서 세워 놓았던 것이다. <중략>

4년간 그 자취를 궁금히 하고 있던 그 동리에 있는 박몽익朴夢益이가 이번에 이 비를 찾고자 상경하여 조사해 본 결과 그 비는 무사히 박물관안에 있는 것을 알아 내어 그 비를 그 전에 섰던 그 자리로 옮겨 세워 놓고자 군정청 밋첼 교화과장에게 여러 가지로 원조하여 주기를 구했던 바 그도 기꺼히 찬성하여 금년 안에는 미군의 원조로 다시 옛자리에 다시 서게 되리라 한다(『서울신문』 1945년 11월 2일자).

전남 해남군 문내면, 이충무공명량대첩비복구기성회 조직 활동
옥포, 당포, 부산해전을 비롯하여 웅도 한산양 명량해협 등에서 지금으로부터 250년 전 임진란과 정유재란을 전후로 약 7년 동안 거북선과 조선총으로 왜군과 맞아 싸워 병정 10만의 적군과 수천척의 적선을 무찔러버린 이충무공의 전첩비는 1941년 조선의 사람이면 무엇이든지 그들 속에 영구히 파묻어 버리려는 일본인의 간교한 수단으로 전라남도 우수영에 있던 것을 서울국립박물관안에 옮겨다 놓았는데 이번에 우수영 유지들의 발기로 복구기성회를 조직하여 그전 자리에 다시 비석을 세우기로 되었다.
충무공전첩비 복구기성회는 전라남도 해남군 문내면 유지들이 조직한 것으로 회장에는 장지홍, 부회장에는 박용선이고 사무소는 문내면 안에 두고 있는데 이번에 기성회원 리룡효 외 1명이 서울에 특견되어 국립박물관에 있는 비석을 가져가려고 현재 군정당국에 교섭을 하는 중이다(『서울신

문』1946년 3월 23일자).

명량대첩비, 전남 해남군 문내면으로 이전

옹졸한 왜인倭人들이 찬연한 전적戰跡에 샘이 나서 일부러 허무러다가 서
울시 국립박물관에 깊이 감추어 두었던 조선의 넬슨장군 이충무공이 비
석을 도로 찾아다가 전라남도 우수영 그전 자리에 또다시 세우려고 그 고
장 유지대표가 입경하여 군정당국에 교섭을 하는 중이라는 것은 이미 보
도한 바이어니와 이장군에 대한 지방유지들의 우러러 추모하는 정이 간
절하여 마침내 소원대로 비석을 가지고 기쁨의 환고향還故鄕을 하게 되었
다. 이번에 서울에 올라온 우수영 유지대표는 전라남도 해남군 문내면에
사무소를 둔 이충무공전첩비 복구기성회에서 파견을 한 이룡효 외 1명으
로서 그들은 국립박물관과 군정청에 직접 교섭을 한 결과 두 곳으로부터
일시에 쾌락을 얻어 28일 저녁차로 고이고이 포장을 한 비석을 싣고 일
로 우수영을 향하여 귀로에 올랐으므로 머지않아 전라남도 명량해협에는
이충무공의 찬연한 전첩비가 또다시 조선의 위엄을 떨치고 서게 될 것이
다.『서울신문』1946년 3월 29일자).

전남도민, 이충무공유적복구기성회에 성금

비석의 간곳조차 모르던 충무공 이순신 장군의 유적을 복구·보존하기 위
하여 전남 광주에서는 유지 여러분의 발기로 지난 3월 23일에 이충무공유
적복구기성회를 조직하고 총예산 150만 원의 성금을 모아가지고 여수 좌
수영과 해남 우수영에 전첩비각을 중수하는 동시에 '수직이'의 집과 야간

의 위토까지 준비할 예정이라는데, 금년 음력 동짓달 19일 즉 충무공의 전

몰한 날을 기약하여 비각이 낙성식을 거행할 계획이라 한다. 이 계획이 한

번 발표되자 광주부 내에서는 가가호호에서 매호 오 원 이상의 성금을 모

『동아일보』, 1949년 12월 13일자

으고 각 학교에서는 학생 한 명에 일원 이상의 성금을 내이기로 하였을 뿐 아니라, 전라남도 22군에서도 열성으로 호응하여 벌써 15만 원의 성금이 들어왔다 한다. 이 사업을 주장하는 그 회의 간부는 다음과 같다.

회장 이은상

사무소 광주부명치정1정목1 호남신문사내 이충무공 유적부구기성회(『조선일보』1946년 4월 26일자)

이충무공의 전첩비가 여수로 이송 예정

왜신倭神의 정신을 보급하는데 지장이 된다고 경복궁 근정전 안에다가 버려두었던 충무공 이순신 장군의 전첩비는 그 중 한 개는 지난 3월 28일에 그 전에 서 있던 전남 우수영으로 운반해 갔었고, 이번에 또 나머지 하나도 마지막으로 옮겨가기로 되어 지난 15일 용산역가지 운반되었는데 근근 기차로 이송되리라 한다. 이 전첩비는 약 10년 전에 현지의 애국 유지들로부터 재건립을 신청 애원했으나, 끝끝내 거절을 당하고 드디어 해방의 날을 마지하게 되었던 것이다. 이에 현지 유지자들의 발기와 문교부 문화국의 알선으로 이번 옛터를 다시 찾아가게 된 것이다(『서울신문』1946년 5월 21일자).

대구에 박물관 신설 시도

대구에 박물관을 신설하고자 수차 시도했으나 실패로 돌아가고 말았는데 이번에 또 다시 박물관을 신설하고자 유지들과 도에서 함께 뜻을 모았다. 『매일신보』1942년 3월 22일자에는 다음과 같은 기사가 있다.

벌써 1천수백년 전에 문화의 극치를 자랑하던 신라를 비롯하여 임나의 중심지대이엇던 대구는 부근 일대에서 고대문화의 잔해와 유적이 얼마든지 산재한 터이나 아직까지 대구에 박물관이 설치되지 않은 것은 문화의 향상 발달에 한 줄기의 암영을 보일 뿐만 아니라 귀중한 고대의 유물들을 그대로 인멸시킴은 유감되는 일이라 하여 부에서는 이에 뜻깊은 인사들의 기부를 얻어 신년도에는 박물관을 설치하기로 되었다. 그리하여 이에 따른 잡비 얼마를 신년도 예산에 게상하고 적극적으로 매진하기로 되었는데 빠르면 금년 안에 늦어도 명년 봄까지는 실현을 보게 될 터이어서 대구에 또 한 가지 자랑거리가 늘게 되었다.

하지만 급박한 전시체제에서 결국 무산되고 말았다.

가로등 회수 결정

국민총력경성부연맹과 경기도금속회수사무소 주최로 태평통 체신사업회관에서 열린 가로등회수협의회에서 가로등도 회수키로 결정되다.[124]

---

124 『每日申報』1942년 3월 14일자.

1942년 4월 13일

경기도 개풍군, 장단군 소재 사지(寺址) 파괴 상황 조사

1942년 4월 13일부터 19일까지 조선총독부 기수 스기야마 노부조杉山信三는 경기도 개풍군 흥왕리 3층석탑, 흥왕사지興王寺址, 장단군 불일사지佛日寺址 등의 피해 상황 등을 조사하고 1942년 5월 20일자로 복명했다.[125]

흥왕사지 건물지

특히 개풍군 봉동면 흥왕리 3층석탑은 화강석조로 2성기단 위에 세운 일반형에 속한 탑으로 기단이 훼손되고 탑신은 매우 기울어져 각 옥개 탑신의 이동이 심하여 지금 해체수리를 할 필요가 있다고 복명하고 있다.

불일사지5층석탑에 대해서는 "현재 노반 이상은 결하였으나 부근에서 앙화의 단편을 보았으니 타 부분도 매몰되었으리라 보존 상태는 비교적 양호하다. 상층에 이름에 따라 낙落이 많고 안정감을 다분히 가지고 있는데 세부에 고려시대 특유의 형식이 있고 제작기법도 우수 고려대의 대표작일 것이다" 라고 하고 있다.

125 「경기도 개풍군, 장단군 소재 사지(寺址) 파괴 상황 조사」, 『국립중앙박물관 소장 조선총독부박물관 공문서』, 목록번호 : 96-364.

불인사지의 계단지戒壇址는 2단으로 지은 단상에 석종石鐘을 놓은 것으로 김제 금산사나 양산 통도사에서 보는 것과 같은 듯하다고 하면서 계단 위에 있었던 석종에 대해서는 "일찍이 도괴되었는데 현재 그 유재遺材는 도난의 염려가 있음으로서 토지 소유자 류씨柳氏 댁까지 운반하여 현지에 존재하지 않음, 방형대석상에 연판蓮瓣을 각한 좌座를 놓고 그 위에 석종신부를 놓고 다시 구룡을 각한 것을 쌓아 올린 것으로, 최상방最上方에 있어야할 보주寶珠는 일찍이 타에 매각하였다고 하여 없어졌다"고 한다. 이에 대한 사진은 2매를 첨부하고 있다.

개풍 흥왕리 삼층석탑

불일사지(佛日寺址) 계단(戒壇) 석종(石鐘)

불일사지 전경

1942년 4월

교회종 헌납

'미영격멸의 탄환으로 이 종을 써주시오' 하고 각 기독교 교회에서 헌납하여 온 교회종이 조선군애국부에 속속 도착했다. 매일신보에는 "대동아전쟁 발발 후 전조선 기독교신자들은 중대시국을 깊이 인식하고 총후적성을 피력하여 황국신민으로서 힘찬 걸음을 내어딛고 있는 중이어서 당국을 감격시키고 있는 이때 80만 기독교도들이 귀중히 여기는 교회종을 군부에 바쳐 미영격멸전에 써달라고 헌납한 것"이라고 하며, 지난 1월 이후 4월초에 이르는 동안에 평양부 남문외 평양대동성결교회를 비롯하여 전국에서 60여 개의 교회종이 헌납된 것이다.[126]

부여에서는 군내 각 부분을 통하여 천주교 장로파 성결교 기독교 등 분파적

---

126 『每日申報』1942년 4월 8일자.

『매일신보』 1942년 4월 8일자 기사

교회를 통일 단일케 하기 위하여 조선기독교부여군연합회를 조직하고 위원장
으로 목사 이시가와石川淸治가 추등 되었다. 그런데 당시의 결의 사항이 가관이
다. "참다운 황국신민으로서의 새로운 출발을 하기로 결의 했다"고 하며 다음
사항을 준수하기로 했다.

  1. 각 교회종을 3월말까지 부여경찰서에 헌납하되 1일이라도 속히 이것이 타
도 미영의 전차탄환이 되기를 기도할 것

  2. 예배시간은 수요일 낮 1시간과 일요일 밤 1시간으로 단축하여 생산력 확
충과 등유절약을 도모할 것

  3. 국어(일본어)를 상용하고 창씨개명을 솔선 사용하여 참다운 황국신민으
로서의 표리일체를 단행할 것[127]

---

127 『每日申報』1942년 4월 10일자.

경성부 회기동 안시교회에서 20관이 넘는 교회종을 7일 군애국부에 헌납하다.[128]

안양 장로교회에서 4월 29일 교회종을 안양경찰서에 헌납하다.[129]

1942년 5월 8일

징병제 실시 발표, 1944년도부터 실시

1942년 5월 8일 일본 정부의 각의에서 조선에 대하여 징병제를 실시하고 1944년도부터 이를 징집할 수 있도록 결정했다. 1938년부터 실시된 지원병 제도, 1940년 8월에 실시된 창씨제도에 이번에는 징병제를 실시한다고 발표했다.

징병제가 실시된다고 발표하자 『매일신보』 1942년 5월 10일자 논설은 "대망의 날은 왔다. 순국의 지성에 불타는 2천4백만 민중이 오랫동안 열망하던 징병제도가 드디어 시행되게 되었다. 반도민중은 진정한 황국신민으로서 국방의 의무를 짊어지게 되었으니 성대의 신민으로서 이보다 더 큰 영광이 또 있으랴!" 하고 있다.

이후 '징병제 실시에 감사한다'는 전국 각종 단체들의 대회가 잇따르고, 유지, 부인들의 징집에 환호하는 글들이 매일 신문에 게재된다.

이 같이 징병제는 1944년부터 실시한다고 했으니 실제는 이를 앞당겨 1943년 8월 1일부터 시행한다.

---

128 『每日申報』 1942년 4월 8일자.
129 『每日申報』 1942년 5월 6일자.

半島同胞에 最高榮譽

施行期는 昭和十九年度부터
國防義務의 重責을 分擔

濠

【情報局五月九日正午發表】

情報局總裁談

朝鮮同胞에 對하야 徵兵制를 施行하기로 昭和十
九年度부터 이를 徵集할수잇도록 準備를 進行하기로 決定하얏다

朝鮮同胞에 對하야 徵兵制를 施行하고 昭和十九
年度부터 이를 徵集할수잇도록 準備를 進行하는데…

『매일신보』 5월 10일자 기사

1942년 5월 9일

강화군 내의 종 헌납

강화군 내의 각 성공회와 감리교회에서는 종을 헌납했는데 9일 현재 강화경찰서에 헌납수속을 마친 헌납 종은 다음과 같다. 종 헌납을 마친 곳은 강화읍내 성공회, 냉정리 성공회, 망월리 성공회, 삼흥리 성공회, 온수성공회, 흥천감리교회, 조산감리교회, 모

『매일신보』 1942년 5월 12일자 기사

석감리교회, 하비감리교회, 눌리교회, 종촌감리교회, 혜음교회, 외포리교회, 교산교회, 동막교회, 강화읍내기독교회 등이다.

1942년 5월 11일

강원도 고성군 건봉사, 양양군 낙산사, 신흥사 보물조사

조선총독부 촉탁 나카기리 이사오中吉功는 1942년 5월 11일 경성을 출발, 강원도 고성군 오대면 영천리 건봉사乾鳳寺, 양양군 강현면 전진리 낙산사洛山寺,

一 乾鳳寺銅製銀象嵌香爐
二 乾鳳寺鍮製香爐
三 乾鳳寺麻紙金泥寫經
四 乾鳳寺金銅阿彌陀如來坐像
五 乾鳳寺青銅製五鈷
六 乾鳳寺銅鐘
七 乾鳳寺日本銅鐘
八 乾鳳寺釋迦如來齒相塔

보고서

강원도 도천면 신흥사神興寺 등에서 보물조사를 하고 5월 18일 돌아와 같은 달 30일에 복명서를 제출했다.

별지로 첨부된 조사 개요서에서는 건봉사 동제은상감향로銅製銀象嵌香爐, 유제향로鍮製香爐, 마지금니대방광불화엄경麻紙金泥大方廣佛華嚴經, 금동아미타여래좌상金銅阿彌陀如來坐像, 청동제 오고五鈷, 동종銅鐘, 건봉사 일본동종日本銅鐘, 석가여래치상탑釋迦如來齒相塔, 낙산사 칠층석탑, 원통보전圓通寶殿 본존관세음보살좌상本尊觀世音菩薩坐像, 동종銅鐘, 낙산사 의상법사義湘法師 사리탑, 신흥사 동종銅鐘, 신흥사 내원암 동종銅鐘, 사리탑군 등에 대한 조사 내용이 기재되어 있

건봉사 석가여래치상탑 및 영아탑

낙산사 동종

다. 아울러 신흥사와 건봉사 소장 경전과 기타 사보寺寶가 표로 정리되어 있으며, 각 고적 및 유물의 사진과 도면이 첨부되어 있다.[130]

　* 낙산사는 1930년에 대화재로 큰 피해를 입었었는데, 2005년에 또 다시 대화재로 낙산사 동종은 완전히 녹아 버렸다.

2005년 화재 모습과 녹아버린 동종(화재 모습 출처: 연합뉴스)

1942년 5월 16일

　경북 의성군 단촌면에 소재하는 31본산의 하나인 고운사에서는 1942년 5월 16일 국방자재로 불기 2개, 양동분洋銅盆, 2개, 불발우 1개, 소종 1개, 요령 2개, 광금光金 3개, 태징 1개, 기타 8개 등을 일본군부에 헌납했다.[131]

130 「강원도 고성군 乾鳳寺, 양양군 洛山寺, 神興寺 보물조사 복명서」, 『국립중앙박물관 소장 조선총독부박물관 공문서』, 목록번호 : 96-142.
131 林慧峰, 「친일불교론 하」, 民族社, 1993.

1942년 5월

교회종 헌납

예수교 장로회 충청노회에서는 20부터 22일까지 장로회 제1교회에서 제22회 정기노회를 개최하고 예수교의 일본화 운동에 관한 협의를 한 결과로 관내 83교회의 종 83개를 일제 헌납하였다.[132]

안양성결교회에서 종을 헌납하고,[133] 철원 성결교회에서 5월 25일에 종을 철원경찰서에 헌납했다.[134] 황해도 겸이포천주교회에서도 종을 헌납했다.[135]

일본어 상용화 강요

일본의 정신을 익히도록 하기 위해 일본어 상용화를 강요했다.

각 급 학교에서는 조선의 역사를 제외한 일본의 역사를 주입하고 일본어로 교육을 하고 일본어를 '국어'규정 조선의 정신을 완전 말살에 돌입했다. 뿐만 아니라 일상생활에서 조차도 일본어를 사용하도록 강요했다.

---

132 『每日申報』 1942년 5월 25일자.
133 『每日申報』 1942년 5월 15일자.
134 『每日申報』 1942년 5월 27일자.
135 『每日申報』 1942년 5월 28일자.

『매일신보』 1942년 5월 14일자 기사

쿠라시마倉島 정보과장은 최근 국어보급운동이 활발해져 총력운동으로서 이를 추진하게 될 터인데 한 사람도 빠짐없이 반도동포가 국어를 알아야 겠다는 취지에서 "참된 황국신민으로서 대일본의 거룩한 정신을 체득케 하여야 겠습니다. 하물며 징병제도의 실시를 앞둔 오늘에 있어서 …… 우리들 제국신민으로서 국어를 모르고서 어찌 중책을 다 할 수 있겠습니까"라고 하

일본어 강요 전단(독립기념관 자료)

『매일신보』
1942년 5월 12일자 기사

며 전쟁 수행에 있어서 일본어 체득이 필수라고 하고 있다.[136]

이에 발맞추어 5월에 조선불교 조계종 총본사 인 태고사(현 조계사)에서는 관하 31본사에 통첩 을 보내 근일 중에 1,325개소의 본·말사와 373개 소의 포교소를 개방하여 단기간의 일본어강습회 를 개최하여 부근의 부락민들에게 일본어를 가르 치게 하다.[137]

---

136 『每日申報』 1942년 5월 14일자.
   이 같은 일본어의 강요는 징병제 실시와도 깊은 관계가 있는 것으로 다음과 같은 관련 기사가 있다.
   각도 학무과장과 일본어 보급 담임시학의 회의가 조선총독부 제2회의실에서 개최되어 일본정부의 한국인에 대한 징병제 실시를 앞두고 청소년들에게 일본어를 보급시켜야 한다 하여 전국 국민학교 중 650개소에 일본어강습소를 상설하고 야학으로 일기에 40 명씩 반년 동안에 일본어를 해득시키기로 결정되다(『每日申報』 1942년 7월 9일자).
   日本政府의 韓國人에 대한 앞으로의 시행할 징병제 실시 및 조선청년특별련성령 실시 에 따라 명년부터 30세까지의 모든 한국인청년에게 日本語를 보급시키기 위한 方策이 결정된 바, 그 내용은 다음과 같다.
   一. 학령아동에 대해서는 明年度부터 시작되는 第3次 국민교육 확충에 의한다.
   二. 國民學校를 나오지 못한 17歲 이상 21歲까지의 청년은 特別鍊成所를 통한다.
   三. 21歲 이상 30歲까지의 청년에 대해서는 靑年團이 중심이 되어 日本語 해득을 철저 히 한다(『每日申報』 1942년 10월 9일자).
137 『每日申報』 1942년 5월 12일지.

1942년 6월

평남 석암리 제219호분, 제215분 조사

1942년 6월부터 8월에 걸쳐 평남 대동강면 석암리 제219호분王根墓과 215분을 고이즈미 아키오小泉顯夫, 가야모토 가메지로榧本龜次郎, 오노 타다아키小野忠明, 나카무라 하로이사中村春壽 등이 발굴을 했다.

석암리 215분에서 나온 유물은 자세히 알려진 것이 없으나, 석암리 219호분에서는 '王根信印' 명의 은인銀印, 동인銅印, 은지환銀指環, 은대금구銀帶鉸具, 철검鐵劍, 칠안漆案, 칠이배漆耳杯, 칠반漆盤, 동박산로銅博山爐, 도호陶壺, 철부鐵斧 외 다수를 출토했다.[138]

원래의 명칭은 석암리 제219호분이었으나 무덤 안에서 출토된 은제인장에 새겨진 글에 '王根'의 문자가 나와 묘주인의 이름이 왕근임이 밝혀지면서 왕근묘로 불리게 되었다.

석암리 제219호분王根墓 출토 동인銅印의 인문印文은 피장자가 왕근王根이라는 것만 밝히고 있을 뿐 관직은 불명이다. 가야모토 가메지로榧本龜次郎는 부장품에 무기가 많은 점으로 보아 군의 도위급 관직에 있었던 자로 추정하고 있다.[139]

---

138 梅原末治, 『朝鮮古代の文化』, 國書刊行會, 1972, p.32; 榧本社人, 中村春壽, 「石巖里第219號墓發掘調査」, 『樂浪漢墓』 2冊.
139 榧木龜次郎, 「王根墓調査報告」, 『美術資料』 第4輯, 國立中央博物館, 1961년 12월.

1942년 7월 18일

전남 전주공립상생국민학교(전주초등학교 전신)에서 우수한 고려청자가 발견

1942년 7월 18일부로 전주경찰서장이 조선총독에게 보낸 '매장물 발견 屆出 에 관한 건'[140]에 의하면, 1942년 7월 6일 전주공립상생국민(초등)학교 구내 후 방 농림 실습지 중앙에서 우수한 고려청자 2점이 발견되었다.

그 발견 사정을 보면, 1942년 7월 6일에 동교 훈도 오오도리 이스키大島一輝 가 아동 71명을 인솔하여 실습지 토지 정리 중 지하 약 30센치에서 철편鐵釜을 발견하여 이를 파내고 주변에서 청자파편과 청자상감운학문병, 청자상감포도 문병 등 2개를 발견했다.

발견한 청자 2점 중 '청자상감포도문병'은 파손이 되었으나 복원이 가능한 것 으로 보인다. '청자상감운학문병'으로 표기한 청자는 몸체에 수십 개의 원을 표현 하고 원 밖에 운학을 백상감으로 표현했으며, 백상감으로 표현한 원 안에는 꽃을 흑백상감으로 표현한 우수한 매병이다(원 안의 꽃은 국화나 모란처럼 보이나 명 확하지 않음). 현재 호암미술관에 소장하고 있는 '청자상감운학모란국화문매병' (보물558호)과 흡사한 점이 있으나, 이 보다도 오히려 우수한 매병으로 보인다.

그런데 이 매병의 행방이 미상이다.

유물을 발견한 실습지는 약 2천 평으로 1937년 2월에 매입한 것으로, 1944년

---

140 「昭和 17년도 전라북도 전주부 전주공립상생국민학교 내 발견 靑磁雲鶴象嵌文瓶 기 타」, 국립중앙박물관 소장 조선총독부박물관 공문서, 목록번호 : 97-발견19.

5월 25일에도 이 실습지에서 백자호 1개, 흑색소호, 수병 1개, 鐵葉, 철 15개, 소옥 8개 등 상당한 유물이 발견되기도 했다.[141]

발견된 고려청자

1942년 8월 16일

부소산에서 백제시대 우물 발견

부여신궁 공사 중 백제시대의 왕궁터라고 전하는 부소산 남쪽 기슭에서 팔각형 우물이 발견되었다. 1942년 8월 16일 부여신궁 조영사무소의 이토伊藤 촉

---

141 「전라북도 전주 상생공립초등학교 실습지 발견 繪高麗唐草文雙耳壺 기타」, 국립중앙박물관 소장 조선총독부빅물관 공문서, 목록번호 : 97-발견19.

탁이 우물을 설치하기 위하여 물이 나올 만한 곳을 물색 중 무너진 옛 우물을 발견했는데, 이를 소제하고 보니 팔각으로 된 옛 우물이었다.

『매일신보』1942년 8월 22일자에는 다음과 같은 기사가 있다.

지난 소화14년의 한해 때 부여면 동남리 백제이궁터에서 백제시대 화강암으로 된 여덜모로 만들어진 깊이 한 길 남짓한 우물이 발견되어 내선일체사를 말하는 화제꺼리가 되었었는데 때마침 지금 부여신궁 신역공사 중 백제시대 왕궁터라고 전하는 부소산 남쪽 기슭에서 같은 모양의 것이 또 발견되어 일반의 흥미를 끌고 있다. 이 우물도 동남리의 것과 같은 형으로 화강암으로 된 길이 두자 한 치, 폭이 한자 여섯 치, 두께 다섯 치나 되는 것을 쌓아 올린 것으로 발견된 동기는 지난 17일 조영사무소의 이토伊藤 촉탁이 임원林苑에 필요한 우물을 설치하기 위하여 물이 나올 만한 곳을 물색 중 무너진 옛 우물을 소제하고 보니 우연히도 이 것이 땅속에서 발견되었다.

부소산에서 발견한 백제시대 우물

8월 24일에 요네다 미요지 米田美代治, 후지사와 가즈오藤澤一夫 등이 현장에 나아가 조사한즉 백제시대의 우물임이 확인되었다.[142]

142 「昭和12년 1월 이후 고적관계 서무잡건」, 『국립중앙박물관 소장 총독부박물관 공문서』,

1942년 8월 26일

또 1943년 8월 26일 종무총장 광전종욱(이종욱)이 '범종 및 기타 금속류 공출 헌납'에 관한 공문을 본사 주지 앞으로 시달했는데 그 내용은 다음과 같다.

금속류 회수에 관한 건[143]

사찰에 있어서 금속류의 회수에 관해서는 본 회수운동 전개 이래 여러분의 노력에 대해 다대한 성과를 이루고 있으나 시국이 점점 이 운동의 급속한 진행을 요청하고 있으므로 아래 각 항의 실행 방법에 의해 실천할 것을 특별히 의뢰함.

(1) 범종, 타정打鉦, 바라 및 경종警鐘 등 악기류는 이를 군부에 헌납할 것.

(2) 불기佛器, 촛대, 향로 및 다기茶器 등 불구류佛具類는 특히 법요의식 집행에 지장이 없는 한 전부 이를 공출할 것 이의 대용품 주선을 현재 총본사에서 연구 중이므로 양지하시기 바람.

(3) 식기, 수저, 그릇, 반상기는 나아가 헌납 또는 공출에 민중의 수범을 보일 것.

위의 공문에서처럼 전쟁수행에 혈안이 된 일제는 조선사찰이 보유하고 있는 범종 등의 모든 쇠붙이로 된 것은 모조리 공출할 것을 엄명하고 있어, 참으로

목록번호 : 96-151.

143 林慧峰,『親日佛敎論』, 民族社, 1993.

가공한 일제의 수탈 양상이 아닐 수 없다.

1942년 8월 30일

부여 부소산 서복사지(西腹寺址) 조사

1942년에는 부여읍 구아리 부소산 서록에 위치하고 있는 부소산 서복사지西
腹寺址가 요네다 미다지米田美代治와 후지사와 가스오藤澤一夫 등에 의해 1942년 8
월 30일부터 발굴 조사가 실시되어 가람 배치가 확인되었다.

그러나 발굴보고서가 발간되지 않아 그 전모를 살필 수는 없다. 국립부여박
물관 일지日誌에는 "1942년 8월 30일에 부소산 낙엽 송림 부근 발굴 착수, 꽃문
양 석제전 1점 출토, 1943년 9월 3일에 조형鳥形회화 출토. 1942년 9월 6일에 풍
탁 출토, 1942년 9월 8일에 불두 출토, 1942년 12월 21일에 발굴 종료" 등 약간
의 기록이 남아 있기는 하지만 너무 소략하여 역시 그 전모를 알 수 없다. 단지
당시의 신문기사에서 어느 정도 그 상황을 짐작할 뿐이다. 당시의『부여박물관
일지』와 신문기사에는 다음과 같은 것이 있다.

찬란한 백제문화의 상모相貌, 부소산 일대에 본격적 발굴 작업
1천4백년의 신비를 감추고 내선일체의 사적을 품고 있는 백제왕조 번영시
대의 전왕지라고 일컫는 부여의 부소산 서쪽 마루대는 점점 흥미있는 수많
은 사적의 발견을 예상하면서 지난 30일부터 본격적인 발굴이 개시되었다.

이 지대는 부여신궁 조영에 따르는 신도계획으로 외원 내원으로 나누어 신시설이 시험되는 지점으로 이 지대의 발굴은 벌써 작년 여름 백제시대의 건축터의 일부가 발견되고 귀중한 치미鴟尾의 관련과 연변와蓮辨瓦 등이 나오고 있어 금번의 본격적 발굴에는 특히 신중을 기하여 최근 총독부에 들어온 등택일부藤澤一夫 씨가 총독부박물관 미전미대치米田美代治, 천야天野 양씨와 같이 발굴에 착수한 것으로 등택 씨는 당지에 상주하여 발굴 지휘를 하기로 되었다. 더욱 이 지대는 백제탑 주위로 백제 문화의 모양은 이번 발굴로 더욱 명확히 파악될 것으로 주목되어 있다(『매일신보』1942년 9월 2일자).

『매일신보』1942년 9월 2일자 기사

법륭사 벽화에 필적할 백제시대 벽화 발견

1천4백년 전 내선일체에 얽힌 백제시대의 문화를 찾고자 고고학계의 태두 등택일부藤澤一夫 박사 일행 설명은 고도 부여의 옛 왕궁터이었던 부소산 서북 일부를 30일부터 발굴하기 시작하였다. 그런데 발굴한 지 나흘째인 3일 오후에 이르러 진귀한 벽화를 발견하였다. 이 벽화는 백제시대의 이스카시대飛鳥時代의 것으로서 인동모양의 식물을 그린 것으로 미루어 보아 나라奈良 법륭사 벽화와 같은 점이 주목되고 있다. 따라서 이제 법륭사 것이 동양 제일의 것이 되어 있으나 부여 벽화가 그것보다도 규모에 있어서 큰 것으로 보아 앞으로 연구 증명 여하에 따라 고고학계에서는 물론 내선일체의 귀한 재료로 크게 주목되고 있다(사진은 백제성지 발굴 작업 연장과 출토 기와더미)(『매일신보』 1942년 9월 4일자).

금일 아사히신문朝日新聞에 목조건축의 벽화란 제하에 실린 부소산扶蘇山 서복사지 발굴에 관한 기사를 소개하면 다음과 같다.

백제문화의 미謎(수수께끼)를 선명鮮明할 자료 - 천육백 년 전의 역사를 지닌 채 지하에 매장되었던 백제문화를 밝힐 수 있게 된 것은 조선총독부박물관 요네다 미다지米田美代治, 후지사와 가스오藤澤一夫 양씨에 의해서 고도 부여의 본격적 발굴 작업을 부소산성 서남의 성외 부근 성부터 시작하여 치미鴟尾의 단편斷片 등이 출토되고 발굴 3일째 목조건물로서는 조선 최초의 진귀한 벽화편이 출토하였으며 <중략> 이것을 중심으로 하여 조선 북방 지나 등과의 관계 아스카문화飛鳥文化의 전래도 밝혀주기를 기대한다. 발굴현장은 백제말기에 건축된 왕궁의 일부라 보여지며 화강암 기단의 구조 등에서 미루어 보아 약 6, 7십 평에 세운 건물 2동이 남북에 인합隣合하여 건립되었다고 상상된다. <중략> 이 발굴 작업은 12월 중순까지 백제탑 부근의 사원지와 성내 군창지軍倉址 그 외 타 지점을 발굴 조사하게 되었다

(『부여박물관 일지』[144] 1942년 9월 5일자).

부소산 서남록 발굴현장에서 풍탁風鐸 출토. 금일 아사히신문朝日新聞에 법륭사法隆寺 재건설再建說에 유리한 자료제공이란 제하題下에 주목되는 백제 왕궁지의 발굴기사가 실리다(『부여박물관 일지』[145] 1942년 9월 6일자).

귀중한 자료 속속 발굴

궁전지도 새로 발견, 백제문화 발굴대의 수확

(부여에서 특파원 지태진 전화) 유구한 역사에 수수께끼를 담긴 백제의 왕궁터였던 부소산 마루턱은 오늘에 이르러 울창한 나무숲으로 변하여 간신히 남아있는 기와장만이 오고가는 손님에게 돌부리에 채일 뿐이다. 총독부 박물관에서는 땅속에 파묻힌 유물을 찾고자 지난 8월 30일부터 요네다美田, 후지사와藤澤씨 일행이 발굴개시 하였다. 그동안 궁전 벽에 그려있던 벽화며 연꽃모양이 새겨져 있는 궁전용마루의 기와 등 갖가지가 발견되어 천 4백 년 전의 건축의 일부를 6일에 다시 새로운 왕궁터를 발견하고 발굴을 계속한 결과 금과 구리로 만든 큰 풍경의 혀와 와소상瓦塑像 조각이 발견되었다. 지금까지 발견한 곳은 한 구덩이 속에서 북쪽에 있는 궁터로 건평 60평가량 되는 곳이었으나 새로 발견한 곳은 남쪽에 있는 궁터로 건평 30평가량으로 파낸 많은 기와로 보아 북쪽 건물보다 오래된 것이라 한다. 이곳

---

144 博物館新聞, 1974년 4월 1일에서 轉載.
145 博物館新聞, 1974년 4월 1일에서 轉載.

에서 다시 어떠한 자료가 발견될 른지는 모르나 수일 내로 완료하고 다시 평제탑 부근으로 옮길 터인데 <중략> 그 절의 이름조차 알지 못한다는 것이다. 이번 발굴 여하에 따라 절의 정체가 확실히 나타나게 될 뿐만 아니라 백제시대 불교의 정도도 나타날 것이라 한다. 이곳 외에도 부소산성 내외를 제1차로 금년 말까지 발굴할 터이라고 큰 기대를 가지고 있는 총독부박물관원 요네다 씨와 후지사와 씨는 다음과 같이 이야기 한다.

요네다 씨 담. 저번 발굴한 벽화는 큰 주목을 이끈 줄 안다. 연대로 보아 나라奈良의 효류지法隆寺의 벽화보다 약 200년이나 오래되어 내지 이스카飛鳥 문화와 연결성이 있는 것은 확실하나 그 보다 더 크고 적은 것은 간판만 보고 단정하기는 어려운 것이다. 법륭사의 벽화는 불상화이고 이것은 화조도로서 예전 건축물의 벽화가 수천 년 후에 다시 나타난다는 것이 극히 드문 일이고 어찌하여 지금까지 남아있었느냐 하는 것은 이것이 불에 그을리지 않으면 삭아버리는 것이라는 점에서 화재에 싸여서 백제가 멸망한 것이 확실하여 졌다. 앞으로 이곳에서 또 어떠한 진귀한 것이 나올른지 모르고 제일 주목을 끄는 것이 평제탑 부근일 것이다.

후지사와 씨 담. 발굴이 끝나지 않고는

『매일신보』 1942년 9월 7일자 기사

지금 어떻다 말할 수 없으나 하여간 이번 발굴 결과의 여하로 백제시대와 내지와의 건축미술 불교문화 등의 관계가 어느 정도까지 나타날 것이다. 지금까지 발굴한 것만 가지고도 고고학상의 좋은 자료가 되며 백제문화의 실마리를 풀 수 있을 것이다. 앞으로 남은 곳이 중요한 곳이므로 우리는 큰 기대와 흥미를 가지고 곧바로 바삐 캐고 싶다(『매일신보』 1942년 9월 7일자).

찬란 백제문화의 중핵, 대가람 유적을 발굴

1천3백 년 전의 문화 내선일체 역사를 푸는 부여 부소산의 성지 발굴 작업은 8월 30일 이래 총독부박물관의 후지사와, 요네다, 아마노天野 3씨의 감독 히에 계속되고 있는데 오늘까지 발신된 벽화, 불상 능을 비롯하여 대가람의 회랑지, 기타 도금제판, 연화와 등의 많은 출토품을 종합할 때 옛날 큰 절터인 것이 확연하며 발굴 개소는 바로 백제문화의 중핵을 이루고 있는 것이 확정되었다. 발굴된 절터는 본당의 기지가 15척5촌, 폭이 15척1촌으로 천연암석 지반에 북남서 3면에는 문의 계단이 새겨져 있으며, 정면의 마천지馬川池에 면하고 있는 실로 풍광이 아름다운 터이다. 또한 석제의 코끼리도 발견된 점으로 보아 보현보살이 아닌가 추측된다. 그리고 박물관 부여분관 스기衫 과장은 다음과 같이 말한다.

발굴 개소는 바로 절터인 것이 확정되었다. 여러 점으로 보아 본존은 보현보살인 것이 추측되며 귀중한 자료로 금후 발굴과 함께 불교를 통한 내선문화의 기초가 구명究明된 것으로 생각한다(『매일신보』 1942년 9월 23일자).

이 사지에서 발견한 도금풍탁鍍金風鐸, 벽화토괴壁畵土塊, 소조불상편塑造佛像

1942년 189

片, 연화문와당蓮花紋瓦當, 치미편鴟尾片 등은 부여박물관에 보관하였다. 하지만 그들 스스로 중요하다고 하면서 발굴보고서의 미간으로 폐사지에 대한 정확한 내용을 알 수 없으며 건물지의 위치 확인도 어려운 상태이다.

특히 법륭사에 버금가는 벽화가 발견되었다 하나 이에 대한 관리나 보존에 있어서는 확인할 길이 없다.

1942년 9월

경남 마산기독교회 관하의 18개 교회에서 당국의 금속회수운동에 호응, 교회종을 헌납하다.[146]

『매일신보』 1942년 11월 12일자

1942년 10월 9일

불상 도난

1942년 10월 9일 덕수궁미술관 2층 7호실에 진열된 삼국시대 약사여래불상 1구를 도난당했다.[147]

---

146 『每日申報』 1942년 9월 7일자.
147 『매일신보』 1942년 11월 12일자.

1942년 10월 10일

《모씨 소장품 고려 이조도기 매립회》가 1942
년 10월 10일, 11일 양일에 걸쳐 경성미술구락부
에서 열렸다. 목록에는 300번까지 나타나 있다.

목록 도판

1942년 10월 20일

오구라 신페이(小倉進平) 회갑기념 조선문화전

1942년 10월 20일 경성제대 법문학부 안에 있는 경성제대문학회 조선문화연
구회에서는 동 대학교수 오구라小倉進平 박사의 정년사임과 회갑을 기념하는 뜻
으로 기념강연회와 조선문화전람회를 동 법문학부에서 개최하였다.

기념강연은 법문학부 중강당에서 오후 1시부터 '이문吏文에 대하여서'라는
연제로 스에마츠末松保和 교수가, '조선어 수사數詞에 대하여'란 제목으로 고노
河野六郎 강사가 조선 문화에 개한 특별강연을 하였다.

이어 3시부터 오구라 박사가 수집한 이두자료吏讀資料 고문서는 39종과 조선
금석총람에 실려 있지 않은 최근 발견된 금석문의 탁본 16종 등 귀중한 자료
수십 점을 동 법문학부 제1회의실에 전시하여 일반에게 공개하였다.[148]

---

148 『每日申報』1942년 10월 20일지, 21일자.

전람회 모습(『매일신보』 1942년 10월 21일자)

오구라 신베이小倉進平는 1906년에 도교제국대학 문과대학을 졸업하고 19110년에 한국에 건너와 조선총독부 편집서기로 근무하다가 1917년 경성의학전문학교 교수 겸 총독부 편집관으로 학무국편집과에 근무하였으며, 1918년에는 조선어사전 심사위원, 1933년에는 경성제국대학 교수 겸 도교제국대학교수를 겸임하였다.[149]

1927년 향가와 이두에 대한 연구로 문학박사학위를 받았고, 1935년 학사원은사상·조선문학공로장을 받았다. 우리나라 이두吏讀와 향가鄕歌 연구 및 한국어학의 발전에 기여한 업적이 크다 할 수 있다.

그는 경성제대를 퇴임하면서 10

오구라가 『향가 및 이두의 연구』로 학사은사상을 수상했다는 『매일신보』 1935년 4월 16일자 기사

149 朝鮮總督府, 『朝鮮總督府施政25周年記念表彰者名鑑』, 1935.

월 14일 마지막 강의로 그가 한국어 연구에 바쳐온 과정을 강의 했는데, 그 내용을 『매일신보』 1942년 10월 19일자에 게재하고 있다. 그의 이야기는 오구라 신베이小倉進平를 아는데 많은 참고가 될 뿐만 아니라, 그의 조선어 연구 과정은 비록 일본인이지만 학자로서의 모습은 높이 사지 않을 수 없다 할 수 있다. 기사의 전문은 다음과 같다.

신라어 연구 위해 말 타고 다니며 방언 채집

20대의 청년으로 조선에 건너와 머리에 백발이 나도록 한결같은 정열을 연구에 바쳐 조선어와 조선 고문학 연구에 바쳐 조선어와 조선 고문학의 기초를 닦고 또 내선 고문화의 연원淵源 탐구에 큰 공을 남겨 조선어학계는 물론 널리 그 이름을 내외 학계에 떨친 오구라小倉進平 박사가 명년의 정년사임을 앞두고 14일부터 성대에서 최후의 강의를 한다함은 기보한 바이어니와 이제 박사가 조선어 연구를 위하여 바쳐온 고심담을 들어보기로 하자. "내가 조선어를 연구하였다고 하나 이것은 전혀 기초적인 문제에 약간 저촉되었을 뿐이다" 라는 학자다운 겸손의 말머리를 내놓으며 박사는 오래 동안 그가 걸어온 학구의 길을 이야기 한다.

먼저 내가 조선어를 알게 된 것은 가나사와金澤庄三郎 선생의 덕분이다. 메이지明治39년 내가 동경제대 언어학과를 졸업할 당시에 가나사와 선생은 일선양어동계론日鮮兩語同系論을 발표하여 학계에 물의를 일으켰을 때이다. 나도 이때 조선어에 대한 이상한 흥미와 아울러 연구하고 싶은 충동을 받게 되어 우선 언문諺文을 가나사와 선생에게 배워 일한합병 되기 전인 메이지43년(1910)에 조선에 와서 소위 총독부서기란 직함으로 남산정에 유하면서 국어(일본어)는 조금도 모르는 최모를 청하여 "문을 열어주시오", "천만의 말씀입니다"라는 항용 쓰는 말부터 손짓 발짓을 통하여 배웠다. 그러나 관청에 매인 몸이었던 만큼 말을 배우며 규장각에서 고문서를 찾아보기에 시간이 없어 안타까운 적이 많았다. 아유카이鮎貝房之進, 마에마前間恭作 양 선생의 지도를 많이 받았다. 조선에는 기왕에 조선에 관계있는 기관으로 통문관, 사역원, 승문원, 언문청 등이 있었으나 언문은 여러번 수난시대를 겪어 현대에 이르렀기 때문에 학구적인 연구는 별로 없었다. 내가 조선에 처음 왔을 때에도 내지인 사이에 조선의 방언에 대한 의문이 많았으나 누구 하나 확실한 대답을 하는 이가 없었던 형편이었다. 당시 외국에서는 30여 년 전부터 방언의 연구가 상당하였음에 비추어 나는 내 스스로 의문되는 점을 적어가지고 제주도를 비롯하여 나귀도 타고 또는 걸어서 전선 각지를 골고루 찾아 방언 조사를 하였는데 다는 동안 기왕에 알지 못하는 것을 많이 깨달을 수 있었다. 당시 조선에는 광산열이 굉장하여 젊은이나 늙은이나 탐광探鑛하려 다니는 사람이 많았지만 나만은 신라어新羅語의 모습이 남은 방언을 찾아 인적드문 남선 각지 산골 시골을 돌아다녔다. 신라는 반도를 통일하여 그 세력이 전 조선에 미치었기 때문에 그 뒤의 고려와 이조의 언어도 신라어 영향을 많이 받았다. 따라서 신라의 옛말을 알려면 고서적과 아울러 방언을 연구하는 외에는 알 도리가 없다고 생각한 것이다. 이에 나는 바언 조사에 있어 음운音韻과 어법語法, 단어 등의 세 가지 요점을 적어 조선어 역사적 변천을 밝히려 하였다. 방언을 통하여 고대 언어를 알고 또한 알타이어족의 바탕을 찾아보려한 것이다. 조선 방언을 지리적으로 나눌 것 같으면 (1)경기 방언(경기, 강원, 충청남북

오구라 신베이가 "문자(文字)와 발음(發音)을 동일(同一)하게 하는 것이 타당하다"고 주장한
『매일신보』1921년 3월 20일자 기사

이 대부분) (2)경상 방언(경상남북, 강원도 일부) (3)신라 방언(남산, 무수를 제외한 전라남북) (4)제주도 방언 (5)평안도 방언 (6)함경도 방언 등 여섯 가지로 나눌 수 있다.

신라 방언은 이조에 들어 경부가도로 말미암아 전남북의 동쪽 산속과 경상도의 두 곳으로 전파되었다. 나는 신라어의 방언을 찾는 중 왕흐 거세간居世干이 '겨신사람' 즉 '임금' 이라는 뜻으로 신라의 최경어라는 실제적 증거를 얻는 등 많은 어휘를 발견했다. 방언 조사를 하는 동안 삼국유사와 균여전均如傳에 있는 향가鄕歌 25수의 해석과 신라 이후의 관용문官用文으로 쓰는 특수문자인 이두吏讀도 방언의 힘을 빌어 해석할 수 있었다. 또한 이와같이 실지로 흩어진 말과 옛 책을 살피는 동안 서지학적 연구와 조선 역사 또는 조선어에 대한 조선인의 연구를 조사한 것을 어학사語學史란 형태로 한 권의 책을 이루어 세상에 내어 놓은 일까지 있다.

총독부의 지원 하에 조선 어학에 관계되는 자료와 문헌을 종횡 무진 수집하였는데, 천하유일본인『월인석보』권13, 14도 '小倉藏書'란 인까지 찍혀서 그의 손에 있었다. 그 후에 오구라는 경성제국대학을 떠나 도쿄로 가면서 그의 장서를 몽땅 꾸려 일본으로 떠났다. 해방 후 방종현 씨의 <일사문고>에『월인석보』가 소장되어 있다는 소문을 듣고 이병주가 찾아가 어찌된 영문인가를 물었으나, 소장하게 된 연유는 말하지 않았다고 한다. 그 후 6·25 때 방종현이 세상을 뜨고 일사문고를 서울대가 인수하게 되는데 이때 정리를 맡은 사람이 화산서림 주인 이성의였고, 1961년에 이성의로부터 이것을 통문관이 인수하게 되고 나중에는 연대도서관에 소장된다.[150]

그가 소장했던 국어학에 관련한 많은 서적과 자료 즉 오구라문고본小倉文庫本은 패전 후에 도쿄대학에서 구입하여 도쿄대학문학부 언어학연구실 소장되어 있다.[151]

1942년 10월 22일

고서적 즉매회

10월 22일부터 27일까지 경성고서적상조합에서 고서적즉매회를 개최하였다.[152]

---

150 李謙魯,『通文館책방비화』, 민우당, 1987.
　　통문관 주인 이겸노는 <소 → 방 → 이>에는 야릇한 흑막이 있을 거라고 한다.
151 福井玲 編,「小倉文庫目錄 其一 新登錄本」,『朝鮮文化研究』제9호, 東京大學大學院人文社會系研究科, 2002.
152 『每日申報』1942년 10월 25일자.

1942년 10월

정림사지 조사

8월 30일부터 시작된 부소산 일대의 폐사지에 대한 조사는 10월 초에 대략 끝내고, 10월 초순에 발굴 장소를 정림사지탑 부근으로 옮기어 계속한 결과 대가람의 자취를 찾았다. 이번 발굴 결과 현재 서있는 탑과 석불 사이에 동서로 64척 남북으로 46척되는 법당의 자취를 기둥으로 세웠던 주춧돌로 판명되고 또 그 북쪽으로 강당, 다시 남쪽으로 중문과 남문으로 추정되는 자취를 발견했다. 또 법당지에서 「太平八年正林寺大藏堂草」라는 명문이 새겨진 기와가 출토되기도 했다.

『매일신보』 1942년 10월 22일자에는 다음과 같은 기사가 있다.

정림사지 발굴지(국립중앙박물관 소장 유리건판)

대가람의 흔적 역연

백제의 찬연하였던 문화의 유물을 백제의 도읍터 부여에 찾고서 지난 9월 상
순경에 부소산 한 모퉁이에서 발굴한 결과 그 중요한 자료를 얻었는데 다시
9월 초순에 발굴 장소를 평제탑 부근으로 옮기어 계속한 결과 대가람의 자취
를 완전히 찾아 내었다. 지금부터 오는 평제탑은 신라의 장군 김유신과 당나
라의 연합군이 백제를 멸망시킨 후 기념으로 평제탑이라고 지은 것이다. 여
기에는 탑과 석불이 있는 것으로 미루어 보아 절터임을 상상할 수 있다.

그 절의 정체와 이름은 지금까지 고고학상 한 수수께끼로 내려오던 것을 이
번 발굴 결과 현재 서있는 평제탑과 석불 사이에 동서로 64척 남북으로 46
척되는 법당의 자취는 기둥으로 세웠던 주춧돌들로 판명되고 또 그 북쪽으
로 강당 다시 남쪽으로 중문과 남대문인 듯한 자취를 발견하였다. 탑의 배치
법이 한 줄로 서있는 것으로 보아
내지의 사천왕사와 똑 같은 것이
다. 백제 때의 건축기사가 내지에
건너가 사천왕사를 세웠다는 것은
현재 발굴한 가람의 배치로서 짐
작할 수 있다고 한다. 다시 절을 세
운 면대로 추상하기에 충분한 재
료는 법당터에서 캐내인 기와에
「太平8年正林寺大藏堂草」라는
글자가 뚜렷이 박혀 있는 것이다.
태평8년은 지금으로부터 1천2백

『매일신보』 1942년 10월 22일자 기사

80년 전 중국의 요나라 때이다. 그 해가 무신년으로 그 절의 이름이 정림사라는 것을 알 수 있으며 그 기와가 '대창당'에 있었던 것이 아닌가 하는 추측을 내릴 수밖에 없다는 것이다.

1942년 11월 3일

조선문화공로상을 받은 아유카이 후사노신鮎貝房之進

제3회 조선문화공로상 시상은 11월 3일 총독부제1회의실에서 거행되어 5명에 대한 시상을 했다. 그 중 한 명이 조선 고미술의 대가 아유카이 후사노신鮎貝房之進이다. 『매일신보』 1942년 11월 3일자의 기사에는 조선문화공로자로 수상한 아유카이와의 대담을 다음과 같이 소개하고 있다.

조선문화공로상수상자 중 반세기 동안을 조선 문화 연원 탐구에 바친 숨은 공로자 아유카이씨(77세)는 가난한 사족의 가정에 태어나 명치27년에 조선에 건너온 이래 55년 동안 조선역사와 어문학의 현대적 고찰을 처음으로 착수한 분에다 현재도 부내 욱정 3정목 8번지 자택의 수만 권의 고서 속에서 문화탐구의 길을 8순 가까운 노인답지 않게 정열을 가지고 꾸준하게 가고 있다.

내가 조선에 온 것은 동경서 당시 외국어학교에서 조선어를 배우게 된 것이 인연이 되었다. 나는 관리노릇을 하려고 조선에 온 것도 아니고 오직 조선의 빛나는 문화를 조금이라도 알아보고자 하는 학구적 욕심에서 온 것이었다. 내가 처음 조선에 온 것은 메이지27년인데 이때 나는 수많은 조선 사람들과

『매일신보』 1942년 11월 3일자 기사

가깝게 지냈다. 지금은 고인이 되었지만 어윤중, 유길준, 정만조와 같은 분들과 나는 경성에다 을미의숙이란 외국어학교를 설립하여 도도하게 물결쳐 들어오는 외래문화를 조선인에게 알려 잠자던 당시 민중의 계몽에 힘쓰려 하였다. 그러나 이 학교는 여러 가지 사정으로 설립한지 2년 만에 흐지부지하여 버렸다. 교육사업에서 손을 뗀 나는 실업방면에 종사하는 한편 신라의 찬란한 문화를 비롯하여 당시 신라인 고유정신의 혼들과 아울러 이제껏 세

상에 밝혀지지 않은 조선의 것을 밝히려 힘써 왔다. 그동안 연구하고 조사한 것은 변변치 않으나 '잡고' 라는 책 이름으로 일반에 공포하였지만 이것은 전부 연구의 소재에 불과한 것으로 앞으로 조선청년의 연구가 기대될 뿐이다.

아유카이는 1894년에 한국에 건너와 해방이 되면서 일본으로 돌아간 인물로, 한국에 건너온 일본인 중에서 가장 오랜 기간 한국에 머물며 한국문화 탐구와 고미술품 수집에 힘을 쏟았던 인물이다. 박물관 수집품에 대하여 가장 열심히 탐구하고 감정을 하였으며, 박물관 협의원과 창립 당시 고적조사위원과 1930년 이래 조선전람회평의원, 1933년 조선고적명승전연기념물보존회위원, 1940년 이래 이왕가미술관평의원 등 조선의 문화사업에 깊이 관여하였다.

또한 한학에도 밝아 1931년에 간행한 그의 저서 『잡고雜攷』전 7책은 우리나라 고어 연구에 중요한 연구 문헌이라 할 수 있다. 그는 다방면에 조예가 깊어 일본인들 사이에는 소위 박물군자博物君子로 불리기도 하였다. 이러한 그의 생이 조선문화공로상수상자로 선정되었던 것이다. 하지만 이것은 어디까지나 일제의 입장이라 할 수 있다.

1942년 11월 6일

네즈根津미술관 제3회전람회가 11월 6일부터 9일까지 열렸는데, 이때 진열된 고려청자사이향로高麗靑磁四耳香爐는 '名物'로 표시되어 진열되었다.[153]

1942년 11월 25일

낙랑고분 출토품과 고구려고분벽화 모사도 특별전람회

11월 25일부터 29일까지 총독부박물관에서 개최된 낙랑고분 출토품과 고구려고분벽화 모사도의 특별전람회는 연일 대성황을 이루었다.

지난 6월 이래 평양의 낙랑고분에서 발굴된 유물과 평남 중화군 동두면 진파리의 고구려고분에서 발굴된 금속유물과 벽화(模寫한 것) 등이 전시되었다. 이

---

153 『陶磁』제13권 제4호, 東洋陶磁研究所, 1943년 1월.

번에 전람된 것은 1백여 점인데 그 중 특히 주목되는 것은 이 당시의 고관대작의 것임을 추측케 하는 '왕근王根'이라는 사람의 은도장과 다른 거북 모양의 도장이다. 다음에 이번에 가장 큰 발견인 벽화의 모사는 고구려의 시조 동명왕릉 부근의 18기의 고분 중 제1호분과 제4호 양분의 벽화 중에서 선명히 남아있는 제1호분의 벽화를 도쿄미술학교 오바小場의 손에 정밀하게 모사된 것이다. 벽화는 조선의 최고의 것으로 사면의 총 연장11척여 폭 10여척의 관대한 것인데 동면에 청룡 서면 백호, 북면 현무, 남면 주작의 사신도가 진열되었다. 또 당초唐草와 구름모양의 판에 태양의 정인 세발의 까마귀를 중심으로 하여 용과 봉황을 섬세 교묘하게 투조한 장신구는 그 사이에 가장 아름다운 옥충玉蟲의 날개를 채워 있는 금색 찬란한 것이다.[154]

전시장 모습(『매일신보』 1942년 11월 28일자)

154 『每日申報』 1941년 11월 24일자, 11월 28일자.

1942년 12월 2일

조선총독부에서 지정시설의 회수물건에 대한 양도신입성적이 저조하여 금속회수가 철저하게 이행되지 않는다 하여 이날부터 12월 2일부터 8일간 전국적으로 회수물건의 강제양도명령에 대한 일제 단속이 개시되었다.[155]

1942년 12월 8일

범종 헌납

대본산 유점사의 상삼봉 포교당인 약수사에서는 백일기도 중 1942년 12월 8일 대동아전쟁 1주년기념일을 맞이하여 수십 명이 집합하여 포교사 성산원각 星山圓覺 스님의 집례로 중일전쟁 전몰장병위령제 및 대동아전쟁 완수 동 육해공군 무운장구 및 전사충령법회를 성대히 거행한 후 범종 1구를 본사 승인을 얻어 국방기자재로 당시 헌병대에 의뢰 헌납하였다.[156]

---

155 『每日申報』 1942년 12월 2일자.
156 林慧峰, 「親日佛敎論」, 民族社, 1993.

같은 해

『이조도자보(李朝陶磁譜)』에 실린 명품들

이 해에 다나카 도요타로田中豊太郎가 편찬한 『이조도자보李朝陶磁譜』 자기편이 도쿄의 취락사聚樂社에서 출판되어 나왔다.[157] 여기에 도판으로 수록된 백자는 조선백자 중 걸작이라 할 수 있는 우수한 작품들이다. 소장처 및 소장자들이 대부분 일본이나 일본인을 중심으로 하였기 때문에 명품 백자의 경로를 파악하는 데 중요한 참고가 되고 있다. 도판으로 나타난 명품들을 보면 다음과 같다.

품명	소장처 및 소장자	도판 번호	비고
鐵砂染附葡萄文壺	조선민족미술관	 圖版1	조선백자의 대표작

---

157 田中豊太郎 撰, 『李朝陶磁譜』 磁器篇, 東京聚樂社, 1942.

품명	소장처 및 소장자	도판 번호	비고
染附梅花文壺	柳宗悅	 圖版2	
染附山水圖壺	內山愛子	 圖版3	
染附鐵砂花鳥文壺	조선민족미술관	 圖版4	
染附蘭文字入壺	柳宗悅	 圖版5	

품명	소장처 및 소장자	도판 번호	비고
染附草文壺	內藤定一郎	圖版6	경성 大阪屋號商店 主
染附蘭文壺	谷村敬介	圖版7	
染附蘭文壺	小池厚之助	圖版8	주) 山一證券 대주주
染附梅花黃鳥文壺	吉野喬一	圖版9	조선 특유의 화풍을 보여주는 청화호

품명	소장처 및 소장자	도판 번호	비고
染附辰砂蓮花文壺	赤星五郎	圖版10	淺川伯敎의 구장품으로 1922년 10월에 조선귀족회관에서 조선민족미술관 주최로 개최된 '이조도자기전람회'에 출품된 조선백자 중의 명품이다. 현재 아타카컬렉션에 있다.
染附虎文壺	古屋芳雄	圖版11	
染附辰砂鳳凰文壺	조선민족미술관	圖版12	
染附辰砂牡丹文壺	井上恒一	圖版13	柳宗悅 → 倉橋藤治郎 舊藏

품명	소장처 및 소장자	도판 번호	비고
染附辰砂山水圖文壺	조선민족미술관	 圖版14	
染附野草文面取文壺	淺川咲子	 圖版15	淺川巧 舊藏, 문명상회를 통해 일본으로 반출되어 현재 아타카컬렉션에 있으며, 2014년 한국에서 개최한 《청화백자전》에 출품 전시되기도 했다.
染附鶴圖文壺	藤目正一	 圖版16	
染附龜圖文壺	草間鶴子	 圖版17	
染附野菊文爪形文壺	高橋友治郎	 圖版18	水谷良一 舊藏

품명	소장처 및 소장자	도판 번호	비고
染附山水文壺	立花押尾	 圖版19	
染附撫子文扁壺	田中豊太郎	 圖版20	
染附山水圖扁文壺	小場恒吉	 圖版21	
染附野草文角瓶		 圖版22	角瓶 중 일품

품명	소장처 및 소장자	도판 번호	비고
染附山水文角瓶	田邊至	 圖版23	朝鮮美術展覽會 심사위원
染附山水圖文角瓶	梅澤彦太郎	 圖版24	
染附竹蘭面取瓶	조선민족미술관	 圖版25	

품명	소장처 및 소장자	도판 번호	비고
染附挑果文瓶	森永重治	 圖版26	笹川愼一 舊藏
染附野菊面取瓶	小林秀雄	 圖版27	
染附秋草手面取瓶	谷眞次	 圖版28	조선총독부 체신청 관리

품명	소장처 및 소장자	도판 번호	비고
染附驪鹿文瓶	安倍能成	圖版29	경성제대 교수
染附鹿靈芝文瓶	山口謙四郎	圖版30	三和銀行 대주주
辰砂虎文壺	柳宗悅	圖版31	
辰砂蓮花文壺	松原純一	圖版32	함안의 송원흥업 대표 松原純一郎은 백자 일품과 연적을 상당히 수집하였다. 『조선고적도보』제15책(1935)에는 '백자진사회연화문호(白磁辰砂繪蓮花紋壺)'를 비롯한 백자 15점과 연적 5점이 수록되어 있다.

품명	소장처 및 소장자	도판 번호	비고
辰砂牡丹文壺	이왕가	圖版33	
辰砂竹文壺	多田平五郎	圖版34	
辰砂葡萄文壺	廣田松繁	圖版35	靑山民吉→ 谷村敬介 舊藏
辰砂芭蕉文壺	조선민족미술관	圖版36	
	조선총독부	圖版37	

품명	소장처 및 소장자	도판 번호	비고
辰砂菊唐草面取壺	岡田久次郎	圖版38	
辰砂寶盡面取壺	田邊至	圖版39	
辰砂鳥文面取壺	伊藤助右衛	圖版40	柳宗悅 舊藏
辰砂牡丹文甁	小林秀雄	圖版41	체신관서 관리

품명	소장처 및 소장자	도판 번호	비고
鐵砂刷毛目瓶	조선민족미술관	圖版42	
鐵砂虎繪壺	藤木正一	圖版43	有尾佐治의 舊藏으로 1920년대부터 세상에 이미 정평이 난 우수품
鐵砂鹿繪壺	藤木正一	圖版44	有尾佐治의 舊藏으로 1920년대부터 세상에 이미 정평이 난 우수품
鐵砂竹繪壺	藤木正一	圖版45	有尾佐治의 舊藏으로 1920년대부터 세상에 이미 정평이 난 우수품
鐵砂風竹文扁壺	水谷良一	圖版46	

품명	소장처 및 소장자	도판 번호	비고
鐵砂草文壺	조미	 圖版47	1916년에 柳宗悅이 처음 부산에 상륙하여 구입한 우수품
鐵砂風竹文壺	奧平武彦	 圖版48	경성제대 교수
鐵砂笹葉文壺	조선민족미술관	 圖版49	
鐵砂竹文壺	島木健作	 圖版50	

품명	소장처 및 소장자	도판 번호	비고
鐵砂柳文壺	田中豊太郎	 圖版51	谷眞次郎 舊藏
鐵砂雲文壺	千賀信太	 圖版52	柳宗悅 → 小野賢一 → 田邊至諸 구장
鐵砂龍文壺	志賀直哉	 圖版53	
鐵砂鷺蓮華文壺	赤星五郎	 圖版54	『조선고적도보』제15권 도판 6372로 실려 있는 굴지의 작품. 富田儀作 → 住井辰男 舊藏 1922년 10월에 조선귀족회관 에서 조선민족미술관 주최로 개최된 '이조도자기전람회'에 출품
鐵砂竹文壺	田邊武次	 圖版55	주)북선제지화학공업 중역

품명	소장처 및 소장자	도판 번호	비고
鐵砂草文壺	貴志良雄	圖版56	
鐵砂草文壺	藤木正一	圖版57	富田儀作 → 笹川愼一 舊藏
鐵砂笹文壺	조선민족미술관	圖版58	
鐵砂巴文壺	內山愛子	圖版59	內山省三 舊藏
鐵砂草文壺	淺川伯敎	圖版60	

품명	소장처 및 소장자	도판 번호	비고
鐵砂魚文壺	富永覺	圖版61	笹川愼一 舊藏
鐵砂文字壺	岡田久次郎	圖版62	裏面에 '風來水面時'의 達筆이 書해 있다.
鐵砂草文壺	板內禮次	圖版63	後藤眞太郎 舊藏
鐵砂草文瓶	松井良輔	圖版64	岡田三郎助 → 谷眞次郎 舊藏

품명	소장처 및 소장자	도판 번호	비고
飴釉面取甁	水谷良一	圖版65	
飴釉面取甁	倉橋藤治郎	圖版66	
飴釉面取壺	中川竹治	圖版67	
鐵砂象嵌文甁	赤星五郎	圖版68	成驪牧場(合資) 대표

품명	소장처 및 소장자	도판 번호	비고
鐵砂草文茶碗	日本民藝館	 圖版69	
染附獸禽圖大鉢	日本民藝館	 圖版70	
染附辰砂鯉圖鉢	小池厚之助	 圖版71	
染附牡丹文皿	조선민족미술관	 圖版72	
染附月下草文皿	田邊至	 圖版73	

품명	소장처 및 소장자	도판 번호	비고
白磁陽刻大鉢	藤木正一郎	圖版74	
染附梅竹面取壺	조선민족미술관	圖版75	
染附蓮華面取壺	田中豊太郎	圖版76	谷眞次郎 舊藏
染附撫子竹文花盆	이왕가	圖版77	
白磁面取壺	內藤匡	圖版78	

품명	소장처 및 소장자	도판 번호	비고
白磁酒瓶	日本民藝館	 圖版79	
白磁瓜形壺	後藤眞太郎	 圖版80	
白磁角瓶	田邊至	 圖版81	
白磁陽刻遊鹿文盒子	조선민족미술관	 圖版82	측면에 '年年益壽無彊'이라 문자가 있다.
白磁瓷卜竹文盒子	內山愛子	 圖版83	柳宗悅 舊藏

품명	소장처 및 소장자	도판 번호	비고
白磁六角盒子	조선민족미술관	圖版84	
白磁四角盒子	田中豊太郎	圖版85	
白磁四角盒子	水谷良一	圖版86	
白磁圓形盒子	조선민족미술관	圖版87	
白磁祭器	水谷良一	圖版88	
白磁餠臺	조선민족미술관	圖版89	

품명	소장처 및 소장자	도판 번호	비고
白磁盆臺	조선민족미술관	圖版90	
白磁酒煎子	조선민족미술관	圖版91	
白磁面取盌	조선민족미술관	圖版92	
白磁面取祭器	中川竹治	圖版93	
白磁面取祭器	일본민예관	圖版94	
琉璃饌盒	水谷良一	圖版95	

품명	소장처 및 소장자	도판 번호	비고
陽刻花文鐵砂杯	松原純一	 圖版96	
白磁黑臺	조선민족미술관	 圖版97	
白磁透刻筆筒	水谷良一	 圖版98	
白磁梅花文筆筒	田中豊太郎	 圖版99	

품명	소장처 및 소장자	도판 번호	비고
透彫染附鐵砂植木臺	조선민족미술관	 圖版100	
染附線模樣粉盒	赤星五郎	 圖版101	土井濱一 舊藏
染附山水文盒子	조선민족미술관	 圖版102	
染附二重饌盒	赤星五郎	 圖版103	
染附辰砂撫子·水滴	조선민족미술관	 圖版104	

품명	소장처 및 소장자	도판 번호	비고
染附挑形水滴	일본민예관	 圖版105	
染附蓮花文水滴	조선민족미술관	 圖版106	
染附草文水滴	조선민족미술관	 圖版107	
染附山水圖水滴	土井濱一	 圖版108	
染附竹文水滴	일본민예관	 圖版109	

품명	소장처 및 소장자	도판 번호	비고
染附蛾模樣水滴	柳宗悅	 圖版110	
染附辰砂鳥文水滴	大久保久三	 圖版111	
白磁圓形水滴	조선민족미술관	 圖版112	
染附家形水滴	일본민예관	 圖版113	淺川巧 舊藏
鐵砂草文水滴	赤星五郎	 圖版114	

품명	소장처 및 소장자	도판 번호	비고
染附扇面水滴	일본민예관	圖版115	
染附野花文水滴	小池厚之助	圖版116	
染附梅花文水滴	大久保久三	圖版117	
染附梅花文水滴	安倍能成	圖版118	
染附双鶴文水滴	조선민족미술관	圖版119	
白磁陽刻水滴	조선민족미술관	圖版120	

품명	소장처 및 소장자	도판 번호	비고
白磁輪形水滴	田邊至	圖版121	
白磁水滴	조선민족미술관	圖版122	
染附辰砂鯉形水滴	조선민족미술관	圖版123	
白磁蛙形水滴	일본민예관	圖版124	
白磁水鳥水滴	大久保久三	圖版125	
染附箱形水滴	藤木正一	圖版126	

품명	소장처 및 소장자	도판 번호	비고
鐵砂一陳箱形水滴	赤星五郎	 圖版127	
染附双鶴文枕隅	中山久	 圖版128	

우리 문화재
수난일지

1943년

1943년 1월

홍아잠업 회사 이사 가다쿠라 겐타로片倉兼太郎의 소장 고려청자상감포유당자도수병高麗靑磁象嵌浦柳唐子圖水甁이 일본 중요미술품으로 지정되다.[158]

1943년 2월 1일

조선군 의부장 미나가와皆川 소장이 한국처녀들에게 보다 많은 인원이 구호간호부로 나가달라고 호소하다.[159]

1943년 2월 20일

1943년 2월 20일, 21일 양일에 걸쳐 경성미술구락부에서 《부내 삼륜종장三輪宗匠 씨 소장품 서화골동 다도구 매립회》를 열었다. 목록에는 423번까지 나타나 있다.

---

158 『陶磁』 제13권 제4호, 東洋陶磁研究所, 1943년 1월.
159 『每日申報』 1943년 2월 1일자.

1943년 3월 12일

금속류 비상회수 실시요강

일본정부는 금속류의 비상회수에 따르는 실시요강을 결정하여 조선관계부서에 통첩하고 3월 12일부터 실시에 들어갔는데, 회수물건의 범위는 다음과 같다.

一. 철물건
(1) 전리품 및 기념보존물, 국민교화상 절대로 필요로 하는 것과 각 군에서 특히 존치를 희망하는 것을 제외함
(2) 교량의 난간, 조명장치 금물(다만 보안상 절대로 필요로 하는 것을 제외함)
(3) 경기장 기타 이에 류하는 시설의 상층「스텐드」등
(4) 궤조 및 철궤공작물의 일부
(5) 승강기 = (단, 다음에 게기하는 것을 제외)
　가. 인용의 것으로서 5층 이상의 것. 다만 5층 이상의 것이라도 필요한 최
　　소한도의 것을 남기고 회수함
　나. 화물운반용의 것
　다. 병원 기타의 시설의 성질상 특히 그 존치를 필요로 하는 것
(6) 가로등 = 단, 보안 방공상 필요한 것(잔치 등을 포함함)을 제외함
(7) 간판 및 광고판
(8) 냉방장치 = 단, 병원 기타 시설의 성질상 절대로 필요한 것을 제외함

二. 동물건(동합금제품을 포함함)

(1) 동상(별도책정에 의함)

(2) 신사 불각경내의 시설물

(3) 교량의 당금의보주

(4) 차량부속금물 = 단, 보안상 절대로 필요한 것을 제외함

(5) 날염 로-루

(6) 수세편소조정기의 일부

三. 연물건(연합금제품을 포함함)

(1) 유휴설비의 연판

(2) 수세편소조정기의 일부

(3) 문진 및 부물압 등[160]

1943년 3월 18일

금속 불구 등 헌납

춘기 피안을 맞이하여 경성부내 서본원사, 용산 동원사, 대념사, 등 각 절에 서는 18일부터 24일까지 금속 불구 등 헌납운동을 전개하다.[161]

160 『每日申報』 1943년 3월 12일자.
161 『每日申報』 1943년 3월 20일자.

서본원사에서는 3월 22일 전국 7백여 명 대표 교도들이 법당에 참집하여 출정 불상을 모셔놓고 법요식을 거행했다. 불상과 함께 불단에 장식한 륜등, 화병, 촛대, 향로 등 5천여 점도 헌납했다. 동본원사에서는 본당에 달린 제일 큰 범종을 비롯하여 불구 등을 전부 헌납하기로 하여 3월 24일에 범종헌납식을 거행했다. 다음과 같은 관련 기사가 있다.

적격멸敵擊滅에 불상 출정, 금일 서본원사에서 장행법요壯行法要
인류의 적 미영격멸에 부처님이 마침내 분기하였다. 아세아 10억의 중생을 괴롭히고 착취하던 미운 미영을 격멸코자 대동아 중생의 제도전 출정하는 것이다. 그리하여 '나라가 멸망하고 무슨 신앙이냐'고 전선의 불교도들은 조석으로 배례하여 온 불상과 또는 불단의 장식품을 매일같이 군당국에 헌납하고 있다. 여기에 다사 眞宗西本願寺派의 3천여 교도들은 한마음으로 모시는 각 가정의 부처님을 전부 헌납하기로 되어 21일 1만 백수기의 부처님의 장행법요를 진행하기로 되었다. 이날 천여신도들은 부내 약초정의 서본원사 법당에 참집하여 지성으로 불상의 정전필승을 비는 장행법요는 엄숙히 진행되는데 다시 동사에서는 지금까지 경성해군무관부에 헌납된 불상들을 위하여 22일 해군무관부에 무운을 비는 법요를 집행하고 독경염불을 드리기로 되었다(『매일신보』 1943년 3월 21일자.).

진종서본원사파의 3천교도들의 지성으로 헌납되는 3천여 기의 불상의 장행법요는 지난 21일 오후 1시부터 부내 약초정 서본원사에서 장중하게 진행되었다. 전선 7백여명 대표 교도들이 법당에 참집하여 출정 불상을 모셔

놓고 법요식을 거행했다. 불상과 함께 불단에 장식한 륜등, 화병, 촛대, 향로 등 5천여점도 헌납되어 불상을 모시고 미영 격멸에 나아간다. 다시 동사에서는 어제까지 해군무관부에 헌납된 불상을 위하여 22일 무관부에서 법요를 갖추고 독경과 염불을 드리게 되었다(『매일신보』 1943년 3월 22일자).

『매일신보』 1943년 3월 22일자 기사

범종 헌납
사원연합회에서는 부내 각 사원에 있는 금속품을 헌납하기로 되어서 동본원사 본당에 달린 원산에서 제일 큰 범종을 비롯하여 불구 등을 전부 헌납하기로 되었다. 그리하여 24일에 범종헌납식을 행할 터이며 또 천정 3정목 서본원사에서도 본당에 있는 동라 등 21점을 헌납하기로 했다(『매일신보』 1943년 3월 22일자).

1943년 3월 20일

《부내 향정성산소장품 서화 이조도기 공예미술품 매립회》

3월 20일부터 21일까지 경성미술구락부에서 《부내 향정성산소장품 서화 이조도기 공예미술품 매립회》을 열었다.

이 경매회는 무카이 시게야마向井成
山가 일본으로 돌아가기 전에 일부 처
분하기위한 것으로 도록을 보면 목록
에 312번 까지 게재하고 "이하 백 수십
점 생략" 이라 하고 있으며 도자기가 가
장 많은 양을 차지하고 있다. 이 날 경매
에서 '조선백자환형연적朝鮮白磁環形硯滴',
'조선백자슬형연적朝鮮白磁膝形硯滴'은 간
송의 대리인 신보가 경락시켰다.

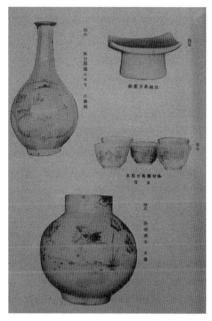

『부내 향정성산소장품 서화
이조도기 공예미술품 매립목록』도판

1943년 3월 29일

강화 전등사 본말사 범종 불구 전부 헌납

30본산인 전등사에서는 본말사에서 수백 년을 내려오는 범종 2개, 백련사 범
종, 청련사 범종, 보문사 범종 2개, 남산사 범종, 정수사 범종 등 9개의 범종을
비롯하여 불구, 공양기 등 115점을 마차로 운송하여 지난 29일 오후 3시에 강
화경찰서를 방문하여 헌납하였다.[162]

---

162 『每日申報』1943년 4월 1일자.

『매일신보』 1943년 4월 1일자 기사

1943년 3월

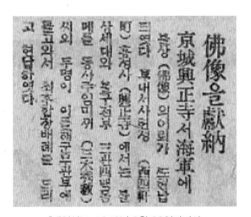

『매일신보』 1943년 3월 28일자기사

부내 서사헌정 흥정사興正寺에서
는 불상 3체와 불구 전부를 해군군
무관부에 가지고 가 최후 합장배례
를 하다.[163]

---

163 『每日申報』 1943년 3월 28일자.

1943년 4월 7일

금속회수 강화 훈시

도지사회의에서 정무통감이 당면한 제문제에 대해 행한 훈시요지 중 '금속의 회수강화'는 다음과 같다.

七. 금속의 회수강화

대동아전쟁이 미증유의 규모로서 행하여지고 더욱이 본전쟁이 일면전쟁, 일면건설의 특징을 갖고 있는 관계로 군수 및 생산력확충자재로 금속류의 수요가 막대한 수량에 오를 것은 상찰想察에 어렵지 않은 바로 이의 충족은 결전체제하 급무 중의 급무라고 말하지 않을 수 없다. 그러나 수송 기타의 관계로 광석에 의한 생산만으로써 한다면 이 방대한 수요의 총량을 지금 당장 확보하는 것은 곤란하므로 일방에 있어서 생산력의 증강에 매진함과 아울러 타방 금속자원의 총동원을 목표로 하고 이 기회에 종래의 금속회수운동을 가일층 철저강화함과 아울러 회수금속의 완전리용을 도모하여 다급한 요청에 응할 생각이다

이 금속회수운동은 정신운동과 연결하여 시행할 것은 아는 바 현하 경향에 있어서의 애국열의 앙양에 비추어 각위의 지도가 좋다면 그 실적의 거양은 기대할 바가 있다고 생각한다. 각위의 격단한 노력을 절망하는 소이이다.[164]

164 『朝鮮總督府官報』1943년 4월 7일자.

1943년 4월 17일

각종 친일문화단체를 통합하여 반도문인보국회가 결성되다.[165]

1943년 4월 22일

흥천사 어수통御水桶 헌납

부내 돈암정 흥천사에 있던 어수통은 조선시대 말엽까지 약 백년간 사용해오던 유서 깊은 수통인데 이것도 22일 헌납했다.[166]

1943년 4월 28일

불구 다량 헌납

부산부에 있는 조선승려 70여 명은 역사를 가진 불기 전부 150관 6백여 점의

---

165 『每日申報』 1943년 4월 13일자, 4월 18일자.
166 『每日申報』 1943년 4월 23일자.

진유기를 지난 28일에 부산해군무관부에 헌납했다.[167]

1943년 5월 4일

동래문묘에서 5월 4일 금속으로 된 제기를 헌납하다.[168]

1943년 5월 14일

유기 1만점 헌납

김포군에서는 금속회수운동에 호응하여 지난 4월부터 유기회수 운동을 전개하여 지난 14일까지 진유품 1만여 점을 헌납했다.

봉은사부인회에서도 유기 253 점을 헌납했다.[169]

『매일신보』 1943년 5월 21일자

---

167 『每日申報』 1943년 4월 30일자.
168 『每日申報』 1943년 5월 9일자.
169 『每日申報』 1943년 5월 21일자.

1943년 5월 24일

범종 및 진유금속헌납앙고법요

태고사太古寺는 1943년 5월 24일 범종 및 진유금속헌납앙고법요眞鍮金屬獻納仰
告法要를 거행한 후 43개 사찰 등에서 헌납한 범종 기타 1,160점 4,545kg, 헌금
336원을 용산애국부에 전달하였다.[170] 신문기사에는 "남방전선에서 적 미영 격
멸을 위한 본격적인 격전이 되풀이 되고 있는 오늘 20만 반도 불교도는 전국의
앞길이 중대함을 통절히 느끼고 금속품 회수운동에 발마추어 범종과 봉제품의
헌납에 궐기하였다"라고 하고 있다.

『매일신보』 1943년 5월 25일자에는 다음과 같은 기사가 있다.

부내 수정정 조선불교조계종 총본사 태고사 에서는 얼마 전에 전조선 각
사에 있는 말사를 비롯하여 포교당에 결전에 싸워 이기기 위해서는 동제
품을 군부에 헌납하여야 한다는 통첩을 띄우고 금속류회수운동에 적극적
으로 협력할 것을 강조하였던바 벌써 각사에서는 신도의 적성으로 된 그
헌납식이 거행되었는데 봉은사를 비롯한 경성 부근에 있는 30여의 말사와
포교당에서 바친 범종과 신도들이 거출한 유기의 헌납앙고법요가 불식에
의하여 엄숙히 거행되었다. 식장에는 육군대신 대리로 조선군보도부장이
임석한 가운데 태고사의 총무총장 히로다 씨 이하 각 관계사찰의 주지와

---

170 韓國佛敎總覽編纂委員會, 『韓國佛敎總覽』, 1993.

『매일신보』 1943년 5월 25일자 기사

신도를 비롯하여 내빈으로는 오노大野 학무국장 총독부 종교계 인사가 참
석하였는데 식은 먼저 국민의례를 시작하여 거불표백문擧佛表白文 낭독이
있은 다음 히로다 씨가 헌납자를 대표하여 "본격적인 결전은 방금 육지와
바다의 너른 지역에서 전개되고 있어 전국의 전도는 중대하다. 여기에 적
성을 바치기 위하여 미력이나마 조계종 총본사에서는 관하의 봉은사를 포
함하여 수속된 말사아 포교당에 있는 범종 등과 유기제품, 불구를 모아 헌
납하는 바이다. 범종은 그 음향이 우렁차고 좋아서 마군魔軍을 부숴버렸다
는 전설이 있는바와 같이 헌납된 이 범종이 일단 병기가 되면 반드시 적
영미를 격멸하고 말 것이다"
리고 헌납의 사를 닝독하니 이에 대하여 육군대신내리 구라시게 보노부
장으로부터 감사장의 수여와 시사가 있었다. 이날 육군에 헌납된 것은 태

고사에 있는 천6백근의 범종을 비롯하여 봉은사 아양암의 8백근 범종, 수종사의 5백근 범종, 백련사의 450근 범종, 봉원사, 청련사, 소림사, 봉국사, 흥천사, 극락암의 적은 범종을 12개와 신도들이 거출한 1천1백45점(4,321kg)의 동과 유기제품이다. 그런데 이날 식이 끝난 후 헌납품을 가득히 나누어 실은 화물자동차 3대는 안국정으로 나와 총독부 앞 광화문 - 종로 황금정을 두루 돌아 시내 행진을 하고 조선군애국부로 향했다.

이날 일본군부가 수탈해간 경성·경기지역 조선사찰 금속류 불구 목록은『신불교』제50집(1943년 7월호)에 나타나 있는바[171] 이를 정리하면 대략 다음과 같다.

강제 수탈 금속 목록

헌 납 품			헌 납 자	
명칭	점수	중량(근)	주소	씨명
범종	1	1360	경성부	태고사
眞鍮器	232	108	경성부	태고사 직속 신도 일동
眞鍮器	68	36	경성부	유점사 포교당
眞鍮器	24	135	경성부	진관사 포교당
眞鍮器	12	8	경성부	건조사 포교당
眞鍮器	2	4	경성부	건봉사 포교당
眞鍮器	1	3.5	경성부	선리참구원
眞鍮器	16	15	경성부	범어사 포교당
범종	1	480	경기도	봉은사

---

171 임혜봉,「친일불교론 하」, 民族社, 1993.

헌 납 품			헌 납 자	
명칭	점수	중량(근)	주소	씨명
진유기	27	26	경기도	봉은사
범종	2	29	경성부	봉원사
진유기	40	44	경성부	봉원사
범종	1	49	경성부	청련사
진유기	7	9	경성부	청련사
진유기	5	12	경성부	법륜사
범종	1	500	경성부	안양암
진유기	15	18.5	경성부	안양암
범종	1	10	경성부	소림사
진유기	11	29	경성부	소림사
진유기	23	19	경성부	연화암
범종	1	16	경성부	극락암
진유기	27	10	경성부	극락암
진유기	30	37	경성부	개운사
범종	1	30	경성부	사자암
진유기	7	3	경성부	사자암
진유기	11	14.5	경성부	화장사
진유기	10	11	경성부	정련암
진유기	10	3	경성부	봉은사본말 포교당
진유기	3	7	경성부	봉은사 포교당
진유기	5	12	경성부	봉은사 포교당
金鼓	1	200	경기도	화계사
진유기	6	7	경기도	화계사

헌 납 품			헌 납 자	
명칭	점수	중량(근)	주소	씨명
범종	1	19	경기도	봉국사
진유기	5	11	경기도	봉국사
진유기	8	6	경기도	도선사
진유기	10	9	경기도	경국사
진유기	14	11	경기도	흥국사
진유기	12	9	경기도	원효암
진유기	9	10	경기도	상운사
진유기	35	23	경기도	진관사
범종	1	216	경기도	백련사
진유기	10	5	경기도	백련사
진유기	20	11	경기도	문수암
진유기	31	28	경기도	영화사
銅器	1	180	경기도	삼막사
진유기	22	22	경기도	삼막사
진유기	16	11	경기도	염불암
진유기	17	11	경기도	망월암
진유기	7	9	경기도	약수암
진유기	20	12	경기도	성주암
진유기	5	4	경기도 시흥	자운암
진유기	21	11	경기도 시흥	망해암
진유기	38	26	경기도 양주	자주암
범종	1	300	경기도 양주	수종사
진유기	9	19	경기도	수종사

헌납품			헌납자	
명칭	점수	중량(근)	주소	씨명
진유기	12	10	경기도	천축사
진유기	29	27	경기도	회룡사
진유기	64	38	경기도	망월사
진유기	17	12	경기도	흥왕사
진유기	15	11	경기도	용문사
진유기	13	6	경기도	약사암
진유기	14	20.5	경기도	봉은사 포교당
진유기	28	24	경기도	청계사
진유기	7	4.5	경기도	수도사
범종	1	29	경성부	흥천사
진유기	20	23	경성부	흥천사
진유기	14	24	경기도	호성사

　이상의 통계는 경성과 경기도의 사암寺庵 금속류 헌납에 관한 것이지만 전조선의 통계를 합산하면 그 수량은 막대할 것이다.

1943년 5월 27일

《부내 모모 가 소장품 서화골동 공예미술품 대 매립》

　1943년 5월 27일, 28일 일일에 거쳐 경성미술구락부《부내 모모가 소장품서화골동 공예미술품 대매립회》가 열렸다. 출품 총 수는 야 5백여 점에 달했다.

1943년 5월

헌납 장면(『매일신보』5월 13일자)

문묘제기를 헌납

황해도 내의 유림들은 유기 및 동기 등을 헌납해 왔다. 이번에는 해주부내에 있는 유림들이 다시 문묘제기 중에서 금속제품을 헌납하다.

데라우치와 사이토의 동상 헌납

1943년 6월 4일

1943년 6월 4일에는 부여신궁 조영사무소로부터 부소산에서 다수의 유물이 발견되었다는 통보를 받고 후지사와 가스오藤澤一夫와 부여박물관장 스기 사후로杉三郎가 사무소로 달려갔다.

발견 계기는 이토 유자후로伊藤熊三郎가 인부들을 데리고 그곳에

『매일신보』1943년 5월 12일자 기사

작은 소나무를 심으려고 땅을 파다가 일괄유물이 발견되었다고 한다. 유물 발견자 신궁조영 사무촉탁 이토 유자후로伊藤熊三郎와 후지사와 등이 유물 출토지를 답사하니 그곳은 부소산의 송월대送月臺 동쪽 부근에 해당하는 곳이었다.[172] 그러나 그곳은 이미 출토 상태를 알아볼 수 없도록 완전히 망가진 상태였으며, 유물은 모두 사무소로 옮겨진 후인지라 학적인 규명을 할 수 없는 상태였다. 출토 유물은 철기, 동기, 고려시대 도자기 등 모두 43점이었다. 이 유물들은 곧바로 부여경찰서를 경유하여 부여박물관으로 옮겼다.[173]

부소산 발굴 고려시대 일괄 유물

『매일신보』1943년 8월 10일자에는 다음과 같은 기사가 있다.

---

172 부소산 서쪽 가장 높은 곳에 있으며 백제 때의 送月臺라 불렀는데 건물은 이미 없어지고 터만 남았다. 1919년에 군수 최창수가 임천군 관문 2층건물을 산루로 옮겨 그 기지에다 건축하여 이름을 사비루라 하였다. 사비루를 건설할 때 이곳에서 금동삼존불을 발견하여 진열관에 수장하였다(夫餘郡廳,『大餘誌』, 1929, 夫餘古蹟保存會,『(百濟舊都)夫餘古蹟名勝案內記』, 1934).

173 藤澤一夫,「朝鮮夫餘發見の藥研を含める一括遺物」,『考古學雜誌』33-11, 1943년 11월.

고려시대의 유물 부소산록에서 또 발굴

부여신궁의 조영과 임원林苑조성공사의 부산물로서 백제시대의 옛터 당시
의 집기류 그 외 중요한 유물이 발견되어 조선문화연구에 많은 공헌을 이
루고 있어 부소산 일대의 공사현장의 발굴 작업은 이러한 의미에서 고고
학계의 주목을 끌고 있는데 이지음 부소산 송월대의 동쪽 언덕 끝 경사진
곳에서 이번에는 고려시대의 진귀하고 드물게 보는 철, 동기, 도기 등의
유물이 발견되었다. 이들 유물은 거의 전부 옛모양 그대로 남아 있는데 옛
터의 상태로 미루어 보면 그 당시 매장한 의약조제기구인 듯하다. 합계 43
점이나 되는 옛 영화를 자랑한 고려조의 우수한 공예품으로서 예술적으로
도 높이 평가되는 것이며 고대 조선문화를 탐구함에 매우 절호한 역사자
료로 되어 있다.

1943년 6월 5일

1943년 6월 5일 함북 청진부 나남 생구정 석왕사 포교당에서는 남녀 신도가
집합하여 범종1座, 중종 및 진유기 30점을 나남사단사령부를 통해 해군에 헌납
하였다.[174]

---

174 林慧峰, 「친일불교론 하」, 民族社, 1993.

1943년 6월 10일

1943년 6월 10일에는 종무총장 광전종욱(이종욱)이 '범종 및 기타 금속류 공출헌납'에 관한 공문을 전국 사찰에 내려 보냈다. 같은 해 8월 26일에는 역시 같은 류의 공문을 각 본사 주지 앞으로 시달했는데 그 내용은 다음과 같다.

금속류 회수에 관한 건[175]

사찰에 있어서 금속류의 회수에 관해서는 본 회수운동 전개이래 여러분의 노력에 의해 다대한 성과를 이루고 있으나 시국이 점점 이 운동의 급속한 진행을 요청하고 있으므로 아래 각 항의 실행 방법에 의해 실천할 것을 특별히 의뢰함.

(1) 범종, 타정打鉦, 바라 및 경종警鐘 등 악기류는 이를 군부에 헌납할 것.

(2) 불기, 촛대, 향로 및 다기 등 불구류는 특히 법요의식 집행에 지장이 없는 한 전부 이를 공출할 것 이의 대용품 주선을 현재 총본사에서 연구 중이므로 양지하시기 바람.

(3) 식기, 수저, 그릇, 반상기는 나아가 헌납 또는 공출에 민중의 수범을 보일 것.

위의 공문에서처럼 전쟁수행에 혈안이 된 일제는 조선사찰이 보유하고 있는 범종 등의 모든 쇠붙이로 된 것은 모조리 공출할 것을 엄명하고 있어, 참으로

---

175 『신불교』 제53집, 林慧峰 前揭書에서 전제.

가공할 일제의 수탈 양상이 아닐 수 없다.

1943년 6월 15일

강원도 강화읍 포교당에서는 1943년 6월 15일에 포교사 청원스님은 신자들을 집합하여 귀축미영鬼畜美英을 격멸, 타도하자는 강연을 한 후 범종을 헌납하기로 결의하고 봉고법요식을 거행하고는 읍사무소에 해군에의 기탁을 수속해 관민일동이 감격을 마지않았다고 한다.[176]

1943년 6월 25일

《부내모가소장 서화이조도기급공예품매립회》

1943년 6월 25일, 26일 양일에 걸쳐 경성미술구락부에서 《부내모가소장 서화이조도기급공예품매립회》가 열렸다. 목록에는 159까지 나타나 있으며, "이하 생략" 이라고 하는 점으로 보아 200점 내외가 출품된 것으로 보인다.

---

176 林慧峰, 「친일불교론 하」, 民族社, 1993.

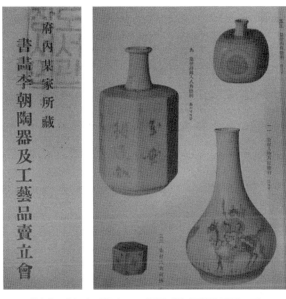

《부내모가소장 서화이조도기급공예품매립회》목록 도판

봉원사종 헌납

경성부 서대문 봉원정에 있는 봉원사에서는 청동범종을 6월 25일 화물자동차에 싣고 해군무관부로 가져갔다. 이 종은 지금으로부터 9년 전 이 절의 신도 김성기 씨가 기증한 것으로 3천5백근이나 되는 대종이다.[177]

『매일신보』 1943년 6월 26일자 기사

---

[177] 『每日申報』 1943년 6월 26일자.

1943년 6월 30일

봉선사본말사 범종 헌납식

경기도 양주군 대본산 봉선사 주지는 6월 13일 양주, 포천, 가평, 고양, 파주 각 군의 말사 24개소 주지를 소집하여 사찰의 진유제품을 30일까지 양주군청에 모아 헌납하기로 했다.[178]

이 결의에 따라 봉선사에서는 6월 30일에 소속 말사 19개사와 연합 하에 경원선 의정부역전 양주군청 구내에서 범종 헌납식을 거행했다. 이 식장에는 해군무관부원, 본부영성과장 대리 및 경기도총력과장, 봉선사본말사 주지 등이 열석한 가운데 봉선사 주지 평야준무平野俊茂의 지휘로 법요식을 마치고 헌납식을 가졌다.[179]

헌납 사찰 및 헌납품 수량은 다음과 같다.

사찰명	大梵鐘	中小梵鐘 및 鍮器
봉선사(奉先寺)	1구	54점
불암사(佛岩寺)	1구	119점
현등사(懸燈寺)	1구	1점
회암사(檜岩寺)	1구	12점
흥국사(興國寺)	1구	74점

178 『每日申報』1943년 6월 24일자.
179 佛敎社,『佛敎彙報』1943년 10월, pp.8-9.

사찰명	大梵鐘	中小梵鐘 및 鍮器
자재룡(自在龍)	1구	143점
백화암(白華庵)		3점
내원암(內院庵)	1구	197점
봉영사(奉永寺)		7점
안국사(安國寺)		7점
여룡사(與龍寺)		12점
미타사(彌陀寺)		6점
봉암사(鳳岩寺)		3점
묘적사(妙寂寺)		5점
학도사(鶴到庵)		60점
보광사(寶光寺)		8점
쌍암사(雙岩寺)		4점
석림사(石林寺)		4점
학림사(鶴林寺)		15점
건싱암(見成庵)		43점
계	7구	785점

1943년 6월

수원 용주사에서는 조종弔鐘, 불기, 주발 등 40여 점을 헌납했다.[180]

---

180 『每日申報』 1943년 6월 4일자.

경남 밀양군 표충사에서는 표충서원表忠書院 향사제기享祀祭器 66점을 위시하여 범종 불구 기타 귀중품까지 일본군부에 헌납했는데《불교시보》(1943년 7월)의 보도에 의하면 무려 637점(162관 1,075근)에 달하였다고 한다.[181]

1943년 7월 8일

석왕사, 귀주사 범종 전부 헌납

함경북도의 대본산 석왕사에서는 7월 8일 대동아전쟁의 필승을 기원하는 기원제를 올리고 동시에 본사 대웅전의 대범종을 비롯하여 부속사찰의 범종 10개를 모조리 헌납하였으며 다시 본사 전부도 헌납하기로 되었다. 귀주사에서도 본말사에서 범종 전부를 헌납하기로 했다.[182]

1943년 7월 16일

수원 용주사 범종 및 유기를 헌납

수원 용주사에서는 주지 이하 사중 일동이 수백 년간 사용하여 오던 진유, 식기, 범종 등을 3회에 나누어 헌납하였는데 7월 16일 본사수원포교소에서 세

---

181 林慧峰,「친일불교론 하」, 民族社, 1993.
182 『每日申報』1943년 7월 17일자.

키구치關口 군내무부장, 스즈키鈴木 고등계주임, 마츠다松田 본사주지 이하 일동이 헌납식을 가졌다. 특히 금번에는 수원군내 각 말사에서도 다수 참여하였다.[183]

헌납한 범종 및 유기(『每日申報』 1943년 7월 27일자)

1943년 7월 19일

안성군내 5개 사에서는 수백년 동안 보관되어온 불구류를 한 점도 남김없이 전부 헌납하기로 하고 칠장사 86점, 청룡사 250점, 심원사 17점, 흑수암 10점, 안성포교소 9점, 합계 374점의 유기를 모아 가지고 7월 19일 안성군수를 방문하여 헌납을 의뢰했다.[184]

『매일신보』 1943년 7월 23일자 기사

183 『每日申報』 1943년 7월 27일자.
184 『每日申報』 1943년 7월 23일자.

1943년 7월 20일

철물 등 헌납

고양군 신도면 지축리 흥국사의 주지 전해송은 자택에서 쓰던 놋그릇 24kg, 동제품 22kg, 철제품 15kg을 구루마에 실어 20일 세벽3시에 집을 떠나 8시간 반 동안에 무거운 헌납품을 실고 12km의 노정을 돌파하여 조선군 애국부에 헌납했다.[185]

1943년 7월 22일

1943년 7월 22일부터 8월 3일까지 당시 경성제국대학 법문학부 종교학연구실에서 가스야마 히로시게和山博重가 중심이 되어 잡판雜板 또는 해인사간경판海印寺刊經板이라 불리는 경판에 대한 조사가 있었다. 일일이 경판의 체재體裁와 서체書體 등에 의하여 분류 정리하고, 경성제대소장본과 대조를 하여 목록을 작성하였는데, 이 과정에서 상당수의 결판缺板이 있음이 드러났다. 조사결과의 총계를 보면, 권수券數 472, 현존판現存板 4,451, 현존장現存張 10,595인데, 결판缺板 38以上, 결장缺張 70以上으로 나타났다.[186]

---

185 『每日申報』1943년 7월 21일자.
186 和山博重,「伽倻山海印寺經板について」,『文獻報國』第10卷 3號, 1944년 3월(上), 4월(下).

1943년 7월

왕릉에 있는 종 헌납

산청군 금서면 화산동에 있는 속칭 가락국 구형왕仇衡王의 능소에 비치되어 있던 유서깊은 종 1좌를 탄환을 만드는데 소용하기 위하여 동 능소 대표 김호근, 김옥곤 양씨로부터 당지 경찰관주재소를 통하여 헌납되었다.[187]

백제시대의 불상 발굴

부여군 규암면 백강리 문연봉은 백제시대의 청룡사 구지에서 절을 신축하려고 터를 닦던 중 금불 1좌(3척6촌)을 발견하여 고적보존회진열관에 옮기었다.[188]

경북도의 유림에서 제기 1만4천점 헌납하다.[189]

강원도 화천군에서 발견한 불상을 매가한 사실이 발각되다.

1943년 8월 3일 강원도 화천경찰서장이 조선총독에게 보낸 '불상 발견에 관

---

187 『每日申報』 1943년 7월 3일자.
188 『每日申報』 1943년 7월 23일자.
189 『每日申報』 1943년 7월 24일자.

한 건'에 의하면,[190]

본적 강원도 화천군 상서면 거주 강원도 화천군 상서면 구운리의 송모는 1942년 음력 6월경 화천군 상서면 구운리 자상만산 동지 내 국유림 밭에서 제초작업을 하던 중 금속제불상 1개를 발견 습득하여, 1942년 음력 9월경 이를 매각한 사실이 발각되어 유실물 횡령 및 장물고매 등의 사건으로 검거되었다. 증거물로 전기 불상과 함께 1943년 7월 29일부로 춘천지청에 송치했다.

1943년 8월 1일

강제 징병제 실시

일본에서 징병제 실시를 발표한 것은 1942년 5월인데 이때 발표할 때는 조선에서의 징병제는 1944년부터 실시한다고 했다. 그러나 시국이 급박하니 이를 앞당겨 1943년 8월 1일부터 시행되어 조선의 젊은 청년들은 강제 징집되어 이날부터 전쟁터의 총알받이로 내몰였다.

---

190 『국립중앙박물관 소장 총독부박물관 공문서』, 목록번호 : 97-발견 01.

『매일신보』1943년 8월 1일자 기사

8월 1일부터 조선연맹에서 징병제실시의 감격을 기념한다는 고전헌금운동이 전개되다.[191]

1943년 8월 22일

영월암에서 불기를 헌납

이천 영월암[192]에서는 오래동안 전해오던 불기 40여 점을 22일 이천경찰서

---

191 『每日申報』1943년 8월 3일자.
192 今西龍,「大正5年調査旅行日程」,『국립중앙박물관 소장 조선총독부박물관 공문서』에
   의하면,
   今西龍는 1916년 9월 2일부터 9월 13일까지 경기도 광주군, 이천군, 여주군의 고적을
   조사했다. 그 일정과 조사내용은 다음과 같다.
   9월 8일. 이천의 무학산성과 영월암지를 조사했다. 영월암은 읍내면 관고리 설봉산성

에 헌납했다.[193]

1943년 8월 30일

오구라 다케노스케小倉武之助는 그의 도굴품 수집의 비리를 관리들로부터 비호를 받기 위해 총독박물관에 약간의 미술품을 기부하고 기부자로서 포상까지 받았다.[194] 1943년 8월 30일자로 조선총독부에 기부한 내역을 보면 다음과 같은 것이 있다.

寄附願

朝鮮總督 小磯國昭 殿

染付盌	23個		靑瓷象嵌		天銘盞	1個
金銅冠殘	一括		銅印	4個	綠釉壺	2個

오구라의 장물취득을 과연 당국에서는 모르고 있었을까? 그는 고분 도굴을 조장시킨 장본인으로서, 사료 자체를 사멸시킨 범죄 행위를 서슴없이 저질렀

에 있는 소사찰로 근년 폭도봉기 때 화재를 입어 모두 소실되어 사전(寺傳)은 불명이고, 석재 유물로 사내 우물 쪽에 넘어져 있는 석불후배, 석조가 남아 있었으며, 석탑잔석으로는 臺石1, 柱石 1, 屋部 2, 五輪部殘片 1이 유존했다. 그 외 석등의 일부로 추정되는 3개의 석물이 있다고 한다.

193 『每日申報』 1943년 8월 26일자.
194 黃壽永, 「日帝期 文化財 被害資料」, 『考古美術 資料 第22輯』, 韓國美術史學會, 1972.

다. 이러한 행위는 일제의 묵인 하에 이
루어졌다고 볼 수 있다.

1943년 8월

부여 금성산 조사

부여 금성산 서쪽 기슭에서 화강암 초
석이 많이 나왔는데 보살상, 인동문전이
나와 옛 절터로 추정되고 있다. 『매일신
보』 1943년 8월 8일자에는 다음과 같은
기사가 있다.

평가서

백제시대 구지 부여 금성산록서 발굴

백제문화의 옛 모습으로 찾아볼 수 있을 만한 당시의 건축 자리와 보살여래
의 불상 등이 부여 금성산 서록에서 발견되어 고고학계에 큰 기여를 주고 있
다. 발굴된 것은 백제시대 절터로 되었던 원 동남읍 공동묘지의 5지기량의 땅
속에서 둥그런 화강암의 초석이 많이 나왔으며 또 기와가 옛 모양 그대로 나
타났는데 이것은 모두 고대건축사를 연구하는데 귀중한 것으로 찬란했던 백
제문화의 자취를 그대로 남기고 있다. 또 당시의 불교예술의 모습을 엿볼 수
있는 보살여래상이나 미륵보살의 손, 다리, 인동문전이 많이 나왔는데 발굴
된 곳은 동서가 18m 남북이 14m나 되며 당시의 금당지가 아닌가 생각된다.

1943년 9월 20일

개성 안화사에서는 20일에 오랫동안 소중히 사용해 오던 범종 1개를 헌납하였다.[195]

1943년 9월 27일

제7회 고적명승천연기념물보존회 총회

제7회 고적명승천연기념물보존회 총회가 27일 총독부 제1회의실에서 개최되었다.

회장 다나카田中 정무총감, 오다 쇼고小田省吾, 오바 쓰네키치小場恒吉, 이왕직 창경원장 시모코리야마 세이이치下郡山誠一, 문부성미술연구소장 다나카 토요조田中豊藏, 도쿄대 교수 후지시마 가이지로藤島亥治郎, 경성대 교수 후지타 료사쿠藤田亮策, 도쿄대 교수 혼다 세이지本田正次 그 외 다수가 출석하였다. 다나카 회장으로부터 인사가 있은 다음 오노大野 학무국장으로부터 의안에 대한 설명으로 총회를 마치고 전문위원회에 들어가 보물과 고적의 제1위원회는 제1회의실에서, 천연기념물의 재1위원회는 제2회의실에서 열고, 새로 지정할 물건을 심의한 결과, 오후 1시부터 다시 열린 총회에서 보물 19점, 고적 1점, 천연기념

---

195 『每日申報』 1943년 9월 24일자.

물 16점을 추가 결정하였다.

이번 총회에서는 특히 고적 제3호로 지정된 황해도 봉산에 있는 산성의 지정 해제를 결정하였다. 이 산성일대는 대단히 좋은 석회석이 많이 매장되었는데 석회석은 전쟁물자로서 대단히 귀중한 철강과 시멘트의 원료가 되므로 이번에 고적보존의 지정을 해제하고 석회석을 체취하기로 한 것인데 이것은 당국이 고적을 소홀히 하기 때문이 아니라 전쟁에 이기기 위한 비상대책이라고 하고 있다.

『매일신보』1943년 9월 28일자 기사에서 밝힌 다나카 고적명승천연기념물보존회회장의 지정 해제의 이유는 다음과 같다.

'전쟁에 필요하면 보물 응소應겁도 당연'

우리나라는 대동아의 맹주로서 공영권내 각지의 경제자원을 조사 계발하는 동시에 고적천연기념물 등을 조사보존하기 위하여 물자를 보내어 문화공작에 많은 업적을 거두고 있음은 참으로 반가운 바이다. <중략> 대동아전쟁이 날로 심각해가는 이때 특히 위원 여러분의 이해를 얻고자 하는 것은 일정한 지역을 고적, 명승, 천연기념물 보존지역으로 지정해온 곳에 전쟁 수행상 필요로 하는 자원이 있다면 이 지역을 보존으로부터 해제해야 전쟁에 싸워 이기기 위한 요청에 응할 수속을 취하지 않으면 안되게 되었다. 지금 이러한 의미에서 소화9년 제1총회에서 고적 제3호로 지정한 봉산의 산성(?류산성)은 해제하여 석회석을 채굴하고자 한다.

이 산싱이 이루고 있는 산의 암석과 농성벽을 쌓아 올린 돌은 모두 질이 좋은 석회석으로 철을 만들고 시멘트의 원료로서 가장 적당하며 또 매장량이 풍부하므로 이를 채굴하는 것은 세멘트를 증산하는데 없어서는 안

될 것이다. 당국으로서는 고적보존이 중요함은 충분히 인정하나 오늘의
전쟁의 현단계가 참으로 결전 시기에 직면하고 있다는 것을 생각하면 전
력전의 기초가 되는 생산력을 한층 강화하지 않으면 안되겠으므로 이제
전쟁완수에 총노력을 결집하고자 여러분의 협력을 구하는바이다. 이번의
자문안을 신중히 심의하고 의견을 들어 이러한 문화사업의 운영에 만전을
기하고자 한다.

1943년 10월 19일

1943년 10월 19일부터 11월 2일까지 대동군 석암리 제218호분, 정백리 제24
호분 발굴 조사되었으나 보고서는 미간이다.[196]

1943년 12월

해인사 사명대사석장비와 건봉사 사명대사기적비의 수난

사명대사가 입적하자 광해군은 '자통홍제존자慈通弘濟尊者'라는 시호를 내리
고, 영정을 모신 영자전에는 '홍제암弘濟庵'이라는 편액을 내려 그의 호국정신

---

196 有光敎一, 『有光敎一著作集』제3권, 1999.

을 기렸다. 대사가 입적한 지 2년 뒤에 홍제암 오른편 부도밭에 대사의 일대기를 기록한 석장비를 세웠는데 비문은 당대의 문장가 허균이 썼다.

건봉사乾鳳寺는 강원도 고성군에 소재하는 사찰로 임진왜란 당시 승병을 일으켜 왜적을 격퇴하였던 사명대사泗溟大師 유정惟政이 머물던 절이다. 1799년(정조23년) 건립된 건봉사사명대사기적비乾鳳寺泗溟大師紀蹟碑로 남공철南公轍이 비문을 지었고, 허질許晊이 글씨를 썼다.

조선총독부는 1943년 각도 경찰 부장에게 지시 명령한 <유림儒林의 숙정肅正 및 반시국적反時局的 고비古碑의 철거撤去>를 결정하고, 항일 민족 사상과 투쟁의식을 유발시키고 있는, 민족적 사적비들을 모조리 파괴하려 했다. 그 일환으로 해인사 사명대사석장비泗溟大師石藏碑는 1943년 12월 경무국장의 지시로 합천해인사경찰서에서 무참히 파괴되었다.[197] 이는 총독부 학무국장이 기안하고 경무국장의 지시로 합천경찰서장 다게우라竹浦가 실행한 것이다.[198] 건봉사 사명대사기적비泗溟大師紀蹟碑도 같은 시기에 같은 운명으로 참혹하게 파괴되었다.[199]

파괴되기 전의 해인사 홍제암 사명대사석장비
(보물 제1301호, 국립중앙박물관 소장
유리건판 011287)

197 「韓國佛敎史年表」,『韓國佛敎總攬』, 韓國佛敎總攬編纂委員會, 1994.
198 임해봉,「해인사를 오염시킨 친일승려 변호선」,『무크 친일문제연구』, 도서출판가람, 1994.
199 이구열,『한국 문화재 수난사』, 돌베개, 1996.

건봉사 사명대사기적비
(국립중앙박물관 소장 유리건판 001658)

사명대사석장비의 파괴에는 일제의 의도에 앞서 해인사 주지의 친일 악행이 숨어 있다. 사명대사석장비의 파괴에 앞서 해인사에는 하나의 사건이 있었다. 당시 해인사에는 역사 깊은 강원(법보학원)이 있어 해마다 30여 명의 학승을 배출하였다. 1943년 당시 강백講伯 이고경 스님은 강의의 내용을 불교 경전을 중심으로 하되, 역사, 수학, 지리, 영어 등 일반 중고등학교 수준의 일반 과목도 강의를 하였다. 이고경 스님의 이런 강의 내용은 강원의 학승들에게 민족혼을 일깨우는 내용으로서 당시 일제의 황국신민화 교육에 반하였던 것이다. 이를 시기한 현직 해인사 주지 변설호는 일본 경찰에 밀고를 하였다.

이고경은 1933년 7월에 해인사 주지로 선출이 되어 주지직을 맡았으며, 임기만료 후 다음 주지 선출은 1936년에 있었으나 내부 파쟁으로 인하여 두 번이

해인사 주지로 변설호가 당선되었다는 기사(『매일신보』 1938년 3월 10일자)

나 주지를 선출해 놓고 총독부의 인가를 받지 못했다. 주지의 임명권이 총독부에 있었으니, 총독부의 지시에 비협조적인 주지는 부담이 되었던 것이다. 그 후 1938년 3월 7일에 문제 있는 사람은 모두 제외하고 주지 선출을 한 결과 변설호가 당선되었다.

변설호는 금강산 유점사에 있다가 1935년 9월에 경성포교소 포교사로 부임하면서 친일 행로로 들어서게 된다. 중일전쟁이 1938년 2월에는 유점사 경성포교소에서 일본군의 승리를 기원하는 기원제를 지내고 국방헌금을 거두어 부대에 전달했다. 그 해 3월에 연고가 없는 해인사 주지로 선출된 것은 그가 친일 행각이 총독부 눈에 든 것이라고 할 수 있다.

변설호(창씨명 : 星下桀次)는 1938년 4월 25일부터 조선총독부의 인가를 받아 주지직을 맡게 되었다. 그리고 1944년에는 다시 주지를 선출해야 하는 상황이었다. 그렇기 때문에 해인사 강원의 강의 내용을 빌미로 이고경 등을 경찰에 밀고한 것은 변설호의 다음 해의 차기 주지 선출을 염두에 둔 계획적인 암수라 할 수 있다.

이 정보를 입수한 합천경찰서장 다케우라竹浦고등계 형사 10여 명을 대동하고 해인사에 출동하여 학승들이 소지한 조선의 역사와 순국선열들의 사적이 적인 공책과, 이고경, 임환경

집합하여 새로 건립한 사명대사 석장비

스님의 방을 수색하여 『임진록』 등 당시의 '불온서적'으로 분류된 여러 서적을 증거물로 확보하고 이고경, 임환경 스님을 비롯한 하승 등 20여 명을 합천경찰서로 연행하여 구속하고 온갖 고문을 가했다. 10여 일만에 이고경 스님은 만신창이 되어 생명이 위독해 지자 석방을 했으나 끝내 입적하고 말았다.

이즈음 다케우라는 법보학원 학승들의 노트에서 사명대사의 비문을 발견했는데, 그 비문의 내용에 사명대사가 왜장 가토 기요마사加藤清正와 나눈 대화부분에서, 가토가 사명대사에게 "조선에 보배가 있습니까?"라고 물었을 때 사명대사는 "보배는 일본에 있지요. 지금 우리나라에서는 당신의 머리를 보배로 생각하고 있으니 보배가 일본에 있는 것이 아니겠습니까?"라는 대목에 경찰서장 다케우라는 참을 수 없었던 것이다. 이런 내용을 밀고한 자가 변설호이다. 다케우라는 변설호와 계획하여 해인사 홍제암에 건립된 사명대사의 표충비表忠碑를 파괴하게 된다.

파괴된 사명대사기적비(『강원고성신문』 2011년 6월 22일자)

다케우라는 휘하 경찰과 석수를 데리고 사명대사석장비를 쓰러트리고 비신을 4등분하여 정으로 쪼아 망치로 파괴했다. 당시 해인사 승들은 이 광경을 보고 있었으나 삼엄한 경계에 그저 지켜볼 수밖에 없었다. 네 동강 낸 비석은 해인사 일본경찰주재소 정문의 디딤돌로 사용하고 사명대사 영정도 압수해 갔다.

그 후 디케우라는 통영에 부임하여 이순신 장군을 모신 충렬사에 침범하여 사당의 현판과 충무공의 영정을 훼손하여 없애버렸다. 그는 위대한 조선의 위인 두 사람의 충혼을 파괴한 업보인지 이순신 장군의 영정을 훼손한 지 열흘 만에 전염병에 걸려 급사했다.[200]

해방직후 사명당의 비석파편은 명월당 옆에 모아 두었다가 1958년에 파손된 부분을 떼우고 다시 건립하였다.

같은 해

황산대첩비(荒山大捷碑) 등 반시국적(反時局的) 고비(古碑)의 철거(撤去)

조선총독부는 1943년 각도 경찰 부장에게 지시 명령한 <유림儒林의 숙정肅正 및 반시국적反時局的 고비古碑의 철거撤去>를 결정하고, 항일 민족 사상과 투쟁 의식을 유발시키고 있는, 민족적 사적비들을 모조리 파괴하려 했다.

황산대첩비荒山大捷碑는 전북 남원 운봉면 화수리에 있는 승진비勝戰碑로 태조 이성계가 1380년(우왕6년)에 왜구를 물리친 황산대첩을 기념하여 1577년(선조 10년)에 김귀영金貴榮이 글을 짓고 송인宋寅이 글씨를 썼고 남응운南應雲이 전서 篆書를 써서 건립한 것이다.

1943년 10월 14일자 학무국장이 경무국장에게 보낸 "유림儒林 숙정肅正 및 반

---

200 임혜봉, 『친일 승려 108인』, 도서출판청년사. 2005; 임혜봉, 「해인사를 오염시킨 친일승려 변호설」, 『무크 친일문제연구』, 도서출판가람, 1994; 정운현, 『친일파는 살아있다』, (주)책으로보는세상, 2011.

反 시국적 고적 철거 건"에 의하면,

"수제의 철거 문건 중 「황산대첩비」는 학술상의 사료로 보존의 필요가 있는 것이지만, 그 존치에는 국민사상통일상 지장支障이 미치고 있다면 이를 철거함 역시 어쩔 수 없는 것으로 사료되오므로 개석, 대석 그 일괄 경성 본부박물관에 존치를 요망"하고 있다.

그리고 1943년 11월 23일자(결제) 학무국장이 경무국장에게 보낸 '유림의 숙정 및 반시국적 고적의 철거에 관한 건' 수제의 철거 물건 중, "황산대첩비는 학술상의 사료로 보존을 요하는 것이나 그 존치가 소할 도경찰부장 의견과 같이 현재와 같은 시국하에서는 국민사상통일상 지장이 있으므로 이를 철거 또한 어쩔 수 없는 일로 사료되오니 기타의 물건도 함께 적의適宜의 처치 있기를 바람"이라 하고 '참조'에서는,

참조參照

황산대첩비는 보존령에 의하여 지정을 요하는 정도의 것은 아니지만 이성계가 왜적을 격파한 사적을 기록한 것으로 그의 존재는 당시의 일본인 해외 발전의 업적의 증거로 될 것이고 그 비의 형식形式은 미술사학상 시대의 일 기준一基準이 될 것이므로 현지에서 보존함을 이상理想으로 하나 이것의 존치存置가 치안상 철거할 필요가 있다는 소할경찰당국所轄警察當局의 의견은 시국하 부득不得이 함이 있고 그리고 이것은 경성으로 가져오자면 수송의 곤란함이 적지 않으므로 그 처분을 경찰당국에 맡기려고 하는 바이다.[201]

---

201 黃壽永 編,「日帝期 文化財被害資料」,『考古美術資料 第22輯』, 考古美術史學會刊, 1973.

이라 하고 있다. 이는 각도의 경찰부장이 알아서 폭파하든지 은폐하라는 것이다.

하지만 이 같은 음모는 이보다 앞서 구체적을 행해졌는데, 1943년 8월 18일자로 전라북도 경찰부장이 경무국장, 각도 경찰부장, 관하 각 경찰서장에게 보낸 '유림儒林 숙정肅正 및 반反 시국적 고적 철거 건'(전북고 제1455호)을 보면, 이 문시는 8월 18일자에 보내진 것이지만 그 내용은 이 일자 이전에 행해야 하는 상항들이 뒤죽박죽으로 되어있어 나중에 정리한 것이 아닌가 하는 이문이 든다. 이 속에는 1943년 7월 7일자의 문서(출판경찰관계범죄 사건)[202] 도

1943년 10월 14일자 학무국장이 경무국장에게 보낸 "유림(儒林) 숙정(肅正) 및 반(反) 시국적 고적 철거 건" 문서 (문서에는 색연필로 '廢要'라고 기재하고 있는 점으로 보아 극비 사항임을 알 수 있다)

들어 있다. 따라서 황산대첩비와 관련하여 일제는 1943년 7월 이전부터 철거 대상으로 지목하고 암암리에 진행해 왔던 것으로 보인다.

1943년 8월 18일자로 전라북도 경찰부장이 경무국장, 각도 경찰부장, 관하

---

202 충렬사를 지키던 관계자를 포함한 유림들의 협찬회 명부에 관련한 출판법 위빈사건과 關王廟 祝文 내용의 보안법위반 사건을 적발한 내용.

각 경찰서장에게 보낸 '유림 숙정 및 반 시국적 고적 철거 건'(전북고 제1455호)에는 '요철거 대상물'을 조사하여 이에 대한 철거 방법까지 구체적으로 제시하고 있는데, 정리하면 다음과 같다.[203]

요 철거 대상물

1. 충렬사

　(1) 위치 : 남원군 남원읍 동충리 362

　(2) 건립 : 기원 2272년慶長 17년)

　(3) 연혁 : 풍공豊公: 풍신수길) 재역 때 남원성이 함락할 때 군장軍將이 많이 전사, 그 중 전공이 현저한 팔장八將의 직계자손 8명 및 방계자손 50여 명이 묘당을 건립

　사묘의 형태: 목조와즙木造瓦葺 2동, 비석 3기, 제단 1

2. 관왕묘關王廟

　(1) 위치 : 남원군 남원읍 왕형리 40

　(2) 건립 : 기원 2257(慶長2년)

　(3) 연혁 : 본조 기원 2257년(丁酉役 당시)경 명나라 장수 람유계藍遊戒가 남원에 주재 중 복적伏敵, 對 日本 전승 기원을 목적으로 중국 삼국시대의 명장 관우의 초상을 모신 것을 시작으로 람유계가 물러간 후 기원 2400년(숙종시대)경 남원 재주 유지들이 관우의 영혼이 임진역 이래 정유역

---

203 「儒林 肅正 및 反時局的 古蹟 撤去 件」, 『국립중앙박물관 소장 총독부박물관 공문서』, 목록번호 : 96-152.

까지 조선을 도왔다고 하여 남원읍 왕형리(당시 남원읍 서문 밖)에 묘를 건립하여 관왕묘 또는 탄보묘誕報廟라 하고 매년 춘추 2기에 걸쳐 조정에서 축문 및 제사료를 하사하고 어사를 파견하여 제사를 지내왔다. 그 후 통감부 설치와 동시에 조정에서 제사를 폐지하기에 이르렀다.

1920년 음력 8월에 관왕묘의 제사를 부활했다.

(4) 묘의 형태

목조와즙 3동, 비석 2기

3. 황산대첩비

(1) 위치 : 남원군 운봉면 화수리

(2) 건립 : 기원 2150년경(만력5년)

(3) 연혁 생략

(4) 비각 형태 : 목조와즙 비각 3동

비석 대첩비 1기, 대첩사적비 2기, 어휘비 1기

처치상황

남원지방의 민정의 특수성을 고려, 관왕묘 및 충렬사 철거 및 소속 재산 처분 등 일체를 서장에게 일임

싱명 발표

처분 경위 및 그 이유를 일반에게 징병제 실시 기일인 8월 1일을 기해 성명서를 발표한다.

청산위원회 설치

경찰서장이 위원장으로 하고 서원 및 관계 유림 중에서 위원을 선정하여

청산위원회를 조직하여 협의한다.

8월 1일을 기하여 관계자 일동의 이름으로 성명서를 발표

철거를 요하는 비석 팔상八象 등의 처치는 경찰서장이 일임

사묘 관계 진유제 기물은 일체 헌납

6, 이에 7월 30일 남원경찰서 연식장에서 관계자가 집합하여 협의하고, 다시 7월 31일 관계자를 집합하여 충렬사를 철거하고 향사위비享祀位碑를 소각하고 위령제를 거행함

아울러 8월 1일 징병제도 실시의 역사적 기념일에 관내 유림 유식층에 대하여 별지와 같이 성명서 240통을 발송한다.

금후 경찰의 처치사항

지상 물건의 철거

충렬사 및 관왕묘, 황산대첩비는 동 지방의 사상 사건의 색발索發 및 특수 민정 등을 감안하여 본 비석이 지방민심의 사상적 영향에 미치는 것을 간과하기 어려우나, 해 비각 내에 불은 낙서 등 본 비석에 대하여 현하 국민 사상 통일상 조급히 이를 철거를 요한다.

전기 관왕묘와 황산대첩비는 국유재산에 편입되어 세무서의 관리관계로 소할 남원세무서 절충한 결과 관왕묘 및 황산대첩비각(부설 비각 포함) 남원경찰서에서 이를 불하 받아 철거하는 의견이 있음

지상 물건 철거 처치에 관한 의견

황산대첩비

보관 가치가 없고 이동이 곤란하고 경비지변經費支辨의 방도가 없으므로

이를 폭쇄爆碎 외는 다른 방도가 없다고 사료

헌납 진유식기 및 기물 충렬사 111개, 관왕묘 49개

이를 보면 황산대첩비 뿐만 아니라 관왕묘까지 철거할 것을 구체적으로 진

행되었음을 알 수 있다.

앞문서의 별지(5)에 나타난 '요철거要撤去 물건 목록'은 정리하면 다음과 같다.

요철거(要撤去) 물건 목록

廟殿名	종별	내용 형태	처분 難易	고고학적 보존 가치의 유무	비고
忠烈祠 비석 3기	비석	건립의 趣意史蹟이 새겨 있으며, 종 5척4촌, 횡 3척, 두께 5촌 대리석, 기타 대석, 冠石	易	無	
	비석	사적 및 忠烈稱揚의 辭가 새겨 있고, 종 4척, 횡 2척5촌, 두께 4촌 화강암, 대석, 관석	易	無	
	비석	추도비 종 3척5촌, 횡 1척5촌, 두께 3촌 화강암, 대석 및 관석	易	無	
關王廟	비석	묘 설립의 유래를 새겼으며, 종 5척, 횡 3척, 두께 4촌 화강암, 대석에 1각자 판독 어려움	易	無	
	비석	관왕묘 선립년자가 새겨 있으며, 종 4척, 횡 2척, 폭 3촌의 화강암, 타 대석, 관석	易	無	
	人像	관우상. 목상조각 朱塗座像 형태로 보통 사람의 3배로 큼	移動 容易	有	
	人像 (2기)	관우의 목상 조각 입상, 형태는 보통 사람의 1배반 크기	移動 容易	예술적 가치 있음	

廟殿名	종별	내용 형태	처분 難易	고고학적 보존 가치의 유무	비고
荒山大捷碑 및 附屬碑石	비석	이성계의 왜구 토벌의 사적이 새겨 있으며, 형태는 종 9척8촌, 횡 4척8촌, 두께 1척	異動이 자못 곤란하며 經費支辨의 길이 없음	有	대리석 타의 거북 모양의 대석, 관석과 함께 거대하여 이동이 곤란한 화강암
	비석	전투 상황이 새겨 있으며, 형태는 종 4척5촌, 횡 2척5촌, 두께 4촌 대리석	易	無	
	자연석	御諱碑 이성계 전첩 기념을 새겼다고 전함 형태 자연암	破碎 혹은 抹消를 要	無	

파괴된 황산대첩비 비신

황산대첩비는 결국 남원 경찰서장에 의하여 다이나마이트로 폭파되어 산산조각이 나버렸다. 이를 폭파시킨 남원의 경찰서장은 그 외에도 제사를 지내는 것도 금지 시켰으며, 전시 중에도 한국인을 혹심하게 핍박하여 민족적 반감이 극에 달했다. 이런 일들로 인해 해방 이후 일본으로의 귀국을 서둘렀다. 그는 정읍의 일본인을 목포에서 선박으로 귀국시키려 했으나 마음대로 되지 않자 1945년 9월 10일경 허가를 받지 않고 사표

를 내고 목포에서 일본으로 도망해 버렸다.[204]

황산대첩비는 이후 파편만 남았던 것을 1957년에 귀부와 이수를 그대로 이용하여 비신을 다시 제작하여 중건했다. 파괴한 비신은 일제의 만행을 상기시키기 위해 파비각을 만들어 보관하고 있다.

그리고 총독부가 작성한 파괴대상의 격파 기념비 목록은, 1943년 10월 14일 (기안) 학무국장이 경찰국장에게 보낸《유림儒林의 숙정肅正 및 반시국적反時局的 고비古碑의 철거撤去에 관關한 건건》에 '현존유사비일람표現存類似碑一覽表'로 작성하여 분류해 놓고 있는데 그 목록은 다음과 같다.

현존유사비일람표(現存類似碑一覽表)[205]

명칭	소새시	비고
고양 행주전승비(幸州戰勝碑)	경기도 고양군 지도면	
청주 조헌전장기적비(趙憲戰場紀蹟碑)	충북 청주군 청주면 상생리	
공주 명남방위종덕비(明藍芳威種德碑)	충남 공주군 주외면 금성리	
공주 명위관임제비(明委官林濟碑)	충남 공주군 주외면 금성리	소화17년 7월 공주사적헌창회에서 置撤
공주 망일사은비(望日思恩碑)	충남 공주군 주외면 금성리	소화17년 7월 공주사적헌창회에서 置撤
아산 이순신신도비(李舜臣神道碑)	충남 아산군 음봉면 삼거리	
운봉 황산대첩비(荒山大捷碑)	전북 남원군 운봉면 화수리	금회 철거
여수 타루비(墮淚碑)	진남 여수군 여수면	
여수 이순신좌수영대첩비(李舜臣左水營大捷碑)	전남 여수군 여수면	소화17년 3월 철거

---

204 森田芳夫,「朝鮮 終戰의 記錄」(金良圭 註釋),『全羅文化研究』제7집, 1993. 12, 전북향토문화연구회, p.161.
205 『국립중앙박물관 소장 총독부박물관 공문서』, 녹목번호 : 96-152.

명칭	소재지	비고
해남 이순신명량대첩비(李舜臣鳴梁大捷碑)	전남 해남군 문내면 동외리	소화17년 3월 철거
남해 명장량상동정시비(明張良相東征詩碑)	경남 남해군 남해면 선소리	
합천 해인사 사명대사석장비(四溟大師石藏碑)	경남 합천군 가야면 해인사	
진주 김시민전성적비(金時敏戰城敵碑)	경남 진주 내성동	
진주 총석정충단비(矗石旌忠壇碑)	경남 진주 내성동	
통영과 남해의 이순신충렬묘비(李舜臣忠烈廟碑)	경남 통영군 한산면 두억리 경남 남해군 차면리	
부산 정발전망유지비(鄭撥戰亡遺址碑)	부산부	
고성 건봉사 사명대사기적비(四溟大師紀蹟碑)	강원 고성군 거진면 건봉사	
연안 연성대첩비(延城大捷碑)	황해 연백군 연안면	
경흥 전보파호비(塵堡破胡碑)	함북 경흥군 조산동	
회령 고충사터(顧忠詞址)	함북 회령군 회령면	

부여 무량사 범종 공출

부여 무량사 범종도 이 당시에 사라질 뻔했다. 무량사 범종은 종신에 비천상이 새겨져 있으며 종소리도 훌륭하여 새벽 예불시간에는 종소리가 10여리까지 들렸다고 한다. 1943년 일본관헌들은 무량사측에 강제로 압력을 가하여 이 범종을 공출토록 만들어 논산에 있는 철공소까지 운반되었다. 당시 논산 철공소에 모여진 철물은 각 사찰에서 빼앗은 물건과 각 가정에서 빼앗은 물건으로 가득하였다. 이들 철물은 전쟁용 장비나 실탄을 만들기 위해 일단 녹여서 군수품 제작공장으로 보내고 중요한 문화재는 일본으로 실어 가는 상황이었다. 다행

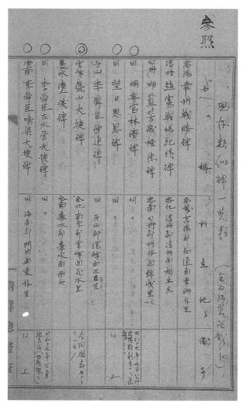

현존유사비일람표

스럽게도 해방이 될 때까지 무량사의 범종은 논산을 벗어나지 않고 있었다. 해
방이 되자 이 지역 각 사찰에서는 빼앗긴 물건을 찾기 위해 논산철공소에 모였
을 때 이 무량사 종을 서로 자기 절의 종이라고 나서는 바람에 정작 무량사의
승려도 어찌할 바를 몰랐다고 한다. 다행히 종신에 양각된 '무량사대종無量寺大
鍾'이란 기록으로 인해 찾을 수 있었다고 한다.[206]

---

206 부여군, 『전통문화의 고징 부여』, 1992.

이 해에 평양의 석암리 제293호분(목곽), 석암리 제294호분(전곽), 석암리 제297호분(전곽)이 고이즈미 아키오小泉顯夫, 오노 타다아키小野忠明, 나카무라 하로이사中村春壽에 의해 발굴 조사가 되었으나 보고서가 미간이라 그 내용을 알 수 없다.[207]

이 해에 정림사지가 후지사와 가즈오藤澤—夫에 의해 계속적으로 발굴이 되었으나 보고서는 남기지 않았다.[208]

207 梅原末治,『朝鮮古代の文化』, 國書刊行會, 1972, p.32.
208 藤島亥治郎,『韓の建築文化』, 1976.

朝日修好條規

大日本國與

大朝鮮國素敦友誼歷有年所今
洽欲重修舊好以固親睦此因日本
全權辦理大臣陸軍中將兼參議院
隆特命副全權辦理大臣議官外務
卒府朝鮮國政府簡列中樞府事申
承各遵所奉論旨議立條款慨列于左

一,第一款

朝鮮國自主之邦保有與日本國平等之權嗣後兩

우리 문화재 수난일지

1944년

1944년 2월 25일

세검정(『매일신보』 1924년 9월 29일자)

세검정 전소

창의문 밖에 있던 세검정은 2월 25일 오전 11시경 세검정 밑에 있는 유지油紙공장에서 직공의 실수로 발화하여 공장을 전소한 후 불길은 세검정에 인화하여 이를 전소하였다.[209]

1944년 6월

부여 부소산 유적지 표주석 설치

부여 부소산 사지의 발굴 조사가 끝나자 이에 대한 조사보고서는 일체 작성치 않고 단지 이곳이 백제시대의 절터라는 것을 알리는 표주석을 세우게 되었다.

『매일신보』 1944년 7월 1일자에는 다음과 같은 기사가 있다.

---

209 『每日申報』 1944년 2월 27일자.

부소산성 유적지(국립중앙박물관 소장 유리건판)

1천4백년의 역사를 숨기고 있는 성지 부여의 일각 부소산 중턱에 남은 백제성지의 발굴 작업은 지난 1942년 9월부터 시작하여 수많은 귀중한 유물을 캐어내어서 백제문화의 구명에 크나큰 역할을 하고 있는데 동시에 이곳은 백제 절터인 것이 판명되어 탑터 금당터 회랑 등 당시의 기구가 선내유일의 이중기단이며 법륭사 금당이나 탑과 꼭 같은 것으로 보아 비조시대의 건축은 백제시대의 양식인 것이 판명되어 고대문화 연구가에게 내선문화교류에 대한 좋은 자료를 제공하고 있는데 부여분관에서는 영구히 절터를 보존하고 사실 연구에 도움이 되도록 부여신궁사무소의 직영으로 하여 작업을 진행시키고 있다. 또한 이후 비사秘史를 알 수 있도록 시멘트 표주를 세웠다.

1944년 8월 28일

불상, 불구 헌납

8월 28일 경성 욱정 2정목 9번지 닛타 요시타미新田義民은 소구루마에 불상 10여 체를 헌납하고, 8월 29일 초음정 요네무라米村은 향로 등 불구 30여 점을 헌납하였다.[210]

1944년 8월

보물로 지정된 보신각종까지 공출 요구

1944년 8월 12일 국민총력경성연맹회장이 국민총력 조선연맹사무국 총장에게 보낸 '결전하 금속회수의 강화 철저의 건'에,

결전 하 금속류 회수의 더욱더 강화하지 않으면 안 될 이때 일반대중은 정신협력의 의기를 보이고 있는데도 불구하고 종로가 보신각의 대종, 총독부 청사내의 동상 등이 지금도 그대로 잔치되고 있음은 당국의 진두수범상 일고를 요할 것임. 기타 부내에 있어서는 사원, 교회등 각 방면에 걸쳐 존재하는 금속류가 아직도 상당히 있는 것으로 인정되는데 이들도 즉각

---

210 『每日申報』1944년 8월 30일자.

공출의 처치로 나와야 될 것으로 思考됨.[211]

이라고 하고 있다. 사찰 유물은 1943년에 한창 헌납이 되어 1944년 전반기에
오면 중요 유물 외에는 대부분 '헌납'이란 이름하에 공출 당했다. 더 이상 내놓
을게 없게 되자 지정 유물까지 마수가 뻗치게 된 것이다.

1944년 8월 12일자 국민총력경성부연맹회장이 국민총력조선연맹사무국 과
장에게 보낸 '하정상통下情上通에 관한 건'에 의하면, 7월 21일 경성부연맹 정례
이사회에서 좌기의 通 각원으로부터 의견의 개진開陳으로 관계 당국에 상달하
여 '결전 하 금속 회수의 강화 철저에 관한 건'으로서 종로의 보신각종을 공출
해야 한다고 주장하고 있다.[212]

고적보존 시설 철망 공출

1944년 8월 22일(기안) 학무국장이 경기도지사에게 보낸 '보물보존 시설의
철망 등 공출에 관한 건'에 의하면, 경기도 관하 소재의 보물의 보존시설의 책柵
으로 사용한 금속류를 금속회수로 공출하라고 했는데 다음과 같다.

보물 제2호 경성 동대문 '철책'

---

211 黃壽永,『日帝期 文化財 被害資料』, 1973.
212 「昭和17年 以來 古蹟關係庶務雜綴」,『국립중앙박물관 소장 총독부박물관 공문서』, 목
    록번호 : 96-152.

보물 제3호 경성 보신각 '철망'

보물 제4호 원각사지다층석탑 '철책'[213]

1944년 9월 3일

『매일신보』 1944년 9월 4일자 기사

불상, 불구 헌납 법요

금속회수운동을 하여 그간 해군무관부에 헌납된 불상과 불구만 해도 6백여 점이나 되어 해군무관부 주최로 9월 3일 오후 3시반에 경성부 태화정에 있는 조계사에서 주최 측으로부터 해군무관부 지방해군 인사부 이시가미石上를 비롯하여 후루미치古市 경성부윤, 요네사와米澤 경기도 지방과장 등 군관민이 다수 참렬한 가운데 헌납법요를 성대히 집행했다.[214]

---

213 「昭和17年 以來 古蹟關係庶務雜綴」, 『국립중앙박물관 소장 총독부박물관 공문서』, 목록번호 : 96-152.

214 『每日申報』 1944년 9월 4일자.

같은 해

『삼원장태랑씨수집품도록』 발간

스기하라 쵸타로杉原長太郎의 부친 스기하라 신키치杉原新吉는 1903년경에 경부선 철도공사를 청부받아 대구 북문 밖에서 목재상을 개업하여 대구에 정착하였다. 당시의 시류에 힘입어 경영의 편의를 얻어 상당한 부를 축적할 수 있었다. 스기하라 쵸타로杉原長太郎는 야마구치상고를 졸업하고 부친의 업을 계승하여 산원합지회사의 사장으로 대구에 본서지를 두고 활동하였다. 경상북도 도의원, 대구부회부회장 등 지방자치행정에도 참여한 유지로 풍부한 금력으로 조선의 중요유물들을 수집하였다.[215]

1944년에는 『조선고고도록』의 제2책으로 도록까지 만들었는데 이는 그의 수집품 중에서 주요한 것만을 선택하여 발간하였다. 낙랑시대부터 조선 때까지의 사료적 가치가 높은 것과 퇴계 필 병풍을 비롯한 고려청자, 조선백

『삼원장태랑씨수집품도록』

이 도록은 경성제대 교수 후지타 료사쿠(藤田亮策)를 중심으로 조선고고학회의 학문적 연구의 업적으로 만들어졌다. 서문은 시라카미 슈키치(白神壽吉)가 썼다.

---

215 山重雄三郎, 『大邱案內』, 麗浪社. 1934.

자 등 1급품들만 수두룩하게 수록되어 있다.

그의 수집품 중에서 낙랑백경樂浪白鏡과 호박패옥琥珀佩玉은 평안남도 평양을 중심으로 한 낙랑시대의 유물로 수집가들이 가장 애호의 대상으로 삼는 것들이다. 스기하라의 수집품 중에는 평양의 나카니시中西의 진장품도 포함되어 있다.

나카니시中西는 평양에서 최고참의 골동상으로 낙랑유적 출토품에 대해 일찍부터 관심을 가지고 수집하였던 것인데 이런 등이 조금씩 산일되어 그 최후에 애장하고 있던 수점이 스기하라의 손에 들어갔다고 한다.

스기하라의 소장품 중 '환두태도', '령부호'에 대해 시라가미白神壽吉는 "이것은 신라 또는 가야고분의 부장품으로 그 출토지가 밝혀지지는 않았으나 경남 또는 창령 고분에서 획득한 것으로 생각한다"고 한다.

세형동검은 선산 부근에서 출토된 것으로 전해진다. 또 가형도호家型陶壺는 경상남도 합천군 출토라 전하는 신라 또는 가야지역의 고분 속에서 나온 것으로 추정되고 있다.

마지은니릉엄경麻紙銀泥楞嚴經 권 제10은 1943년 12월 30일 조선총독부고시 제1511호에 의해 보물 제418호로 지정되기도 했다. 그 외 분청사기연화문편호도 보물로 지정되었다.

스기하라는 해방이 되자 그의 소장품 모두를 대구시에 헌납하였다.

낙랑경
나카니시 카이치(中西嘉市)의 구장품으로
스기하라가 구입한 것이다.

오가와 게이키치(小川敬吉)가 가져간 수집 자료

오가와 게이키치小川敬吉는 1944년에 조선총독부를 퇴직하고 고향인 후쿠오카현福岡縣으로 돌아갔기 때문에 그가 수집한 자료는 고스란히 일본으로 가져갔다. 그의 사후에 수집 자료는 우메하라 스에지梅原末治의 중개로 대부분이 교토대학 공학부 건축학교실에 기증되었으며, 고고자료는 고고학연구실에 기증되었다.[216] 요시이 히데오吉井秀夫가 소개한 '경도대학종합박물관 소장 고구려 유물(평양주변 출토물)'속에는 오가와가 1926년 6월 27일에 평안남도 대동강면 토성리 부근에서 채집한 헌환와軒丸瓦 2점이 소개되어 있다.[217]

문화재관리국은 1994년 2월 24일 해외에 있는 우리 문화재 실태조사 작업의 하나로 일본에 있는 우리 문화재 관련 자료를 조사한 결과, 교토대학에 관련 사진 2천2백69장, 조사야장(건축설계의 수치자료) 2천2백3장, 탁본 5백53장 등 모두 5천25장의 방대한 자료가 교토대학에 소장돼 있다고 밝혔다. 이 자료는 1916년부터 1943년까지 조선총독부에 근무하며 각종 문화재 수리공사 및 유적 조사에 참여한 오가와 게이기치(1882~1950)가 보관해오다 죽으면서 교토대학에 기증한 것으로 알려졌다.

이들 자료 중에는 특히 일제 때 해체 복원됐으나 자료가 발견되지 않아 자세한 기록을 알 수 없었던 경북 영풍군 소재 부석사 무량수전과 조사당, 충남 예

---

216 水谷昌義 編纂, 「故小川敬吉氏蒐集資料目錄」, 『朝鮮學報』 116輯, 1985.
217 吉井秀夫, 「日本 西日本地域 博物館에 所藏된 高句麗 遺物」, 『高句麗 遺蹟 發掘과 遺物』, 高句麗研究會, 2001.

산 수덕사 대웅전 그리고 북한 소재 성불사 응진전 등의 해체·수리 기록도 포함돼 있어 고려시대 건축사 연구에 귀중한 자료로 평가되고 있다.[218]

세한도를 찾아온 손재형의 열정

해방 전에 소전 손재형이 세한도를 입수하기 위해 후지즈카 지카시藤塚隣에게 여러 가지 방법으로 양도하여 줄 것을 간청하였으나 후지즈카는 완강히 거절하였다. 2차대전이 막바지에 접어들자 후지즈카는 세한도를 비롯한 모든 서적을 가지고 1943년에 일본으로 귀국해 버렸다.

손재형은 원래 진도의 만석꾼으로 목포극장을 운영하는 실업가이기도 했지만 서예가로 널리 알려져 있었다. 양정고등보통학교 학생시절 이미 선전에 특선하였을 정도로 천재적 소질을 가진 서예가이기도 했다.

손재형이 추사의 글씨를 처음 구입할 당시 일화가 있다. 1920년대 경성미술구락부 경매에는 후지지카의 추사 연구에 힘입어 거의 매회 추사의 글씨가 등장하였다. 일본인들도 추사에 대해서만은 존숭의 대상으로 삼아 귀히 여겼던 것이다.

1920년대 중반 경성미술구락부 경매에서 사람들의 눈과 귀를 의심케 하는 일이 벌어졌다. 이때까지만 하여도 대수장가 간송 전형필이 등장하기 전이다. 또한 경성미술구락부의 출입은 일본인들의 전유물처럼 여기질 때이기도 하다. 그 때 양정고보 학생이 추사의 횡액橫額 현판글씨를 거금 1천원을 주고 매입을

---

218 『한겨레신문』 1994년 2월 25일자; 『서울신문』 1994년 2월 25일자.

하였다. 이는 장안의 화제가 되었으며 골동계에서는 전혀 알려지지 않은 20대 초반의 청년이 거금 1천원으로 추사의 글씨를 구입했다는 것은 귀를 의심케 하기에 충분했다. 어떤 사람이 "네가 진정 추사 선생에 대해 무얼 아느냐?"고 물으니, 청년 손재형은 "나도 글을 볼 줄 압니다" 라고 당차게 대답했다고 한다.

이를 구입한 손재형은 양정고보 시절 제4회 선전에서 당당히 입선하였다. 그 후에도 9회, 10회에서 특선을 하여 그의 진면목을 발휘하였다.

그때 학생 신분으로 구입한 추사의 글씨는 '죽로지실竹爐之室'로, 추사가 초의선사와 교우를 하면서 초의선사의 방호房號로 지어준 것이다. 손재형이 처음으로 구입한 추사의 '죽로지실竹爐之室'을 무척 아껴 수장하다가 후에 호암미술관으로 들어갔다.[219]

'죽로지실(竹爐之室)'

손재형은 서화작품 수장에 있어서도 당시에는 둘째가라면 서러울 정도로 질적으로 우수한 작품을 많이 가지고 있었다. 오봉빈은 소전 손재형의 수장품에 대해 "청년 서노 대가요 그 위에 감식안이 충분한 이다. 그 방면에 감식안과 취미가 많고 또 자금력이 충분하다. 그가 모은 서화 골동 모두가 일품이오 진품

219 윤철규, 「명품유전」, 『중앙경제신문』 1989년 1월 18일자.

이다"라 하고 있다.[220] 손재형은 긴송에 비해 수장량은 부족하지만 질에 있어서는 상당한 일품을 소장하고 있었다. 특히 서도박물관까지 꿈꾸었다고 한다.

서화에 심취해 있던 손재형은 특히 추사를 숭배하여 추사의 작품 뿐 아니라 인장 기타 여러 가지 추사의 생전에 애용하던 물건들을 수집하고 있었다. 그런 그에게 추사의 가장 대표적인 작품이 일본으로 건너갔다는 소식은 대단한 충격이었다.

손재형은 이것을 기어이 찾아오리라 결심을 굳히고 일본으로 건너가게 된다. 이것은 소전 손재형이 추사와 우리 미술품에 대한 애착이 얼마나 강했는지를 보여주는 일면이라 할 수 있다.

당시 동경은 2차대전 말기인지라 계속되는 미군기의 공습으로 살벌하기 그지없었으며 후지즈카는 노환으로 병석에 누워 있었다. 손재형은 후지즈카를 찾아가 문안 인사를 올렸다. 후지즈카는 위험한 당시 상황임에도 불구하고 일본으로 건너온 손재형을 보고 놀라지 않을 수 없었다. 찾아온 뜻은 말하지 않았지만 후지즈카는 그 뜻을 모를 리 없었다. 다음날도 그는 후지즈카를 찾아가 무릎을 꿇고 인사를 올렸다. 이러한 날이 계속되었다.

나중에는 "손선생. 내가 눈을 감기 전에는 '세한도'를 내 놓을 수 없지만 세상을 뜰 때 내 아들에게 유언을 해서라도 선생에게 보내드릴 터이니 이제 그만 조선으로 돌아가십시오. 선생이 내 집을 방문하기 시작한지도 벌써 석 달째가 되는군요. 내가 선생의 뜻을 알게 되었으니 염려마시고 어서 조선으로 돌아가십시오"

값의 고하를 막론하고 생명처럼 아끼는 것을 끝까지 지키고 싶었던 것이 당시 추사연구에 일생을 바쳐온 후지즈카의 심정이었던 것이다. 서화에 심취해

---

220 『東亞日報』1940년 5월 1일자.

있던 손재형으로서는 개인적인 소장의 집념도 있었겠지만 국가적인 차원에서의 우리 귀중문화재를 되돌려 받으려 했던 것이다.

손재형은 후지즈카의 이 말에도 흔들리지 않고 문안 인사를 계속했다. 당시 공습이 더 심해지고 있었기 때문에 불안하고 초조하였지만 세한도를 두고 빈 손으로 갈 수가 없었던 것이다. 일주일이 또 지나갔다. 손재형은 드디어 단념을 하고 귀국하기 전날 저녁에 귀국인사를 겸하여 후지즈카에게 전화를 하였다. 내일은 귀국을 하겠으니 다시 한번 더 깊이 생각하라고 최후통고를 하였다. 지성이면 감천이라고 드디어 후지즈카도 손재형의 끈기에 탄복하고 결국 세한도를 내어 주게 되었다.

후지즈카 옹이 손재형에게 세한도를 넘겨주면서 "귀하의 끈질긴 성의와 문화재 애호에 대한 열의에는 세한도 이상의 보물일지라도 양도를 아니 할 수 없다"라고 하였다. 1944년 12월 세한도를 받을 때의 가격은 알려지지 않았으나 상당한 고가를 지불하였을 것이다.

세한도를 찾아온 일화는 손재형이 이것에 대한 집념이 얼마나 상했는지를 보여 주기도 하였으나 한국인으로서는 통쾌한 일이 아닐 수가 없다.

끝내 세한도를 찾아온 손재형은 귀국 즉시 당대 최고의 서화 감식가인 위창 오세창을 찾아가 세한도를 보였다. 80세의 위창은 크게 감탄하면서 그 발문에 다음과 같이 기술하고 있다.

세계에 전운이 가장 높았을 때에 손군 소전이 훌쩍 현해탄을 건너가 거액을 들여 우리나라의 진귀한 물건 몇 종을 사들였으니 이 그림 또한 그 가운데 하나이다. 포탄이 비와 안개처럼 떨어지는 가운데 어려움과 위험을 두루 겪으면서 거우 뱃머리를 돌려 돌아왔다. 슬프도다. 만일 생명보다 더 국보를 아끼는 선비가 아니었다면 어떻게 이런 일을 할 수 있었겠는가. 훌륭하고 훌륭하도다. 비밀에 붙이고 말하지 않아 사람들이 알지 못한 지 5-6년이 지났다. 금년 9월에 군이 문득 소매에 넣고 와서 나에게 보이기에 서로 펴서 읽고 어루만지니 비유컨대 황천에 있는 친구를 일으켜 악수하는 것과 같아 기쁨과 슬픔이 한량없다. <중략>

대한절 이틀 뒤 팔십육세 노우 위창 오세창이 발문을 짓다.[221]

이후 손재형은 1946년 평소 가까이 지내던 정인보에게 세한도를 보이고 시를 써달라고 하니 말미에,

슬프도다 오랜 영겁에 초목도 보존하지 못하네.

국보 그림 동쪽으로 건너가니, 뜻있는 선비들 처참한 생각 품고 있었네.

건강한 손군이 한 손으로 교룡과 싸웠네.

반전 뒤에 이미 삼켰던 것 빼앗으니, 옛 물건 이로부터 온전케 되었네.

한 그림 돌아온 것, 이제 강산 돌아올 조짐임을 누가 알겠는가.

이라 써주어 그 공적을 잊지 않았다.

세한도를 찾아온 몇 년 후 손재형은 일본에 가있던 단원 김홍도의 '군선도병풍群仙圖屛風'을 찾아 온 것도 유명하다.

---

221 國立中央博物館, 『秋史 金正喜 學藝一致의 境地』, 통천문화사, 2006.

이 병풍은 원래 구한 말 명문가인 안동 김가 김용진이 소장하고 있었던 것으로 언제부터 소장하였는지는 알 수 없으나, 1930년대에 임상종의 수장품으로 들어갔다.

임상종은 천석지기 부자로 한시에 능해 일찍이 신문에도 그의 시가 실리기도 했다.[222] 특히 서화에 골몰하여 서화를 사 모으는데 그의 재산을 모두 처분하다시피 했다. 나중에는 고리대금업자 최싱규라는 자에세 군선노를 비롯한 고서화를 담보로 돈을 빌려 썼다가 이자가 눈덩이처럼 불어나 그의 수장품 모두는 고리대금업자 최상규에게 원금과 이자로 넘어가고 말았다.

단원 김홍노의 '군선도병풍(群仙圖屛風)'

군선도는 후에 최상규의 손에서 민규식에게 넘어갔다.

『원재선명인사급경성민씨가구장품 서화병조선도기전관매입』이란 도록이 있는데, 언대는 나타나 있지 않지만 조선총독부도시관의 등록빈호를 보면 1943년 12월 15일로 기록된 점으로 보아 1943년 이전에 이루어진 경매로 보인다. 이 목록에는 출품 수는 450번까지만 들어 있고 이하는 생략되어 있어 정확한

222 『東亞日報』 1936년 8월 13일자.

출품 수는 알 수 없다.

이 도록에는 '군선도'는 나타나 있지 않고 단원의 또 다른 '해상군선도8곡병풍'이 사진과 함께 게재되어 있는데 '김홍도 설색해상군선도金弘道 設色海上群仙圖'라 제해 있다. 병풍이 아주 낡은 상태로 나타나 있다.

'야마모토 코조山本好造 구장'이라 게재되어 있어 '해상군선도'는 야마모토山本로부터 구입한 것임을 알 수 있다. 야마모토山本는 『조선인사흥신록』에 의하면 1911년에 한국에 건너와 광주농공은행 촉탁, 후에 식산은행 대구지점장을 역임한 것으로 나타나 있다.[223]

민규식이 '해상군선도8곡병풍'은 경매장에 내놓으면서 '군선도'는 내놓지 않은 것을 보면 군선도'는 무척 아꼈던 것으로 보인다.

6·25가 일어나자 민규식은 납북되고 민규식의 일본인 부인이 이 병풍에서 그림만 떼어 부산으로 피난을 갔다. 이때 떼어낸 흔적으로 현재 새로 꾸며진 병풍은 각 폭마다 약간씩 어긋나며 그림 하단에 바탕으로 그렸던 잡초 등이 잘려 나갔다. 일본인 부인은 부산에서 그림을 팔고자 하였으나 여의치 않자 도쿄 한국은행지점에 근무하는 아들에게 보내 버렸다. 그 후 이런 사실을 알게 된 손재형이 민규식의 일본인 부인을 만나 빨리 찾아올 것을 종용하였다. 일본으로 건너간 군선도는 다행히 팔리지 않았다. 손재형은 상당한 값을 치루고 인수하였다. 세한도와 함께 일본에서 찾아온 또 하나의 쾌거라 할 수 있다.

---

223 '해상군선도8곡병풍'은 당시 누가 경락하였는지 현재 어디에 소재하고 있는지 모르지만, 북한학자 김용준은 「단원 김홍도의 창작활동에 관한 약간한 고찰」(『문화유산』, 1960)에서, 단원은 '해상군선도' 대작을 여러 점 그렸다고 한다.

경성미술구락부 경매도록

이때까지만 하여도 손재형은 후지스카로부터 양도받은 '세한도'와 글씨로는 추사의 예서대련 「호고유시수단갈, 연경루일파음시好古有時搜斷碣, 研經累日罷吟詩」가 있었고 단원의 '군선도', 심용진의 구정이던 '소림명월도疏林明月圖'가 늘어 있는 『병진년화첩』을 비롯한 겸재의 '인왕제색도', 위창 오세창이 가장 아끼던 겸재의 '해금강도' 등 최고의 서화 명품을 수장한 대수장가였다.

이후 손재형은 1947년 진도에 재단법인 진도중학교를 설립하였으며 1949년 제1회 대한민국미술전람회부터 심사위원을 역임했다. 1958년에는 제4대 민의원 의원에 당선되어 정치활동을 하였다. 정계에 발을 들여놓은 것이 화근이 되어 이때부터 그의 비대한 소장품들은 하나 둘 그로부터 떠나기 시작하였다. 고두동은 그의 회고에서,

그 때는 자유당이 패망하고 신민당이 득세하는 무렵인데 소전은 야당으로 다시 국회의원에 출마할 의사를 가졌었다. 이때 월전 형은 소전의 출마를 한사코 말렸다. '자유당에서 문교위원회 위원장까지 지냈으니 이젠 문화계에도 할 일이 많지않소 국회 출마는 단념하고 문화계로 복귀해요'라고 간곡히 권했던 일이 생각난다. 그때 월전 말대로 야당으로 출마하지 아니 했던들 그 좋은 고서화와 골동품들이 남의 손에 넘어가지 아니 했을 것이다.[224]

라고 하며 매우 애석해 하고 있다.

그 때나 지금이나 한 번 정치에 발을 들여 놓으면 빠져 나오지 못하는 것은 마찬가지인 듯하다. 손재형은 국회의원에 출마하면서 선거자금 마련이 어렵게 되자 그간에 모아온 수많은 미술품들을 처분하게 된다. 김홍도의 군선도(현재 국보 제139호)를 비롯한 추사의 글씨 2점은 중계인을 통해 현 호암미술관으로 들어가고 그 외 겸재 정선의 인왕제색도를 비롯한 많은 서화작품들이 처분되었다.

또 세한도를 비롯한 한 무리의 서화를 가회동에 살고 있던 개성 사람 이근태에게 저당을 잡히고 거액의 돈을 빌렸다. 그러나 계속된 경제적 어려움으로 그 돈을 갚지 못하여 끝내 되찾지 못하고 말았으니 그가 세한도에 기울었던 집념을 무색케 했다.

수집가에게는 가장 귀한 것이 빠지면 다른 것은 모두 졸자로 보이듯이 손재형은 세한도를 잃고 난 후 골동에 취미를 잃었는지 수장하고 있던 다른 것도 다른 사람에게 양도하고 그 후에는 수집을 포기하고 말았다.

---

224 고무통, 「소전 손재형의 인간과 예술」, 『예술인보』 25호, 1981.

세한도를 인수받은 이근태도 자기 돈으로 빌려준 것이 아니라 남의 돈을 빌려 손재형에게 다시 빌려준 것이었다. 이로 인하여 이근태도 나중에 경제적 어려움에 직면하자 개성 갑부 손세기에게 넘겼다.

당시 손세기는 추사의 작품에 대해 특별히 애착을 가지고 수집을 한 사람이다. 이한복이 소장하였던 추사의 '부작난도'와 유복렬이 소장하였던 '추란도', 추사의 대련 '고목회영거후 석양초체객래초古木會嶸去後 夕陽迢遭客來初'까지 수장하였다.

1810년 추사가 연경에 머물고 있을 때 주야운朱野雲으로부터 '선면고목한아도扇面古木寒雅圖'를 선물로 받았는데,[225] 추사는 귀국 후에도 이 '선면고목한아도扇面古木寒雅圖'를 진장 애완하다가 어느 날 감회가 있어 '고목회영거후 석양초체객래초古木會嶸去後 夕陽迢遭客來初'를 즉흥적으로 휘호 하였다고 한다.

후에 추사는 선면고목한아도扇面古木寒雅圖'를 받은 답례로 주야운에게 '古木會嶸去後 夕陽迢遭客來初'를 선사 하였다. 그 후 이것은 북경의 어느 수장가가 소유하고 있었는데 일제강점기에 만주국 영사로 있던 박석윤朴錫胤이 간청하여 양도받아 국내로 들어오게 되었다. 손세기는 오래 전에 이 작품에 대한 이야기를 듣고 어떻게 해서든지 한번 감상이라도 할 수 있었으면 하고 고대했었다고 한다. 그러나 이 작품은 당시 장모 권력가의 수중에 들어감으로서 좀처럼 기회를 얻을 수 없었다고 한다. 여기에서 말하는 장모는 추사의 작품을 많이 소장하고 있던 장택상을 말하는 것이 아닌가 생각된다.

---

225 藤塚鄰,「金秋史の人燕と翁,阮二經師」,『東方文化社叢考』, 大阪玉號書店, 1935.
　　朱野雲은 畵壇의 名家로, 자신의 그림을 추사에게 준 것이 여러 점 있다. 위 논문의 부록편에는 추사 관련 문헌 목록을 제시하고 있는데 대부분은 藤塚鄰이 소장한 것으로 그 수량만 하여도 놀랄 만하다.

손세기孫世基의 자술에 의하면,

그러던 중에 이것이 다시 어느 곳인가로 비밀리 이동되었다는 정보를 듣
게 되었다. 수장처를 알고 있을 때에는 그래도 기대가 있었는데 막상 행방
이 묘연해지자 일종의 허탈감까지 생겼다. 그러나 나는 이에 대한 흥미와
호기심을 버릴 수가 없어 무려 수십 년간을 두고 탐색하고 추적한 끝에 수
장처를 알아내었다. 그리하여 천행만고의 과정을 거쳐 이 작품을 마침내
내 수중으로 들어온 것이다.[226]

수집가들은 이같이 한번 마음먹은 작품에 대해 미련을 버리지 못하고 집착
을 한다. 이를 수중에 넣은 손세기는 "수시로 꺼내어 감상하노라면 황홀경에
도취되어 표현할 수 없는 무아지경에 빠지는 수가 한 두 번이 아니다"라고 하
고 있으며 자신의 가장 아끼는 애장품으로 소개하고 있다.

1973년 4월 17일부터 6월 17일까지 국립중앙박물관에서《한국고미술2000년
전》을 개최하였는데, 이때 손세기 씨 소장으로 세한도가 출품되었다. 당시 전
시에는 개인 소장의 공개되지 않았던 명품들이 많이 나왔다. 개인이 가지고 있
던 비장품들은 대개 공개를 꺼렸기 때문에 쉽게 보기가 어렵다. 특히 세한도는
일반인들에게는 상당히 오래 동안 행방이 묘연하다가 나타났기 때문에 많은
사람들의 시선을 주목시켰다.

그 후 손세기의 아들 손창근을 수장가로 하여 1974년 국보 제180호로 지정

226 孫世基, 「나의 愛藏品」, 『書通』춘하합병호, 1976.

되었는데, 이 세한도는 추사의 생애만큼이나 사연 많은 문화재다.

한편 세한도를 손재형에게 넘겨준 후지즈카의 집은 1945년 미군기의 폭격으로 잿더미가 되었다. 이 때 후지즈카가 소장하고 있던 수많은 추사 관련 문헌들도 상당히 소실되었다고 한다. 손재형이 세한도를 찾아오지 못했으면 영원히 다시 볼 수 없을 뻔했다.

1945년에 미군기의 폭격으로 추사 관련 자료가 일부 소실되기도 하였지만 후지즈카 지카시藤塚隣(1879~1948)가 죽고 난 후에도 일본 도쿄에 살고 있는 그의 아들 후지즈카 아키나오藤塚明直에 의해 고이 보존되어 왔다.

후지즈카 아키나오는 그의 나이 91세에 이르자 자신이 죽고 나면 이 귀중한 자료를 어떻게 보존하는 것이 가장 가치 있는 것인가를 고민하다가 드디어 2006년에 그의 부친이 일생동안 수집한 추사 관련자료 2,700여 점을 경기도 과천시에 기증하였다.

이 속에는 추사의 40대 시절 편지 모음인『기양제첩寄兩第帖』과 청대의 학자들이 추사의 제자 우선 이상적 등에게 보낸 서한을 묶은『청내학사서신첩』등을 비롯한 추사 연구에 귀중한 자료들이 포함되어 있다.

후지즈카 아키나오는 동아일보와의 회견에서 "이번에 기증한 추사 관련 유물들은 선친의 일생이 담겼다는 점에서 개인적으로 소중한 자료"라면서, "귀중한 자료들이 자기 나라로 무사히 돌아가게 된 것을 아버지도 기쁘게 생각하실 것"이라면서 기증해 온 그의 숭고한 뜻은 참으로 모범적인 문화유산 보존의 정신이라 할 수 있다. 또한 그는 "유물들은 앞으로 유물 그자체로서 생명력을 갖고 영원히 살아갈 것"이라고 말했다.[227] 이는 앞으로 기증해 온 자료에 대한 숭고한 그의 뜻이 오래토록 기억될 것이다.[228]

＊ 단원 김홍도의 '군선도병풍(群仙圖屛風)'를 소장했던 임상종(林尙鍾)의 소장품

1930년대에는 국내에 둘째가라면 서러워 할 만큼 많은 서화를 가지고 있었던 수장가가 해여海旅 임상종林尙鍾이다.

임상종은 합천 사람으로 5천석지기의 부호로 원래 한학에 조예가 깊었다. 서화에 취미를 붙이자 고향의 전답을 팔고 서울로 올라와 위창댁을 드나들면서 고미술에 대한 감식안을 키웠다. 위창의 문하에서 1년간 감식안을 키운 임상종은 단원, 겸재, 현재, 추사 등 역대 대가들의 명품 고서화를 닥치는 대로 입수를 하였다.

그는 1910년대 중반부터 고미술품을 수집하여 10여 년간에 그의 재산을 거의 고서화와 바꿨다. 대표적 미술품은 1924년을 기준으로 하면 그의 소장품은 그림 2천폭, 글씨 3천폭이나 수장하고 있었는데[229] 이 속에는 공민왕의 '호렵도虎獵圖'와 '광개토대왕비탑본廣開土大王碑搭本'이 들어 있었다고 한다. 도자기 수백 종과 기타 골동품 수십 종을 수집하였다. 이로써 임상종은 간송 전형필, 선파 유복렬, 소전 손재형과 더불어 한국 고서화 4대수장가로 불리었다.

---

227 『東亞日報』 2006년 2월 3일자.
228 정규홍, 『유랑의 문화재』, 학연문화사, 2009.
229 『東亞日報』 1924년 10월 6일자.

일개인으로서 10여 년간에 이같이 방대한 미술품을 수집한다는 것은 막대한 재산과 감식안이 있지 않고는 불가능한 일이다. 그는 자신의 수집에 대해, "나는 사실상 땅 한 마지기를 팔아서 그림 한 폭을 얻어오고 세간을 팔아서 글씨 한 폭을 모은 것이 저만큼 모이게 되었습니다. 저것을 모은다고 밥이 생기거나 옷이 생기는 것도 아니고 되려어 내 자신의 구복은 줄어드는 것이지만 그런 생각을 하고야 모아질 수 있습니까"라고 하여 경제적인 이득과는 거리가 멀게 어떤 사명감을 가지고 수집을 한 것임을 밝히고 있다.

고미술품의 수집으로 인하여 나중에 경제적인 어려움에 직면하자 더 이상 유지하는 것은 어렵다는 것을 인식하고 있었지만 그의 정성은 병적일 정도로 집착이 강하였다. 하지만 그의 집착도 한계를 느꼈음인지 1924년에 와서는 어떤 개인이나 민간단체에서 이것을 맡아 사회의 공유물로 보존하는 기관이 생기면 기꺼이 기증하려고 결심을 하였다. 당시 신문기자와의 대담에서 다음과 같이 그의 심정을 밝히고 있다.

이제는 정성뿐이지 힘이 없습니다. 저렇게 모은 물건이 일조일석에 없어질지도 모를 일이고 한 폭 두 폭 잃어버릴 지도 모를 일을 생각하면 소름이 끼칩니다. 언제든지 이 물건을 한곳에 모아 미술관을 지으시겠다는 개인이나 난체가 있으면 아무 보수도 없이 그대로 내어 주겠습니다. 이것을 하나하나 떼어 헤치자면 쉬운 일이지만은 나는 죽어도 그렇게는 못하겠습니다. 어떻게든지 한데 뭉치어 영구히 보존하기를 바랍니다.[230]

---

230 『東亞日報』1924년 10월 6일자.

하지만 국내에서 그의 수집품을 진열할 수 있는 미술관을 짓겠다는 단체나 개인이 나타나지 않았다. 일반 사람들이라면 고미술품을 수집을 하다가 살림이 어려우면 미술품 한두 점씩 팔아서 유지할 것이다. 그러나 임상종은 그의 수중에 들어온 미술품을 절대로 내놓지 않으려고 생활이 어려워도 처절하리만치 붙잡고 있었던 것이다. 그것도 부족하여 마지막에는 빚까지 내어 고서화를 사모았는데 그 빚이 점점 불어나면서 그가 그처럼 열성적으로 모았던 서화들도 빚을 이기지 못하고 사방으로 흩어지게 되는 운명을 맞게 되었다.

빚은 점점 불어나고 나중에는 그의 수장품을 담보로 고리대금업자의 돈까지 쓰게 되었다. 사채를 쓴다는 것은 벼랑까지 몰렸을 때 쓰는 수단이지만 바로 갚지 못하면 전 재산이 날라 가는 것은 예나 지금이나 마찬가지이다. 그도 마지막에는 이자가 눈덩이처럼 불어나 원금과 이자를 갚지 못하여 결국은 그의 소장품이 고리대금업자 최상규에게 몽땅 넘어가고 말았다.

임상종의 서화를 차지한 최상규는 집안을 고상하게 꾸미기 위함인지 곳곳에 병풍이나 족자를 걸어두고 드나드는 수장가들을 물색하고 있었다.

이영섭은 원충희와 함께 최상규의 집에 들렀는데 대청마루 기둥에는 오원 장승업의 '어옹도漁翁圖' 족자가 걸렸고, 대청과 안방 사이의 문지방 위에는 정선의 산수도 횡액이 걸려 있었다고 한다. 그 날 주인 최상규가 건너방에서 꺼내온 서화는 대원군의 묵란도 10폭병풍, 추사의 행서8폭병풍, 예서대작 '유천희해游天戱海' 횡액, 이인문의 '설색산수8폭병풍', 정선의 '설경산수', '수성구지도壽城舊趾圖' 안평대군의 '초서첩' 1권, 신사임당의 '산수화접도화첩山水花蝶圖畵帖', 고운의 '대호도' 족자, 전기의 '산수도' 소품, 그 밖의 겸재, 현재, 표암, 단원, 혜원 등의 대작, 인물, 영묘, 풍속도 등 실로 어마어마했으며 그 날 본 것은 전체의 몇 할을 보았는지 모른다고 한다.

수집가로서는 최대의 치욕은 애써 모은 소장품들이 눈앞에서 흩어지는 것이다. 임상종은 그처럼 방대한 서화를 수집하였으나 하루아침에 최상규에게 넘어가고 삶의 의욕을 상실했음인지 해방을 보지 못하고 불귀의 객이 되고 말았다.

임상종의 구장품은 최상규의 손에 넘어가자마자 차츰 사방으로 흩어지기 시작하였다. 돈을 최대의 목적으로 하는 사람에게는 귀중한 고서화도 돈 이외는 아무 것도 아닌 것이었다. 그의 수장품 대부분은 일제강점기에 예산 군수를 지낸 원진희의 손에 넘어 갔다. 일부는 6·25를 거치는 동안 훼손되고 나머지는 여러 사람들에게 흩어졌다.

6·25 끝나고 정국이 다시 제자리로 돌아오게 되자 한국고미술협회에서는 다시 경매회를 재개하게 되었다. 혼란기를 거치면서 짧은 기간에 또 다른 서화 대수장가로 등장한 원진희의 소장품을 경매하게 된 것이다. 원진희는 예산에서 제조회사를 경영하는 한편 종로에서 백남상사라는 무역회사를 경영하였다. 사업자금이 필요하자 소장품 모두를 경매에 붙였던 것이다. 미술품에 처음부터 각별한 애정이 없는 한은 본업이 어려움에 직면하면 경제적 수단으로 바로 돌변하게 마련이다.

임상종의 구장, 추사의 '유천희해(遊天戱海)' 현재 호암미술관 소장

1957년 3월 24일 원진희의 소장품으로 출품된 해여 임상종의 구장품 236점의 명품 서화는 사방으로 흩어 졌다. 이인문의 '산수화8폭병풍'이 131만환, 추사의 '산숭해심山崇海深' 예서대자횡액이 53만환, 대원군의 '흑란도10폭병풍'이 17만5천환에 제동산업 심상준에게 낙찰되었다. 대원군의 '총란도10폭병풍'은 6·25때 일부 변색되어 14만 5천환에 경양실업 사장 한경록에게, 정선의 '수성구지도壽城舊趾圖'는 72만환에 이홍근에게, 신사임당의 '산수화접도화첩山水花蝶圖畫帖'은 17만 5천환에 경성방직 김용완 사장에게 낙찰되었다. 남계우의 '진채화접쌍문도' 1쌍은 92만환에 성명미상에게 낙찰되었다. 단원의 '산수인물도'는 46만환, 소품 1점 26만환, 추사의 예서대련은 32만환에 모두 조해양조 사장 서준호가 입수하였다.[231] 이 경매회에서 가장 주목을 받았던 것은 추사의 '유천희해遊天戲海' 횡액이었다. "하늘에서 놀고 바다를 희롱한다"는 이것은 추사의 만년에 세속을 탈피한 심경을 유려한 예서체로 쓴 것으로 길이가 2미터가 넘는 대형이다. 이것을 가장 탐낸 사람은 손재형과 심상준이었다. 이들을 대신해서 경성미술구락부의 세화인과 같은 역할을 한 사람은 길용배와 김재석이었다. 두 사람의 대리인은 끝까지 경합을 하다가 결국은 121만환에 손재형에게 낙찰되었다. 당시 총 매상액이 2천만환에 가까웠다고 하니 서화 경매 사상 최고액이라 할 수 있으며, 우수 서화가 일시에 이같이 대거 쏟아져 나오기는 최초라 할 수 있다.

한 때 한국 내에서 가장 방대한 양이었던 임상종의 수장품들은 이처럼 허무하게 사방으로 흩어지고 말았다.

그는 우직스런 수집광이라 할 수 있다. 모으는 데만 모든 정성을 바칠 줄 알

---

231 윤철규, 「名品流轉」, 『중앙경제신문』, 1989년 5월 3일자.

앉지 지키는 기술이 없었던 것이다. 목숨처럼 아끼던 그의 구장품은 비록 사방으로 흩어졌지만 국내에 남아 있다. 그는 서화 골동이 일본인들의 전유물이다 시피한 1920년대에 한국문화재를 수집함으로서 타국으로의 반출을 막는데 큰 역할을 했다할 수 있다.[232]

---

232 정규홍, 『유랑의 문화재』, 학연문화사, 2009.

우리 문화재 수난일지

1945년 3월 27일

총독부도서관 도서 소개(疎開)

시국이 다급해지자 총독부도서관(현 국립중앙도서관의 전신)의 도서 중 일부를 1945년 3월 27일에는 귀중도서 15상자를 해인사로 소개하였다.[233]

현재의 국립중앙도서관은 1923년 조선총독부도서관에서 출발되었다. 1923년 11월에 조선총독부도서관을 발족시키고 운영 방침을 다음과 같이 했다.

1) 특히 조선통치의 주의방침에 기초한 사상의 선도, 교육의 보급, 산업의 진흥 등에 관한 신고新古의 참고도서를 갖출 것

2) 조선민족의 문헌을 수집할 것

3) 광의廣義에 있어서의 조선연구에 관한 화서和書 양서洋書를 수집할 것

4) 전선에 대한 도서관의 보급 발달을 도모하고 그 지도자가 될 것[234]

등이다. 즉 한국에 관한 철저한 연구와 그에 필요한 참고자료를 널리 수집하여 식민정책에 기여하고자 함에 있었던 것이다.

1925년 4월 3일 현재의 근대식 대도서관으로 나타나게 되는 동시 개관을 하게 되었는데, 조선총독부에서 보관하던 도서 1만2천책을 계승 보유했다.

이후 장서가 증가함에 따라 1935년 현재 17만권의 장서를 돌파, 우대열람자에 대해서는 관외 대출까지 허락했다. 1930년대는 한 달에 열람자수 대략 3만명 내

---

233 國立中央圖書館,『國立中央圖書館史』, 1973.
234 國立中央圖書館,『國立中央圖書館史』, 1973, p.151.

총독부도서관 모습(『매일신보』 1929년 1월 15일자)

외를 돌파했다. 1940년 4월에는 24만5천45권의 장서, 열람자수 2만2천312명이나 되었다. 이후 서고의 부족을 느껴 1942년에는 아현동 분관을 신축하였다.[235]

종전이 임박해오자 도서관의 장서들은 여러 곳으로 소개하기 시작하였다.

1945년 7월에는 소위 '秘本'이라 하는 열람금지도서를 아현동 분관으로 소개하였다. 이후에도 계속 지방으로 귀중서를 소개하고자 하나 물자 부족으로 지연되있다 도서관 지원들 즁 상당수는 징병으루 ┆ 끕되이가고, 모든 묾사가 통제되고 있는 시기이므로 도서를 포장할 상자를 구하기가 어려웠다. 또한 포장을 하여도 운반할 차를 구하기가 어려웠다. 개성으로 옮길 계획으로 6월부터 포장한 도서는 8월 5일에야 370상자를 포장할 수 있었다. 개성으로 소개한 도서는 개싱 松都松학교로 옮기고지 하였으나 미저 개싱 숭노쭝학교에 가기 전

235 『朝鮮總督府官報』 1924년 5월 14일자; 『朝鮮總督府官報』 1925년 4월 2일자; 『東亞日報』 1925년 4월 1일자; 『朝鮮中央日報』 1935년 5월 17일자; 『每日申報』 1938년 3월 11일자; 『每日申報』 1940년 5월 10일자.

에 개성역 조운창고에서 해방을 맞이했다.[236] 그리고 본관 서고에는 폭격을 피하기 위하여 아무렇게나 장서를 쌓아두었다.

1945년 3월 30일

소개대책위원회 설치

태평양전쟁이 시작되어 미군기의 공습이 일본에 가해지자 장차 한국에도 공습이 예상되었다.

조선총독부 방위본부 내에 엔토遠藤 정무총감을 위원장으로 한 소개대책위원회를 설치하였다. 1945년 3월 30일 오후 1시에 방위총본부 엔토遠藤 위원장을 위시하여 민간 각계대표 등 43명, 조선군관구 참모장 고문 10명이 참가하여 제1회 위원회를 개최하였다.

소개 대강은 조선 내 중요 도시에 강력한 반공 도시를 구성, 건축물의 소개를 실시, 방공지대에 방공지를 조성한다는 것과 소개 구역은 경성부, 부산부, 평양부로 정하였다. 소개 구역 내에 건물 밀집지대 소방과 필요한 도로를 개설하고 중요시설의 주변에 방공지대를 조성한다는 요지였다.[237]

일제 말기의 박물관 상황은 일본인들에 의해 발굴조사를 통하여 수습된 유

---

236 國立中央圖書館,『國立中央圖書館史』, 1973.
237 森田芳夫,『朝鮮終戰の 記錄』資料編 第1卷, 巖南堂書店, 1979, p.98.

물은 그 수량이 막대하였다. 이 유물들은 총독부박물관 서울 본관과 개성, 공주, 부여, 경주 등 각 분관에 보관되었다. 이왕가박물관에는 민간에서 수집한 고려청자를 중심으로 고대 미술품이 보관되었다. 이 밖에 남산에 있는 민족미술관에는 주로 공예 민속품들이 소장되어 있었다. 그리고 민간 사설미술관으로는 간송미술관이 있었다.

이들에 대한 소개도 긴박하게 되었다.

1945년 4월 20일

총독부박물관 경성본관이 4월 20일부터 당분간 휴관되다.[238]

1945년 6월

경성제대도서관과 총독부도서관 서적 소개 계획

소개내책위원회 설치 이후 중요 도시에시는 일부의 건물 소개와 노시망위에 불필요한 인원 소개를 실행하고 있느데 이와 병행하여 각 중요 관청과 은행, 회사 등의 중요서류를 비롯하여 귀중히 보관해 오던 문헌과 시적 등도 공습을

---

238 『朝鮮總督府官報』 1945년 4월 20일자.

받기 전에 하루라도 빨리 안전한 지대로 소개할 계획에 몰두하게 된다.

『매일신보』1945년 6월 21일자에는 중요한 문헌과 서책을 소장하고 있는 후나다船田亨二 경성대교수와 하기야마秋山秀雄 총독부도서관장으로부터 공습하의 조치에 대하여 이야기를 들어 다음과 같은 내용을 게재하고 있다.

문화재文化財의 보존保全을, 서책 등 소개疏開도 급무急務

후나다船田亨二 경성대교수 담

현재 대학도서관에 보관되어 있는 서적은 ○십만 부에 달하는데 그 중에서 반 이상은 중요서적으로서 지정할 수 있다. 이처럼 엄청난 서적을 단시일에 다른 곳으로 소개하기는 대단히 어려운 일이나 이 문제에 대하여서는 일찍부터 당국과 절충 중이다. 더욱이 우리 도서관에서는 귀중한 문헌이 많기 때문에 하루라도 바삐 안전한 곳으로 옮겨 놓지 않으면 안 될 줄 믿는다. 나는 책임자의 한 사람으로서 적의 공습으로 인하여 도서에 조금도 피해가 없도록 최대의 노력을 할 각오이다.

하기야마秋山秀雄관장 담

우리 총독부도서관으로서 가장 귀중한 서적 ○천권은 벌써 시외 어느 절간으로 옮겨 놓았다. 그리고 조선 문헌을 중심으로 서적도 안전한 곳으로 이전을 하고 있다. 그리하여 도서관에는 ○○만권의 서적을 남겨두고 일반으로 하여금 열람케 하였다. 다른 도서관과 같이 총독부도서관도 지금이라도 문을 닫자는 의견도 일부에 있었으나 개인으로서는 서적을 구할 수 없는 형편이므로 그대로 두기로 하였다. 여기에 보관되어 있는 ○○만권의 도서도 일단 유사시에는 손쉽게 처치할 수 있도록 만전의 대책을 강

『매일신보』1945년 6월 21일자 기사

구중임으로 일반의 협력을 구할 때는 즉각 힘을 빌려주기 바란다.

이들의 이야기를 보면, 총독부도서관에서는 도서를 이미 소개시켰거나 소개의 진행과정에 있지만 경성제국대의 경우에는 규장각도서를 비롯한 장서에 대해 구체적인 소개계획이 수립되지도 않은 상태임을 알 수 있다.

『매일신보』1945년 6월 25일자에는 다음과 같은 사설을 싣고 있다.

이때를 당하여 총독부노서관과 성대도서관에서 귀중문헌의 소개보존에
대하여 입안 중이며 총독부도서관에서는 이미 그 일부를 안전한 장소에
있는 사찰로 옮기었다고 발표한 것은 흔하欣賀할 바이다. 당국은 이 기회
에 일층 이에 관심하여 문화재文化財 보전의 철저한 방침을 입안 촉진하기
를 기대하여 마지않는다. 동시에 일반 민간에 있어서도 장서, 골동품, 서

화 등을 다수 보존하고 있는 인사는 모름지기 개인소유의 관념을 떠나 소중한 국민 문화재 보관의 공동책임 아래 그 보전에 각별히 주의할 것이며 만약 개인의 힘으로 충분치 못할 때에는 관 기타 단체에 의탁하여서라도 그 보존의 만전을 기할 것이니 관공민의 협조적 정신으로 우리의 문화재가 안전을 보호하기를 바라마지 않는 바이다.

여기에는 문화재文化財란 용어가 등장하는데, 이 사설에서 언급하는 문화재의 정의는 "소여所與의 자연을 재료로 하여 인간이 일정한 목적에 따라 그 이상을 실현코자 하는 과정을 총칭하여 문화文化라 하고 그 과정의 소사所産을 문화재라고 한다. 문화의 대상인 자연의 재료가 그 국토에 따라 다른 것은 다시 말할 바도 없으니 각각 특이성을 가진 국민문화가 성립되게 되는 것이다. 국민문화의 소산인 각 국민의 문화재는 그럼으로 그 국민이 이상하는 진, 선, 미를 구현하는 가치적 실재로서 도덕, 예술, 종교 일반을 포함하는 것이다" 라고 정의하고 있다.

1945년 7월 1일

총독부박물관 유물 소개

전쟁이 종전으로 향하자 식민지 문화사업의 하나인 박물관 시설과 운영에는 전연 돌보지 않고 긴축 상태로 나갔다. 해방 직전의 조선총독부박물관의 사무는 박물관 경영, 각지에서 발견된 매장 문화재 처리, 고적 및 고건축물의 수리 보존, 문화재 지정 등의 업무였다. 그러나 박물관 직원은 관장과 수리 보존을 담당하는 기사 2명, 그 밖에 7 – 8명의 청부인이었다. 총독부박물관은 행정 기구상 학무국 사회교육과의 한 분과로 소속되어 있었다. 경복궁 내의 박물관은 종전의 학술원, 예술원, 전통공예미술관이 자리 잡았던 건물이 진열본관이었고, 박물관 사무실은 자경전을 사용하였다.

일본 본토에 공습이 시작되어 조선의 진열품노 공습을 받을 것이라는 염려에 당시 아리미츠는 진열품을 안전하게 보관하기 위하여 대형 방공호를 만들어 중요 진열품들을 격납하고자 요청을 하였다. 그러나 당시 긴박한 사정상 시행은 하지 못하였다. 총독부에서는 오히려 박물관을 폐쇄하고 전쟁 수해에 관련되는 용도로 사용할 수 있게 변경하자는 것이었다. 박물관 무용론을 외친다든지 "박물관의 존속은 전쟁 수행에 장애" 라고 까지 말하는 총독부 담당자도 있었다.

다급한 박물관 측은 중요 유물을 지방분관으로 소개시키기로 하였다. 소개지는 경주분관과 부여분관으로 정하였다. 그 이유는 경주와 부여는 항만으로부터 거리가 멀고 군사시설이나 중요 공업지대가 아니었기 때문에 공습의 확률이 적을 것으로 예상했기 때문이다. 그래서 금동미륵반가상과 서봉총, 금령총에서 출토된 금관, 과대, 장신구, 고려청자, 조선백자 등을 비롯한 1천여 점의 중요 유물을 소개하였다.

이리미츠의 일지에 나타난 경주분관과 부여분관에의 소개는 다음과 같다.[239]

1945년 7월 1일 밤 최영희 씨를 포함한 4명의 관원이 소개품을 가지고 경

---

239 有光教一,「私の朝鮮考古學」, 강재언, 이진희 편『朝鮮學事め』, 청구문화사, 1997.

성역 22시발 열차에 승차하여 7월 2일 부여에 도착하여 소개품을 부여분
관 창고에 보관

7월 3일. 금후 경성에서 반입예정인 소개품 격납에 대해 분관주임과 협의,
오후에 후지사와 가즈오藤澤一夫 댁에서 후지사와의 발굴품을 견학

7월 4일. 총독부 지방과 마츠모토松本 기수의 안내로 정림사지를 시찰, 오
후에는 후지사와의 안내로 후지사와의 발굴조사 중인 금성산사지天王寺址
방문, 17시에 최영희 등과 함께 귀도에 오름

7월 5일. 영시에 대전역에 도착, 12시에 서울 도착

7월 9일. 진열품을 소개하기 위해 사와 슌이치澤俊一와 두 명의 관원이 17
시 경성역 발 열차에 승차, 경주로 출장, 사와 외 2명의 관원이 동행

7월 10일. 대전역에서 환승 8시에 경주 도착, 소개품을 금관고 지하실에
격납

7월 11일. 박물관분관의 보안을 협의

7월 12일. 서울로 귀임

7월 24일. 아리미츠 외 3인의 관원이 소개품을 가지고 17시에 경성역에서
출발, 7월 25일 8시 20분에 경주에 도착하여 소개품을 격납, 경주분관 오
사카 긴타로大坂金太郎 주임, 경주군수 오메키小貫 등과 함께 박물관의 방위
와 진열품 안전을 위해 진열품 재소개를 협의

7월 26일. 25일 협의한 내용과 같이 오사카의 안내를 받아 충효리의 김상
권 씨와 황남리 김상익 씨를 방문하여 이들의 정지 내에 창고를 설치할 것
을 요청하여 승낙을 받음(이것을 완성했는지에 대해서는 알 수 없다.)

7월 27일 경주를 출발 7월 28일 경성에 귀임

이 기록에서 7월 3,4일의 기록으로 보아 이때까지도 금성산사지天王寺址의 조사는 계속된 것으로 추정된다.

1945년 7월

박물관 및 도서관 유물 상태

소개와 함께 박물관을 폐쇄 벽화 이외의 진열품은 창고에 격납했다.

중요 유물을 소개한 후 서울 본관에서는 공습 피해를 최소화하기 위하여 모든 주요 진열품을 부속 목조건물에서 진열본관으로 옮겨 입추의 여지도 없이 쌓아 두었다. 이왕가박물관, 총독부박물관은 일반의 공개를 중지하고 폐쇄를 단행하였다.[240]

1945년 7월 25일경에는 서울의 각 박물관, 도서관에 보관 중인 중요문화재를 거의 소개 종료하였다. 총독부박물관은 현재 동관 소관의 불상, 미술공예품 약 2만 5천여 점 가운데 소개 완료한 것은 5분의 1정도이다.

그리고 벽화 이외의 진열품을 본관에 옮긴 후의 수정전은 인원이 늘어난 총독부 부서에 신용하기 위하여 공사와 니불이 보잉새블 바꾸기 시작했니. 그리고 사무소로 사용하는 자경전은 총독부 고관의 숙소로 징발됨에 따라 새로 꾸미기 시작했다. 이렇게 되자 박물관 측에서는 주요 진열품의 창고로 되었던 본

---

240 국립중앙박물관, 『관보』 제1호, 1947년 2월.

관으로 옮겨서 몸 둘 곳이 없는 상태가 되었다. 이런 상태에서 "불필요한 관청은 경성에서 지방으로 분산하라"는 명령이 내려졌다. 총독부박물관 직원은 "모조리 경주분관과 부여분관으로 이전 근무하라"는 명령이 떨어졌다. 그리고 박물관 본관의 주변에는 반공호가 곳곳에 있었고 비상시에 쓰려고 개간한 밭도 황량한 상태로 버려져 있었다.[241] 이런 와중에 해방이 된 것이다. 만약 해방이 늦어 박물관 직원들이 지방분관으로 떠나고 빈 박물관 상태가 되었더라면 관계자가 없는 박물관 유물이 어떻게 되었을지 모르는 일이었다.

덕수궁에서는 진열하여 일반이 직접 볼 수 있었던 '금동미륵반가상'을 비롯하여 청자, 이상좌 필 '송하관월도' 등 1만 2천여 점의 진열품을 히라타平田 관장 이하의 직원들의 손에 의해 6개소에 나누어 소개하였다. 마지막으로 미술관은 7월 10일에 폐관하였다.

총독부도서관은 도서 34만 책 가운데 약 16만 책을 분산 소개하였다. 가장 중요한 도서류 약 7천책은 경남 가야 해인사에 소개 완료하였으며, 약 5만 책은 개성 모 중학교 창고에 소개하였다. 그리고 일반교양 생산 관계 도서는 모두 현재 장소에 보관하였다.

부여와 경주로 유물을 소개하는 동안 총독부박물관은 박물관을 폐쇄하고 남은 중요 소장품을 창고에 격납하였다. 그 후 얼마 되지 않아 해방을 맞았다.

---

241 有光敎一, 「1945~46년에 있었던 나의 경험담」, 『한국고고학보』 34, 한국고고학회, 1996년 5월.

해방 전 한국 골동상 및 수집가

해방 직전 서울을 중심으로 한 고미술품을 취급한 한국인 골동상점은 그 수가 많지 않지만 경성미술구락부를 통하여 골동중개 내지는 참여한 골동상들을 보면, 이희섭(문명상회), 김수명(우고당), 이순황(한남서림), 배성관(배성관상점), 홍순민(문광서림), 이용순(사부엘이상점), 오봉빈(조선미술관) 등이 있었다.

그 외 고미술품을 취급한 골동상점으로는 고정식(엘로하우스), 서명호(서명호상점), 김영규(김영규상점), 장우경(의신호), 김영완(광동서림), 한승수(고옥당) 등이 있었다.

골동을 취급한 행상으로는 서울에, 강선주, 김의식, 양재익, 장형수, 이성의, 금금돌, 김인규, 송병호, 송태호, 류병옥, 서창호, 지순탁, 강희택, 백준기, 김일남, 한영호, 최진효, 이복록, 김상복, 김대복, 전준종, 최수남, 권명근, 박흥원, 장기범, 김영창, 문일봉, 류상옥, 신현칠, 송신용, 장정식, 김순성, 신기한, 고장환, 최수원, 이덕호 등이 있었다.

지방에는 평양의 김동현, 윤명선, 개성의 장봉문, 변유식, 광주의 홍종순, 정복남, 전주의 이영태, 박영식, 김성규, 김성업, 임종희, 정판수, 김태원, 해주의 차명호, 장규서 등이 있었다.[242]

해방 전까지의 대표적인 한국인 수상가들로는 윤치오, 오세창, 진형필, 김성수, 이병직, 손재형, 장택상, 임상종, 김찬영, 이인영, 함석태, 백인제, 박병래, 박창훈, 장석구, 공병우, 이희섭, 유자훈, 유복렬, 김용완, 최병한, 이관구, 도상봉,

---

242 黃圭董, 「骨董商의 今昔」, 『月刊文化財』 창간호, 1971.

배정국, 최상규, 최창하, 이태준, 이활, 선우이슌, 윤희중, 박순석, 김동현, 김호엽, 홍종순, 한수산, 심상준, 석진수, 백윤구, 원충희, 김하섭, 유진후 등이 있었다.

1945년 8월 14일

패망이 임박하자 총독부는 잠정적으로나마 국내질서를 유지하고 한국에 거주하는 일본인들의 생명을 보전하여 안전하게 귀국시킬 목적으로 국내 민족지도자들의 협력 의사를 타진해 왔다. 처음 송진우와 교섭을 하였으나 송진우는 거절하였다. 당시 송진우의 생각은 일본이 패전했으니 총독이 정권을 조선인에게 넘겨줄 자격이 없고, 임시정부가 귀환해서 정권을 인수해야 한다는 생각이었다.

총독부가 전후수습을 위해 접촉하였던 고하 송진우는 8월 12일 총독부 경찰국 이소자키磯崎, 사무관 하라다原田, 조선군 참모 칸사키神崎 등으로부터 행정위원회 성격의 기구를 조직할 것을 권유받았고, 독립준비를 해도 좋다는 권유까지 받았다. 그러나 총독정치가 완전히 철폐되어 연합군에게 정권이 인도되기까지 함부로 움직이지 말 것과 임정을 정통으로 받아들여야 한다는 생각에서 일본 측의 제의를 거절하였다.[243]

1945년 8월 14일 오후 11시 일본의 항복 선언에 대한 조서 원고 전문이 동맹통신사 경성지국에 전해졌다. 경성지국에서는 곧 바로 총독부 경무국장과 제17방면군 겸 조선군 관구군의 참모장에게 전해졌다. 엔토 유사쿠遠藤柳作 정무

243 경기도사편찬위원회, 『경기도사 제1권』, 1985, p.57.

326 우리 문화재 수난일지

총감은 경성보호감찰소장 나가사키 유조長崎祐三에게 전화를 하여 이튿날 오전 6시에 여운형과 함께 정무총감에게 오라고 통지를 하였다.[244]

해방 직전의 광분한 일본인의 만행

일본은 전세가 완전히 기울어 마지막 운명이 다가오자 한국에 있는 일본인과 일본 본토와의 연락까지 통제를 하였다. 당시 경성일보에서는 하루에도 몇 번씩 동경과의 전화에서 정보를 입수하고자 전화를 하면, 주고받는 내용이 다소 불리한 전황에 이르러서는 전화가 곧 끊어지곤 했다고 한다. 헌병과 경찰이 도청을 하고 있다가 끊어버린 것이다. 일본에서 오는 신문도 부산에서 모두 막았다.

8월 14일 밤 일본이 무조건 항복했다는 사실이 이미 조선총독부에 입전되었다. 하지만 모두들 잘못 전해온 것이라고 반신반의하였다. 일본이 무조건 항복을 하자 그간 악행을 자행했던 빈민 관리들은 그들의 악행을 은폐하고 한국의 독립을 방해하는 공작에 발악을 하였다.

『동아일보』 1945년 12월 3일자 삽화

244 森田芳大, 『朝鮮終戰の 記錄』, 巖南堂書店, 1964, pp.70~72.

패전의 기색을 눈치 챈 후부터 무수한 중요 공장과 사업장 광산 등을 폭파시켰다. 다시 사용하지 못하도록 파괴한 것이다. 조선에 하나밖에 없는 아오지의 인조석유공장, 함흥의 질소공장 파괴하고, 서북선의 공장지대는 거의 다 피해를 입어 직공이 일터를 잃어버리는 신세이고. 이남에도 역시 중요공장 시설에 주요부분을 모조리 파괴하여 버렸기 때문에 다시 조업을 하자면 1, 2년이 걸려야 할 지경으로 만들어 버렸다.[245]

1945년 8월 15일

8월 15일 오전 6시 반에 나가키 보호감찰소장, 여운형, 통역인 백윤하 검사, 등이 정무총감 관저에 모여 치안 유지에 대한 협의를 하였다.[246] 정무총감은 여운형에게 일본이 포츠담선언을 수락하게 되었으니 소란과 폭동이 일어나지 않도록 치안을 유지하도록 책임을 맡아 줄 것을 부탁했다. 이때 여운형은 정치·경제범의 석방, 비상식량의 확보, 치안유지, 건설 사업에 대한 간섭의 배제, 청소년 조직의 불간섭, 일인 노무자의 협력 등 선행 조건을 제시한 다음 수락을 하였다.

8월 15일 방송이 나오기 전까지만 해도 일반인들은 해방을 감지하지 못했다. 14일부터 15일에 중대방송이 있다고 예고를 하였다. 그러나 일반 국민들은 중대방송의 예고는 우리에게 최후의 무엇을 요구하는 것이 아닌가하고 공포 속

245 『東亞日報』1945년 12월 3일자.
246 森田芳夫, 『朝鮮終戰の 記錄』, 巖南堂書店, 1964, pp.70~~72.

에 방송시간을 기다렸다. 그동안 지원병, 학도병, 공출이라 하여 온갖 악랄한 요구를 해왔기 때문에 또 무슨 수작을 부려 괴롭히려는 것이 아닌가하고 수근 대었다. 방송이 나온 이후 환호에 찬 국민들은 무엇을 어떻게 해야 할지 두서를 잡지 못했다.

여운형은 안재홍 등과 건국준비위원회 조직에 착수하는 한편 연희전문학교 생도 등 학도들을 규합, 치안대 등 자치단체를 조직하기 시작하였다.

일본인의 만행

장차 쫓겨 갈 일본인들은 갖가지 최후의 발악을 하였다. 8월 9일 경무국 지령으로 주요 인물들의 집에는 형사대로 포위하였다. 소련에 대한 선전포고만 있으면 곧 그들의 평소부터 지목하는 민족주의자, 공산주의자를 총 검거하여 유치할 계획은 가지고 있었다. 대학살계획을 가지고 있었던 것이다. 독립운동을 했든 안했든 막대한 수로서 식자층은 거의 전부를 망라했다고 한다.[247] 그들의 리스트에는 제1급 제2급 제3급으로 나누어 도합 3천7백 명에 이르는 인원이 기록되어 있었다. 서울의 각 경찰서는 많은 인원을 유치할 수 있는 창고를 준비하였다. 평북 연변에는 지하에 선기 장치까지 해두었다. 그들은 8월 15일 천왕의 방송이 끝나자마자 곧 모든 서류를 태워버려 갖은 음모와 죄악을 숨기려 하였다.[248]

247 「座談會, 新聞記者가 겪은 8·15」, 『新天地』, 4권 7호, 1948년 8월.
248 『東亞日報』 1945년 12월 1일자.

진 이왕직회계과장 사이토 지로齊藤治郎는 8월 15일 일본의 항복이 방송되자 그날로 이왕가 재산목록 5권, 사무인계목록 4권, 특별친용금수불부特別親用金收拂簿 등을 소각하여 이왕가 재산과 그 분포, 기타 상황을 알지 못하게 하였다. 때 마침 동경에 있는 이왕으로부터 100만원을 부치라는 명령을 받은 사이토는 이 기회에 사복을 채우고자 제국은행을 통하여 650만원을 동경으로 보내고 도주하려다가 사전에 눈치를 챈 특별검찰부에 적발되어 체포되었다.[249]

전 경성측후소장 하마다濱田는 일본의 패망소식을 듣고 기상통계표와 암호전보 그밖에 중요한 문서가 들어있는 강철제문서고 세트를 파괴 소멸시켰다. 1945년 9월 22일 군정당국은 경성측후소를 급습하여 하마다의 죄상을 조사함과 아울러 그 자리에서 파면시켰다.[250]

일본의 패망이 알려지자 일본인들은 악성 인플레를 조성하여 조선의 경제를 파탄으로 몰아가고자 했다. 해방의 환호에 싸인 동포들의 부산한 틈을 타서 무려 90여억원에 가까운 지폐를 밤을 도와가며 인쇄해 조선의 경제교란을 행했다. 이러한 기도는 미군의 진주로 그 전부가 거리에는 나오지 않고 60억 원은 압수되었지만 그것만으로도 경제는 상당한 혼란을 겪어야만 했다.[251]

249 『자유신문』 1945년 10월 8일자.
250 『자유신문』 1945년 10월 8일자.
251 『東亞日報』 1945년 12월 6일자.

1945년 8월 16일

조선건국준비위원회 결성

8월 16일에 여운형을 위원장으로 한 조선건국준비위원회가 결성되고 국면의 수습과 질서를 위해 경위대를 설치하고 정규병의 군대를 편제하고 신정부 수립의 취지의 방송을 하였다.

오후 1시에 여운형은 휘문중학교에 모인 군중들 앞에서 "우리가 지난날에 아프고 쓰렸던 것은 이 자리에서 모두 잊고 이 땅을 이상적인 낙원으로 건설하자. 개인의 영웅주의는 없애고 일사불란한 단결로 나아가자. 그리하여 멀지 않아 입성할 외국군대에게 우리의 부끄러운 태도를 보이지 말며, 우리들의 아량을 보여주자"고 열변을 토했다.

한편 준비위원 안재홍은 8월 16일 오후 3시 성성중앙방송국을 통하여 "행정도 일반 접수할 날이 머지 아니하거니와 일반관리로서도 잔물殘物을 고수하면서 충실히 복무하기를 요구하는 것입니다. 통삼성시 이래 40년간 총독정치 특수징치인지라 지금까지의 일반 관리와 전 관리 및 기타 일반 협력자란 인물들에게 금후 충실한 복무로 신진행히는 한 일률로 안전한 일상생활을 보장할 것이니 그

삼천만 동포의 자중을 요청하는 전단

점 안심하고 또 명심하기 바랍니다. 일본에 있는 5백만 교포를 위해서라도 한국에 있는 일본인의 신변을 확보해야한다"[252]라고 약 20분간 방송을 하였다.

서울시내 체육계, 무도계 대표와 중학교 체육교사, 전문대학의 학도대표가 장권의 지도 아래 풍문중학교를 본부로 건국청년치안대를 결성하였다. 이 치안대는 청년학생 2천 명을 동원하여 서울시내 치안을 확보하고 각 지역별, 직장별로 치안대를 조직하는 한편, 전문학교 학생 2백 명을 각 지역에 파견하여 치안대 조직을 지도하게 했다. 이와 아울러 건국준비위원회보안대도 한국인 경찰관을 중심으로 조직되어 이날 밤부터 종로경찰서를 본부로 시내 각 요소에 배치되었다. 중앙에서 건국준비위원회가 활동을 개시함과 동시에 각 지방에서도 자치조직이 속속 결성되어 지방치안을 담당하였다. 부산에서는 군수공장의 노동청년들이 자발적으로 서면제일기계공장을 본부로 하여 일본군의 행패를 막고 일반치안 임무를 담당하였다. 대구는 김관제, 정운해가 중심이 되어 보호관찰소를 본부로 건국준비위원회경북지부를 결성하였다.[253]

미군이 진주하기 전에 한국인 측에서는 제기관 시설에 대한 접수가 이루어졌다. 8월 16일 오후에는 곧 바로 학교, 박물관, 일본인 경영의 신문사, 회사, 공장, 상점을 접수하기 위해 일본인들로부터 승낙서에 날인을 받기 시작하였다. 서울에서는 건국준비위원회, 인민위원회, 보안대, 치안대, 학도대, 유지위원회, 자치위원회 등의 이름으로 일본인을 협박하고 경찰서, 신문사, 회사, 공장, 상

---

252 『每日申報』1945년 8월 17일자.
253 崔永禧, 『激動의 解放3年』, 한림대아시아문화연구소, 1996, p.5.

전과 같은 시설을 접수하였다. 접수한 기관에 대해서는 "○○동맹 접수", "○○단체 보호 중"이라는 표찰을 붙여 접수를 표시하였다.[254] 접수과정에서 때로는 총격전이 벌어지기도 했다. 총독부는 건국준비위원회가 치안유지만을 협력하기로 한 단체일 뿐 군대의 편성이나 행정기관의 접수행위는 할 자격이 없다고 방송하였다. 또 일본 군부는 일당일파가 사회질서를 혼란시키고 있다고 하며[255] 이에 반발하여 일촉즉발의 순간까지 가기도 했다.[256]

조선총독부도서관 접수

조선총독부도서관 본관 서고에는 폭격을 피하기 위하여 아무렇게나 장서를 쌓아두었다. 그래서 총독부도서관이란 명칭만 있었지 도서관 역할로서는 유명무실한 상태에서 해방을 맞았다.

254 森田芳夫, 『朝鮮終戰の 記錄』, 巖南堂書店, 1964, p.304.
255 崔永禧, 『激動의 解放3年』, 한림대아시아문화연구소, 1996, p.9.
256 森田芳夫에 의하면, 정치적 감각이 둔한 군대는 곳곳에서 혼란을 불러일으켰다고 한다. 특히 조선군관사령부는 "조선군은 건재하다. 치안을 해치는 행위에 대해선 단호히 무력으로 행사할 터"라고 포고했다. 이미 접수되었던 관청과 경찰서, 신문사가 군대의 회유로 다시 일본인 손으로 넘어갔다. 그는 또한 디치를 무명 해세에 내세 9천 명의 군인을 경찰관으로 전속시켜 특별경찰대를 편성해 놨다. 그들은 또 8월 20일 총독부에 강력히 요청하여 국내 각 단체의 책임자들을 종로경찰서에 모이도록 하고 이날 오후 5시를 기해 조선인의 정치 또는 치안유지 단체는 간판을 내리고 즉시 해산할 것을 명령했다. 21일 건준 간부들은 遠藤 정무총감을 방문, 이에 항의 했으나 그는 井原 참모장에게 책임을 미뤘다. 건준 간부들은 다시 井原 참모장을 찾아가 회담을 했으나 시니운 말이 오간 끝에 겨우 건준만은 간판을 내리지 않고 치안유지에 협력토록 했다는 것이다(「일인 森田 씨가 간추린 朝鮮終戰의 記錄(下)」, 『東亞日報』, 1967년 8월 18일자).

8월 15일 일본의 무조건 항복이 방송으로 나오자 일본인 직원들은 모두 일손을 멈추고 자취를 감추었다.

8월 16일에는 한국인 직원들만 출근을 하였다. 당시 한국인 직원으로는 고위였던 박봉석과 강춘수, 이의영 등이 대표가 되어 도서관을 접수하기 위해 일인 관장과 교섭을 하였다. 결과 우선 급한 대로 각 서고의 열쇠를 인수하였다. 해방 후 전 조선총독부도서관 직원 중 한국인 직원은 불과 10여 명에 불과했다. 이들은 일본인 직원들과 투쟁을 하면서 장서 35만여 권을 사수하였다. 낮에는 흩어진 도서를 정리하고 밤에는 3명씩 철야로 안팎을 돌며 도난사고를 대비했다.

8월 17일에는 '도서수호문헌수집위원회'를 조직하여 부서를 정하고 위원장으로는 박봉석이 선출되었다. 문헌수집대는 팔에 '문헌수집대'라는 완장을 두르고 건국 사료가 될 만한 모든 것을 수집하기 위해 거리로 나가서 마구 뿌려지고 판매되는 인쇄물, 포스터 등을 수집했다. 해방이 되자 길거리에는 전단과 포스터가 난무하여 벽보와 간판이 범람하였다. 발길에 채이는 것이 전단이었다. 「모여라 동포여 ○ ○ ○에」, 「지지하자 ○ ○ ○」, 「독립은 우리 단체에서만 전취된다」는 등 천태만상의 전단이 뿌려지고 포스터가 붙었다.[257]

조선학술원을 창설

건국준비위원회의 결성에 이어 1945년 8월 16일에는 전조선의 각계 학자 기

---

257 朴熙永, 「國立中央圖書館과 나」, 『圖書館』 제102호, 1966.

술자들이 조선학술원을 창설하였다. 당면한 임무는 다음 세 가지였다.

1. 조선경제체제 재건과 국토계획에 관한 근본적 검토와

2. 정치 경제와 사회 문화의 성격을 규정할 수 있는 핵심문제에 대한 과학적 토의를 거듭하므로서 신정부의 요청에 대한 국책적 건설안을 준비하고,

3. 장래의 학술체제와 고차적 사회 연구 태세를 확립하려는 것이다.

임시 사무소는 경성여자의전이며, 위원장 백남운, 서기장은 김양이 맡았다.

학술원 위원장 백남운은 그 취지를 "조선학술원의 취지는 근본적으로 부과된 사명이 학술연구에 있는 것이다. 그러나 신국가 건설을 당하여 상아탑에 칩거하고 방관하는 태도를 취하는 것은 오히려 무책임할 뿐 아니라 실천과 유리된 반동적 결과로 돌아가기 쉬운 것이다. 그러므로 차제에 조선민족으로서는 1인이라도 신국가의 건설적 위업에 협력하지 않으면 안 될 것이다"[258]라고 하였다.

경성대학자치위원회 결성 및 규장각도서 인수

8월 16일에 경성대학 내의 한국인 직원들은 '경성대학자치위원회'를 결성하였다. 여기에는 학생들도 참여하였다. 얀베山家 총장에게 학내경비와 문화재 보관이 이양을 요구함과 동시에 금고의 칭고 열쇠를 넘겨받았다. 이 때 역시 규장각도서[259]도 함께 인계 받았다.

---

258 『每日申報』, 1945년 9월 14일자.
259 규장각 도서는 정조대왕 즉위 원년에 세운 왕실의 문고이다. 그러나 그 시발은 세조 때

8월 17일에는 대학의 문에 태극기가 꽂히고 경성제국대학 표찰에서 '제국' 자를 삭제하고 대학본부 입구의 표찰에도 새로이 '경성대학'이라 고쳤다. 연구실, 도서관에는 모두 봉인을 함으로써 규장각 도서 등은 무사히 접수하였다.[260]

미군 주둔 후에는 법문학부, 의학부의 일부가 미군 숙사로 사용되었다. 미군 정청에서 규장각을 경계하였다. 해방직후 규장각 도서는 진주한 미군의 관리 하에 들어가 규장각의 열쇠는 미군이 가지고 관리하게 되었다.

당시 신문에는 다음과 같은 기사가 있다.

우리 문화재 보관

우리 문화재를 보관하고 이를 길이 보관하는 동시에 이를 널리 해방하여 신

조선 건설의 새 일꾼에게 우리의 자랑할 고전문화를 전해주기로 되었는데

이러한 문화재가 있는 박물관 도서관 등은 현재 미국 군인이 이를 경계하는

중이다. 이 경계는 자못 엄중하여 지난 21일 경성제국대학 도서관에 어느

동지중추부사로 있던 양성지가 열조의 어제, 어서 등을 봉장(奉藏)하고자 진청하였으나 실현하지는 못했다. 숙종 조에 와서 소각(小閣)을 종정사에 세워 어서 '奎章閣'이라는 편액을 받아 열조의 어제, 어서를 봉안하게 되었는데 이것이 규장각의 시초라 할 수 있다. 그 때는 규묘나 제도가 보잘 것 없던 것을 정조 원년에 창덕궁 비원에 일각(一閣)을 지어 종정사에 있던 숙종어인 '규장각'이라는 편액을 가져다 걸고 열조의 어제와 어서를 봉안하였다. 이것이 즉 규장각의 근본이다. 그 각은 창덕궁 비원 북쪽 빈집만 남아 있는 주합루(宙合樓)가 그것이다. 창덕궁의 규장각은 후에 좌우에 동고, 서고를 만들어 동고에는 중국서적을 보관하고 서고에는 우리나라 서적을 봉안하였다. 그 후 정족산, 태백산, 오대산, 적상산에 분치하였던 실록을 합하여 이것을 규장각 도서라고 하였다. 후에 총독부의 손을 거쳐 서울대도서관으로 옮겨지게 되었다(김형규, 「규장각도서와 이조실록」, 『춘추』 2권 2호, 조선춘추사, 1941년 3월) .
260 森田芳夫, 『朝鮮終戰の 記錄』 巖南堂書店, 1964, p.402.

미군장교 한 사람이 들어가고자 했으나 파수 보는 군인은 이를 절대로 허락지 않았다는 이야기가 있다. 이만큼 이들은 문화재를 보관하고 그 건물은 경계하기를 애쓰고 있는 일면을 보이고 있으며 미군정청 당국에서는 우선 초등교육 개설에 관한 준비가 바쁘므로 끝나는 대로 개방한다더라.[261]

일본인 연락기관 결성

1945년 8월 16일, 총독부에서 경성재주 일본인의 민간 유지 경성전기주식회사 사장, 조선직유사업회사 사장, 조선상공회의소 회두, 조선농지개발 이사장 등을 소환하여 총독의 임석하에 회의가 진행되었다. 엔도遠藤 정무총감이 현 사태를 설명했다. 총독부에서 정면에 나서 시국을 수습하게 되면 한국인의 인심을 자극할 수 있기 때문에, 남아있는 일본 민간인이 스스로의 힘으로 방위하기 위하여 민간조직이 필요하다고 역설하었다. 그래서 총녹부의 기능이 무력화된 현실에서 별도 일본인의 연락기관을 결성하게 되었다.

일본인의 만행

일제는 식민통치를 위해 방대한 문서를 생산하였지만 탄압과 수탈을 위해 보관

---

261 『每日申報』 1945년 9월 22일자.

했다가 해방이 되면서 대부분 불태워 버렸다.[262] 식민통치 기관의 문서는 총독부 문서고에 집중 보관되었으며 각 도의 경찰서에서는 항일 운동가들에 대한 문서들을 대부분 영구문서로 분류하여 보존하도록 한 것이나 대부분 소각시켜 버렸다.

조선총독부의 문서는 8월 16일 정오에 제1회의실에서 총독이 패전 유고諭告를 읽은 직후부터 태웠다.[263] 전 경성일보 주필이었던 나가호 코사쿠中保與作는 8월 16일 당시를 다음과 같이 기술하고 있다.

8월 16일 아침 난데없이 폭음이 들렸다. 용산 군사령부에 가까운 일본군 병사에서 검은 연기가 일어나기 시작하였다. 무엇일까?

나는 곧 출입기자로 하여금 타진할 것을 전화했던바 전화에서 나온 것은 사령관이었다.

「우리는 딴 곳으로 이동합니다. 건투를 빕니다.」

이렇게 말하고는 전화를 끊는 것이다.

「저 연기는 기밀서류를 소각하는 것이군」

그제서야 비로소 깨달았다.

총독부 쪽을 보았더니 거기도 검은 연기… 더구나 그것을 신호로 이곳저곳에서 기밀서류를 소각하기 시작했으며 그 연기들은 서울의 하늘을 한층 우울하게 하였다.[264]

---

262 김재순,「朝鮮總督府 公文書制度와 日帝文書 保存現況」,『殉國』通卷73號, 1997.
263 森田若夫,『朝鮮 終戰의 記錄』(趙東杰,「日帝末期의 戰時收奪」,『千寬宇先生 還曆紀念 韓國史論叢』, 1985년 12월, p.960에서 轉載).
264 中保與作,「8·15 終戰과 서울의 日本人」,『新太陽』, 1958년 8월.

수탈관계의 문서는 군수성軍需省에서 관할하고 있었는데 패전 다음날인 1945년 8월 16일에 소각하였다.[265] 각 지방 관공서의 수탈문서는 1945년 8월 15일에 각 관공서에 시달하여 각 도는 독자적 입장으로 처리하도록 했다. 예로 전라북도의 경우에는 1945년 8월 16일 새벽에 총독부에서 돌아온 가리노狩野 경부는 경무국내 각과에서 서류를 소각할 준비를 하고 있다고 하고 서에서도 소각할 것을 전달했다. 8월 16일 전라북도청에서는 서류소각에 착수했다. 이력서, 인사관계서류, 경리관계서류를 제외한 수탈 서류는 모두 불태웠다. 소각 장소는 주로 공장의 보일러를 이용하였는데 도청 내 각부는 물론이고 전주부청, 군청, 전주서에서도 소각이 시작되어 때 아닌 흑연이 여기 저기 하늘을 덮었다고 한다.[266]

일본이 패전한 날부터 미군진주까지의 1개월간은 조선총독부의 기구는 형식상으로 존속하였을 뿐이었다. 각 부국에서는 실내정리를 하면서 "패전 후 일주간 매일 총독부청사의 외정에서는 서류를 불태우는 연기가 자욱했다"고 한다. 식민통치 기관의 문서는 총독부 문서고에 집중 보관되었으며 각 도의 경찰서에서는 항일 운동가들에 대해 문서도 을 내부반 잉구문시로 분류하여 보존하도록 한 것이나 모두 소각시켜 버렸다.

그들은 70년간의 조선침탈에 관한 기록을 남기지 않기 위해 부단히 노력하였으며, 8·15 당시 패망의 비경悲境속에서도 그들의 죄악에 관한 증거를 인멸煙滅하기 위하여 미고는 조선총독부로부터 아래노는 지방 경찰관 주재소에 이

---

265 山田昭次, 『朝鮮人 中國人 强制連行 研究史試論』(趙東杰, 「日帝末期의 戰時收奪」, 『千寬宇先生 還歷紀念 韓國史論叢』, 1985년 12월, p.960에서 轉載).

266 森田芳夫, 「朝鮮 終戰의 記錄」(李良圭 譯註), 『全羅文化研究』第7輯, 全羅鄕土文化研究會, 1993년 12월, pp.158-159.

르기까지 수천 개의 이른바 관서들이 허둥지둥 분서焚書하는 화광火光이 10여 일 동안 등천登天하였다.[267]

1945년 8월 17일

건국준비위원회 부산지부가 8월 17일에 조직되자 이들은 경남도청을 접수하려 도지사 공관에 찾아가 노부하라信原 일본인 지사를 비롯한 간부들과 3시간 동안이나 연석회의를 가졌다. 그러나 일본인 측은 "통치권이 없어진 것은 사실이다. 그러나 태평양 연합군 총사령관인 맥아더 원수의 별도 지시가 있을 때까지 현상을 유지하라는 포고가 있었으며, 아직 한국에 정부가 수립된 것이 아니어서 도정을 이양하기에 사실상 어렵다"는 이유를 내세움으로서 건준 경남지부의 도청 접수 시도는 좌절되었다.

경남지사였던 노부하라信原는 패전이 발표되자 도 내의 각 경찰서에 지시를 내려 벽지에 살고 있는 일본인들을 모두 보호하라고 지시 한 다음, 내륙 지방에 있는 일본인들을 울산, 진해, 마산, 통영, 삼천포, 부산 등 각 항구에 집결시켜서 미군이 진주하기 전에 한 명이라도 더 귀환시키려고 동분서주하였다.[268]

267 文定昌, 『日帝强占36年史』, 伯文堂, 1966.
268 부산직활시사편찬위원회, 『釜山市史(제1권)』, 1989, p.1055.

무사히 접수한 박물관

해방과 함께 일제가 물러가고 각 대학과 문화기관이 우리의 손에 접수되었다. 이러한 접수 중에서 가장 재빨리 아무 혼란 없이 접수된 것이 조선총독부 박물관과 그 산하의 각 지방 박물관 및 이왕가미술관이다. 총독부박물관과 그 산하의 분관은 주로 일본인들에 의해 소위 고적조사와 고고학적 발굴을 통하여 수습된 유물들이었다.

1945년 8월 17일에 김재원은 1941년 6월 이래 조선총독부박물관 책임자이던 아리미츠 교이치有光敎一를 만나서 동 박물관을 접수하였다. 당시 이 박물관의 유일한 한국인 직원은 최영희 촉탁이었다. 이렇게 재빠른 접수 때문에 박물관 본, 분관이 소장하고 있던 약 6만 점의 문화재를 아무 혼란 없이 고스란히 우리의 손에 돌아오게 된 것이다.

김재원은 1909년 함경남도 생으로 1929년에 독일에 유학하여 고고학을 전공하고 1934년에 학위를 얻고 귀국한 후, 성성여사의선, 경성경세서무학교에서 강의를 하였다.

김재원은 박물관 접수 당시를 다음과 같이 회고하고 있다.

8월 15일 이후에 살던 홍종인 씨는 나더러 박물관 일을 맡으라고 권하였다. 나도 그럴듯하게 생각하여 경복궁 자경전을 찾아 간 것은 8월 18,9일 경이라 생각된다. 박물관 사무실이 자경전에 있었던 까닭이다.

사무실에는 아리미츠 교이치有光敎一, 가아모토 카메시로榧本龜次郎, 사와 순이치澤俊一 외에 최영희 씨가 유일한 한국인으로 있었다. 모두들 갑자기 변한 사태에 당황하여 어찌할 바를 모르고 있었다. 손님으로는 경주에서 초대박물관장을 지낸 모로가諸鹿가 나카무라中村라는 청년과 불안한 표정으로 이야기 하였다.

「우리는 일생동안 박물관에서 지냈는데 머물러서 일할 수 있을까요」

일본사람들은 누구나 한결같이 이렇게 말하고 있었다.[269]

김재원은 그들과 긴밀한 연락을 하도록 부탁하고 불안해하지 말라고 하였다고 한다. 조선총독부박물관은 8월 17일에 형식적 접수가 이루어졌다.[270] 해방 전 조선총독부박물관의 책임자였던 아리미츠 교이치有光敎—의 회고에 의하면, 당시 김재원 박사가 혼자서 박물관에 찾아와 조선건국준비위원회의 위촉으로 왔다고 한다.[271] 당시 정세를 이야기 하고 박물관 접수에 있어 소동이 일어나지 않도록 금후의 대책을 협의하자고 했다고 한다.

일본이 무조건 항복하였기 때문에 박물관 접수는 바로 이루어 질 수가 있었다. 허나 문제는 일제강점기 동안 조선총독부박물관에서 행하던 고적조사나 박물관 운영에 관한 경험을 가진 한국인이 한 명도 없었다는 점이다. 박물관에는 최영희가 한국인으로는 유일하게 근무를 하였지만 서무에만 관여하였기 때문에

269 김재원, 「국립박물관은 이렇게 시작되었다」, 『박물관신문』, 1972년 11월 1일자.
270 김재원은 『藜堂隨筆集』에서 박물관을 처음 찾아가 접수한 것이 8월 17일라고 하고 있다.
271 김재원이 박물관을 접수할 당시를 有光敎—은 다음과 같이 기술하고 있다.
　총독부박물관을 접수하기 위해 김재원 박사가 우리 앞에 나타난 것은 8월 17일이었다. 그날 나는 아침 일찍부터 사무소(자경전)에서 관원 모두와 앞으로 대책에 대해서 이야기하고 있었다. 그곳에 김재원 씨는 혼자 찾아와서는 "나는 건국준비위원회의 성원은 아니지만 그 위원회로부터 위촉을 받아왔다"고 찾아온 이유를 밝혔다.

전문적인 고적조사나 유물의 처리에 관한 일과는 거리가 멀었다. 따라서 그간에 축척한 방대한 자료와 유물을 자칫하면 사장시킬 수 있는 일이기에 그냥 그대로 접수하였을 시에는 엄청난 문제를 야기할 것이라는 것은 자명한 일이다.

이러한 문제를 방지하기 위한 대책을 세우기 위해 김재원은 아리미츠를 만나 이 일을 협의하였던 것이다.

가장 큰 문제점은 이리미츠에 의하면,[272] 그 요지는 다음과 같다.

1) 총독부박물관은 총독부 기구로는 학무국 소속으로, 접수를 학무국장으로부터 해야 하지만 지금은 비상시국이라 상부의 지시를 받을 수 없다.[273]

2) 일본의 패전으로 무주건 항복하였기 때문에 연합군이 들어오면 식민지 지배의 조선총독부는 존속할 수 없다. 당연히 박물관과 총독부에 근무하는 일본인은 파면하게 된다.

3) 조선총독부 박물관에 고고학과 미술사를 전공한 한국인 관원이 한 명도 없기 때문에 일본인들이 박물관을 떠나고 나면 박물관의 운영 방법과 고적조사 사업상 중대한 문제가 발생한다.

4) 따라서 박물관 운영 방법과 고적조사 사업의 경과를 조선인 전문가에게 보고할 필요가 있다. 그 한국인 전문가는 김재원이다.

---

272 有光敎一, 「1945-46년에 있었던 나의 성험담」, 『한국고고학보』 제34輯, 한국고고학회, 1996년 5월.

273 有光敎一은 당시의 상황에 대해서 "비상사태를 맞아 박물관이 어떻게 대처해야 하는가에 대해 상부에서는 아무런 지시가 없다. 학무국은 지휘해 달라고 한 들 상단에 나설 수조차 없으며, 박물관 보전에 책임을 져야 할 총독부 고위관리는 지금 능력도 대책도 없다고 판단된다. 따라서 이렇게 당면한 오늘의 상황에서는 우리 박물관 직원들의 싼난으로 대화를 진행시킬 수밖에 없었다"고 한다(有光敎一, 「1945-46년에 있었던 나의 경험담」, 『한국고고학보』 제34輯, 한국고고학회, 1996년 5월).

5) 박물관의 시설과 수장품은 인계할 정당한 기관이 확립될 때까지 현상대로 폐쇄한다.

6) 열쇠는 전부 서무담당의 최영희 씨가 책임지고 보관한다.

이상이 김재원과 아리미츠간의 의견이 일치한 점이었으며, 일본인 관원의 파면은 9월 21일로 정하였다. 그때까지는 정상 근무를 하면서 김재원에게 매일 총독부박물관의 운영과 현황 그리고 조선 전역에서 이루어진 고고학적 발굴조사와 연구 활동을 보고하도록 하였다.

김재원은 매일 박물관에 출근하여 보안을 책임지고, 과거 연구 활동의 시말에 대해 전달받는데 전념하였기 때문에 같은 시기의 총독부 타 부국의 혼란에 비해 가장 평탄하게 인수가 진행되어 가고 있었다.

후일 아리미츠는 "김 박사는 이때까지의 박물관 사업을 이해하고 우리들의 입장을 동조하며 매우 관용적인 태도였다. 이야기를 주고받는 동안에 그와 우리들 사이에는 저절로 같은 분야의 연구자 동지라는 직업의식이 생겨나서, 국적과 민족을 초월한 연대감을 가지게 되었다"고 한다.

해방 직후 조선총독부박물관에는 가야모토 카메지로榧本龜次郎, 사와 슌이치澤俊一, 요시카와 이우지吉川孝次, 사세 나오에佐瀬直衛가 있었다. 경주분관에는 오사카 긴타로大坂金太郎, 나카무라 하루히사中村春壽가 있었다. 부여분관에는 스기 사후로杉三郎, 후지사와 가즈오藤澤一夫가 있었다. 아리미츠의 회고에는 이들이 조선인 관원과 협력하여 박물관 보존과 발굴 조사 자료의 정리에 온힘을 기울렸다고 자찬을 하고 있다. 허나 이에 대해서는 김재원의 신속한 인수가 없었더라면 불가능한 일이었다.

일본인회 결성

일본이 패망하자 철수해야 하는 일본인들은 혼란을 피하기 위해 서둘러 '일본인회'라는 연락기관을 결성한다.

8월 17일에 조일신문 경성지국장 이쥬인 가네오伊集院兼雄는 총독을 만나 민간 일본인 연락기관을 결성하겠다고 했다. 이날 밤 이쥬인伊集院兼雄은 호즈미穂積, 조선전기사장 구바久保田豊, 조선중요물자영단 이사장 와타나베渡邊豊日子, 경성일보 지배인 야스이安井俊雄 등과 협의하고 '일본인회'를 결성하였다.

총독부 기관이 무력하게 되자 일본 민간인이 스스로 힘으로 방위하고 귀환을 위한 민간조직이다. 처음에는 '일본인회'라 하다가 정치성을 고려하여 '세화회'라 하였다. 그래서 8월 18일에 '경성내지인세화회'가 결성되고 이를 시작으로 각 지역 단위로 세화회가 결성되었다.

8월 18일에는 총독부에 취의서와 규약의 원안을 제출하였다. 이에 정무총감, 경무국장이 찬성을 하여 회를 정식으로 설립하게 되었다. 그러나 총독부에서는 '일본인회'라고 하는 것 보다는 '세화회世話會'라고 하는 것이 정치성이 없어 좋을 것이라고 하여 다시 '경성내지인세화회'라 개칭을 하였다. '경성내지인세화회'는 일본인의 귀환을 위하여 세화회의 기구로 총무부, 서무부, 조사부를 두었다.[274]

'경성내지인세화회'가 결성되자 이 사실을 군용 전화를 통하여 전국에 전달했다. 8월 24일에는 총독부 기획과장의 이름으로 각 도지사에게 <내지인 세화인

---

274 森田芳夫, 『朝鮮終戰の 記錄』, 巖南堂書店, 1979, pp.133-134; 中保與作, 「8.15 종전과 서울의 일본인」, 『신태양』, 1958년 8월.

회 실립에 관한 긴>을 통보하고 각지에서도 실정에 맞게 세화회를 설립하라고 하였다. 이에 따라 인천(8월 26일 준비위원회 개최), 개성(8월말 발족), 청주(8월 24일 발족), 대전(8월 하순 발족), 전주(8월 하순 발족), 군산(8월 29일 발족), 대구(8월 하순 발족), 부산(8월 28일 발족) 등 각 지역별로 세화회가 발족되었다.

세화회의 명칭은 9월 중순이 되어 '내지인' 이라 하는 것은 한국인을 일본인 취급하는 오해를 받기 쉽다는 점에서 '일본인세화회'로 다시 개칭하였다.

일본인의 만행

일본인 관리로서 가장 큰 죄악을 범한 것은 국무국재판소 및 형무소에 있던 분자들로서 그들은 중요한 문서를 소각하기도 하고 일본인 관리들에게 공금을 불법 분배하기도 했다.[275] 전 법무국장 도다 후쿠조早田福藏와 경성형무소장 와타나베 토요에渡邊豊는 공모를 하여 1945년 8월 17일 형무소 구내에서 중요 서류를 소각하고 30여 만원의 공금을 횡령하고 비품을 매각하였다. 도다는 이후 곧바로 일본으로 도주하였다.[276]

8월 17일에 전 총독부인 일행은 은밀히 부산에 도착하여 도청에 지시하여 기범선機帆船을 구하였다. 총독부인 일행은 배에다가 산더미 같이 화물을 적재하여 17일 일본으로 떠났다. 하지만 중간에 폭풍우를 만나 산더미 같이 쌓은

---

275 『매일신보』,1945년 10월 15일자.
276 『중앙신문』, 1946년 1월 25일자.

화물은 바다로 던져버리고 겨우 인명만이 부산으로 다시 돌아왔다. 이 일 때문에 아베阿部 전 총독의 부인은 폐렴으로 상당기간 고생을 하였다.

이 같은 아베의 부인 상황은, 9월 17일 아놀드가 일본인 송환을 거론할 때 "아베 전 총독은 그 부인이 폐염으로 입원 중이므로 회복되는 대로 돌아 갈 터이다"[277]고 할 정도로 잘 알려진 이야기다.

1945년 8월 20일

위기일발의 일본공사관기록

『일본공사관기록』은 일본이 한국을 침략한 최대의 기밀기록으로, 주한일본 공사관에서 일본 외무성에 보낸 한국정세와 각종 조치에 관한 보고서, 외무성 으로부터의 각종 정책과 제반 사항에 대한 훈령 및 지시, 공사관과 한국 각시 의 일본 영사관과의 왕복문서 등이 수록되어 있다. 이는 일본의 한국 침략 초기부터 일본공사관, 통감부, 조선총독부의 한국인에 대한 훈령, 독립운동 상황 보고, 의병에 관한 것 등 한국 탄압의 온갖 기밀이 수록된 것으로 한국인에게 는 극비로 다루던 것들이다.

이 기록 원본은 총독부 문서과 창고에 보관되어 있었는데, 조선사편수회에 서 갑오경장 이후의 한국 최근세사를 편찬하기 위하여 5년 간 이 기록의 사진

---

277 『매일신보』, 1945년 9월 17일자.

1만4천여 장을 찍어 사건별로 400여 권의 사진첩을 만들고 계속 촬영하던 중에 해방이 되었다.

1945년 8월 20일, 일제는 그들의 한국침략의 죄악상을 은폐하기 위하여 총독부 문서과 창고에 있는 기밀기록과 문서를 들어내어 총독부 서편 광장에 산더미처럼 쌓아놓고 불을 질렀다.

신석호는 당시의 긴박한 상황을 다음과 같이 기술하고 있다.

해방 직후 나는 조선사편수회의 한국인 직원 20여 명과 자치회를 조직하고 이를 수호하고 있었는데, 이 날 퇴근 후 일본인 직원 한 사람이 와서 상부의 명령이라고 하고 숙직원을 협박하여 서고문을 열어 공사관 기록의 사진첩 전부를 소각하였다. 이 소문을 들은 나는 다시 출근을 하였으나 이미 사진첩은 다 타버렸다. 그러나 한 가지 다행한 것은 사진 원판을 건드리지 않은 것이었다. 나는 일인이 다시 와서 사진 원판을 파괴할 염려가 있으므로 이것을 먼 곳으로 옮기려 하였으나 이 원판은 필름이 아니요 명함크기만한 유리판이었으며, 대개 사건별로 2백장 내지 3백장을 한 상자에 넣어 도합 2백여 상자나 되었으므로 멀리 가져갈 수 없었다. 그러므로 우선 그날 밤에 숙직원 김건태와 함께 같은 건물 내에 있는 중추원 창고로 옮기고 열쇠를 가지고 일시 피신을 하였다. 이때 미군은 아직 들어오지 아니하고 일본 군인이 거리에 기관총을 걸어놓고 한국인을 위협하고 있었으므로 일인이 다시 와서 나에게 행패를 부릴 염려가 있기 때문이었다.[278]

---

278 癡菴 申奭鎬 先生全集 刊行委員會,『申奭鎬全集(下)』, 圖書出版 新書苑, 1996, pp.776-777.

당시 문서와 사진첩은 소각시켰으나, 허둥대는 와중이라 유리원판을 없애는 것까지는 생각이 미치지 못했던 것이다. 신석호는 구사일생으로 건진 유리원판을 생각 끝에 사찰에서 휴양 중인 은사 최규동을 찾아 그곳에 은닉함으로서 화를 면할 수 있었다.

위험을 무릅쓰고 숨긴 신석호의 노력으로『일본공사관기록』사진원판 4만 4천 매는 국사편찬위원회에 보관되었다. 그의 용기가 없었더라면 일본의 한국침략에 대한 많은 기록이 사장될 뻔 했다.

후일 이것들은 미국 스텐포드대학 후버도서관에서 인화를 했다. 사진첩 2부를 복제하여 1부는 국사편찬위원회에 두고 1부는 스텐포드대학에 보냈다. 그리고 6·25 때 원판은 부산에 소개하지 못하고 환도해서 보니 반수 이상이 파손되어 버렸다고 한다.[279]

1945년 8월 27일

종전사무처리본부 설치

연합군총사령부와 일본정부가 8월 24일에 일본인들의 철수를 논기 위해 협의하고, 8월 27일에 조선총독부에 '종전사무처리본부'를 설치하고 각 시도에 안내소를 두었다. 종전사무처리본부는 일본인세화회와 연계하여 일본인들의

---

279 참고 : 凝菴 申奭鎬 先生全集 刊行委員會, 『申奭鎬全集(下)』, 圖書出版 新書苑, 1996,

철수 업무를 수행하였다. 하지만 미군이 들어오고 총독부의 일본인 관리들이 해임되자, 1945년 11월에는 종전사무처리본부의 기구를 세화회에서 흡수하여 철수 일본인에 대한 사무를 일원화 하였다.[280]

1945년 8월

일본인 철수

『조선종전의 기록』에 나타난 당시 상황을 보면, 1945년 8월 18일부터 24일까지 한국 방면에 있던 화물선 27척이 일본에 입항했다. 1945년 8월 24일에 미군의 명에 의해 100톤 이상의 선박은 운항금지가 되었지만 부산 – 하카타博多, 부산 – 센자키仙崎 간의 연락선만큼은 제외되었다. 또한 많은 기범선이 ○○행이라는 깃발을 세워서 부산항에 대기하고 있다가 일본인들의 화물을 싣고 일본으로 향했다. 여기에는 일본인후원회에서 조직적으로 관여하여 화물 선적을 도왔으며, 미군이 주둔하기 전에는 모든 물품을 순조롭게 실어 나를 수 있었다.

『조선종전의 기록』에는 다음과 같은 기록이 보인다.

『하카타인양원호국사博多引揚援護局史』에 의하면, 8월 18일부터 24일까지,

---

280 森田芳夫, 『朝鮮終戰の 記録』, 巖南堂書店, 1979, pp.133-134; 中保與作, 「8.15 종전과 서울의 일본인」, 『신태양』, 1958년 8월.

조선 방면에 있던 화물선 메이유마루明優丸, 나가마사마루永昌丸 등 27척의 배가 하카타博多에 입항했다.

연합국군의 명령으로 취항했던 최초의 배는, 전쟁 전, 시모모세키와 부산 간의 연락선인 도쿠쥬마루德壽丸이다. 종전 당시에 야마게山陰의 스사須佐항에 도피해 있었지만, 조선과의 취항을 명받아 9월 1일에 스사須佐항을 향해, 군인 군속 2,552명, 일반인 16명을 태우고, 9월 3일 아침 하카타에 입항했다.[281]

이것은 계획서라기보다는 당시의 혼란 속에서, 운송 담당자간에 생각된 메모 정도의 것이라고 생각된다. 본국인양위원회라는 것은, 이 인천의 기록에서만 보여 진다. 또한, 인천에서는 「부산마루에 의한 인양계획」 으로서, 군인 유가족의 운송을 위하여, 인천 200명, 경성 100명, 화물은 성인 2개, 어린이 1개(1개의 무게 15kg)의 휴대를 허락, 북큐슈에 직행시킬 계획을 세워 8월 23일에 신청, 26일 쯤에 출항예정으로 발표했다.

이것은 그 후, 100톤 이상 배의 운항금시령이 발표되었기 때문에 실행되지 못한 채 끝났다. 단, 수척의 기범선이 미군이 인천상륙하기 전에 출항하여 일본국으로 향했다.

<중략> 미군의 명에 의해, 8월 24일 오후 6시를 기해 100톤 이상의 선박은 운항금지가 됐다. 그러나 부산 이시니⬛ 부산 - 세사키仙崎 산이 번락선만큼은 제외되었다. 부산의 주민 중에는, 연락선에 몇 번이나 승선을 해서 짐을 운반하는 사람도 있었다. 또한 많은 기범선이 ○○행이라는 깃

---

281 森田芳夫,『朝鮮終戰の 記錄』, 巖南堂書店, 1979, pp.222-223.

밤을 세워서 부산항 내에 있었다. 10월에 들어서 부산 내의 일본인 후원회는, 기범선의 통제에 적극 관여하여, 당진, 하카타, 시모노세키, 센자키행은 어떤 것도 성인 1명당 150엔, 어린이 1명에 100엔, 오사카행은 성인 1명에 200엔, 어린이 1명에 150엔으로 했지만, 통제되기 전에는 모두 100엔 할증 가격이었다. 짐도 옮길 수 있고, 순조로운 때에는 12시간 또는 20시간에 일본에 도착하기 때문에 사람들은 서로 경쟁을 해서 탔다. 그러나 폭풍우, 기뢰, 해적선 등에 조우한 기범선도 상당히 있었다.[282]

당시는 서두른 자에게는 얼마든지 기회가 있었던 것으로 보인다.

다나베 타몬田邊多聞이 기록한 「종전전후의 부산지방 교통국」의 사정을 보면,[283] 다음과 같다.

8월 21일. 고안마루興安丸가 인양자를 가득 싣고 9시에 출범하였다.

8월 24일. 도쿠주마루德壽丸가 출항, 부산 재주국원 약 500명을 인양할 계획이었으나 70명을 초과하여 출항

본일 18시에 100톤 이상의 선박은 일절 항해 금지

8월 30일. 24일 이후 연락선의 운행 금지로 부산항에 모여든 일본인의 수가 1만 1천인에 달해 대혼잡이 일어났다. 본일 이후 연락선에 한해 항해를 해금하였다.

282　森田芳夫, 『朝鮮終戰の 記錄』, 巖南堂書店, 1979, pp.124-125.

283　森田芳夫, 『朝鮮終戰の 記錄』, 資料集 第3卷, 巖南堂書店, 1985. pp.280~288.

해방직후의 일본인의 만행

해방 후 일본인들은 군용으로 많은 식량과 의복을 비축해 두었던 창고에 불을 질러 버렸다. 귀한 설탕이나 밀가루 등은 트럭으로 실어다 가마니 채 한강에 밀어 넣었다. 그들 중에는 소각 내지는 강물에 투하하라는 상관의 명령을 어기고 창고에 들이 있는 군화, 군복, 식량 등을 처분하여 사복을 채우기에 바빴던 자들도 있었다. 전경기도 경찰부장 오카岡는 부하 수 명과 결탁하여 동양방직으로부터 4만여 통의 면포를 이재민 구제금 거출의 미명 아래 마음대로 처분했다. 처분한 대금 13만원을 가지고 인천항으로부터 밀항을 하려다가 출발 직전에 붙잡히기도 했다.[284]

일본이 항복을 하자 전총독부 회계과장 우에노 다케오上野武雄와 회계과 출납계장 우에야마上山敏雄가 결탁을 하여 6천4백만 원을 38도 이북에 있는 일인 관리에게 지불할 특별위로금이라고 하고 9월초에 야스다安田은행을 통하여 일본에 송금한 후 아무 일도 없는 듯이 서울에 있으면서 기회를 보아 일본으로 비밀히 탈주하려는 직전에 체포되었다.[285]

전 경기도지사 이쿠다生田淸三郎, 전 임산과장 히우노平野, 전 산업과장 미타니三谷, 전 내무부장 도리야마鳥山, 전 농상부장 하야시林 등은 8월 15일 이후 조선 독립을 어떻게 하든 방해하려고 중요한 공문서를 전부 테워버리고 마네한 공

284 『東亞日報』 1945년 12월 12일자.
285 『東亞日報』 1945년 12월 19일자.

금을 은행에서 찾아 서로 나누어 가지기도 했다.[286] 『자유신문』, 1945년 10월 7일자에는 다음과 같은 기사가 있다.

生田等의 罪狀綻露
元京畿道日人幹部檢擧

『자유신문』, 1945년 10월 7일자 기사

생전生田 등의 죄상 탄로
원 경기도 일인간부 검거
조선사람의 등골을 때먹던 일본 관리들의 죄악이 미군 군정 당국의 손으로 계속하여 적발되고 있는데 이번에는 전 경기도지사 생전청삼랑生田淸三郎 이하 일본인 과장들이 공문서 소각과 공금횡령한 사실이 발각되어 종로 보안서에 검거 유치를 당하고 엄중한 취조를 받고 있다. 즉 생전이를 비롯하여 전 임산과장 평야平野, 전 산업과장 삼곡三谷, 전 내무부장 조산鳥山, 전 농상부장 림林 등은 8월 15일 이후로 조선독립을 어떠케든지 방해를 해보려고 중요한 공문서를 전부 불태워버리고 막대한 공금을 은행에서 차져내다가 서로 나누어 먹은 것이 탄로된 것이다. 이따위 일본 관리들이 아직도 상당히 많음으로 일반 민중은 당국의 현저한 조사처벌을 바라고 있다.

---

286 최영희, 『격동의 해방3년』, 한림대아시아문화연구소, 1996, p.44.

해방 후 터무니없이 많은 지폐를 인쇄하여 건국 조선에 돈 난리를 맞게 하였다. 해방이 되던 8월 15일에 49억 7천5백만 원이던 발행고가 미군이 진주한 9월 8일에는 이 날 현재 86억 3천1백만 원에 달했다.[287] 일본인이 이같이 화폐를 남발한 것은 예금의 인출, 각 회사의 청산 때문이었으며 이러한 인출 준비물을 위하여 조선은행 미야케三宅 감사역은 일본에 보관되어 있던 5억 원에 달하는 조선은행권을 가져오기도 했다. 그래도 부족하자 9월 8일까지 조선서적인쇄공장에서 1천원 권 70억 원, 근택인쇄공장에서 1백 원짜리 21억 원을 인쇄하였다. 이 돈은 사장되었지만 이와 같은 남발로 걷잡을 수 없을 만큼 인플레를 조성하여 한국 경제 질서의 교란을 일으켰던 것이다.[288] 당시 총독부 재무국장 미즈다는 이 같은 경제교란 혐의로 9월 25일 미군정당국에 구속되었는데 그는 또 해방 후 중요문서를 소각하고 아편을 부정처분한 혐의도 받았다.

일본이 패전한 날부터 미군진주까지의 1개월간은 조선총독부의 기구는 형식상으로 존속하였을 뿐이었다. 각 부국에서는 실내정리를 하면서 "패전 후 일주간 매일 총독부청사의 외정에서는 서류를 불태우는 연기가 자욱했다"고 한다. 식민통치 기관의 문서는 총독부 문서고에 집중 보관되었으며 각 도의 경찰서에서는 항일 운동가들에 대한 문서들을 대부분 영구문서로 분류하여 보존하도록 한 것이나 모두 소각시켜 버렸다.

군정청 관방 조사연구서장 김철주는 1946년 10월 19일 기자단과 회견을 하

---

287 『新朝鮮報』 1945년 11월 4일자.
288 『每日申報』 1945년 9월 28일자.

면서 "조사연구서는 남조선 혹은 전조선적으로 관공, 경제, 인구, 사회, 문화, 금융, 재정 등의 실태를 조사 연구하여 작성하는 것이 임무이다. 이의 총람은 기획화하여 맥아더 사령부를 통하여 미국무성까지 전하여 지는데, 일본이 항복한 직후 총독부의 기밀문서를 소각하여 전혀 조선의 자원현상을 알 수 없어 이를 타계하는 것이 힘들다"[289]고 했다.

뿐만 아니라 그간의 총독부박물관 주관의 고적조사활동을 기록한 연도별 고적조사철 마저도 없애버리려고 하였다. 이 사실은 한일협정 때 황수영 박사가 한일 문화재 교섭에 대한 기초 자료의 수집과정에서 밝혀냈다. 황수영은 구 총독부박물관을 중심으로 하여 일제의 고적조사 작업의 연도별 문서에서 일본인 관원의 출장복명서에 이르기까지 조사를 하였다. 그런데 연도별 고적조사철에는 표지에 모두 '폐기'라는 큰 도장이 찍혀 있었으나, 일제말기 박물관에 재직했던 최영희 씨의 노력으로 보존된 사실을 알 수 있었다[290]고 한다.

1945년 9월 4일

국립중앙도서관 서고 검사

건준에서 1945년 8월 27일자로 박봉석을 건준위원으로 위촉하고, 9월 4일에

---

289 『朝鮮日報』 1946년 10월 20일자.
290 『黃壽永全集5』, 도서출판 혜안, 1997, p.374.

는 서고 수호 및 소재에 대한 방침을 결정하여 전 서고에 대한 검사를 하였다.[291]

1945년 9월 5일

공주박물관 인수

공주보승회의 설립에 대한 협의는 처음 1924년에 나와[292] 1925년 6월에 공주보승회가 성립되었다.[293] 하지만 진열관과 유물이 없는 상태라 거의 유명무실했다. 1934년에는 공주고적보존회가 발족하여 공주 일대에서 발굴한 유물을 모아 전시하고, 1940년 재단법인 공주사적현창회를 조직하여 새로운 출발을 함과 동시에 박물관 설치에 이르게 된다. 1940년 4월에 충청관찰사의 집무관청이던 선화당을 이전하여 공주사적현창회에서 경영함으로서 완전한 박물관의 모습을 갖추게 되었다.[294]

일제 말기에는 공주에 선광사善光寺를 창건하여 전국 대본산으로 하고자 임시 불전으로 박물관 일부를 사용함으로 인해 박물관의 기능이 일시 중단되기도 하였다.

해빙이 되자 그 기쁨에 박물관을 돌보는 사체를 잊어버렸다. 유시손이 공수

---

291 林熙永, 「國立中央圖書館과 나」, 『圖書館』 제102호, 1966.
292 『東亞日報』 1924년 5월 5일자.
293 조선총독부, 『조선』 제121호, 휘보, 1925년 6월.
294 『관보』 1941년 8월 21일자.

박물관의 비공식 관장으로 9월 5일에서야 모든 것을 인계받게 되었다. 따라서 해방 후 20여 일 간은 완전히 방치된 상태로 일본인들이 유지하고 있었던 것이다. 해방과 더불어 일본인들로부터 박물관을 인수 받았을 때만 하여도 소장 유물이라고는 겨우 230여 점 밖에 되지 않았다[295]고 하니 그 피해가 막심했던 것으로 짐작할 수 있다.

1961년부터 공주박물관장을 역임했던 김영배는 보통학교 때부터 박물관에 관심을 갖고 자주 박물관을 찾았다고 한다. 해방이 되던 해 김영배의 나이 22세였는데, 당시 해방을 맞은 일부 몰지각한 사람들이 일본인들이 버리고 간 물건들을 서로 차지하려고 허둥대는 것을 보고 문득 박물관의 진열품이 걱정되었다고 한다. 다음은 김영배의 회고이다.

박물관에 달려가 보니 그 때의 양상은 어떻게 말해야 할 지 처참할 뿐이었습니다. 박물관 사택에는 인근 주민 10여 명이 몰려들어 옥신각신 소란을 피우고 있었습니다. 방에 깔았던 다다미를 서로 차지하려고 싸우는가 하면 문짝도 떼어 놓았고 심지어는 천정에 붙어 있는 소키트와 전깃줄마저 떼어버렸어요. 그 뿐이 아니었습니다. 마당으로 나오니까 몇 사람의 청년들이 삽으로 박물관 정원을 파헤치고 있더군요. 또 어떤 사람은 잘 가꾸어 놓은 잔디를 파헤치고 있었습니다. 왜 그러느냐고 하니 보리를 심겠다는 거예요. 그리고는 내가 이래서는 안 된다니까 "일본 놈 땅인데 차지하는 것이 주인 아니냐"는 것이었어요. 정말 기가 막혔습니다. 어떤 사람은 "네

---

295 金永培, 「신축 개관에 대한 나의 소감」, 『박물관신문』, 1973년 10월 1일자.

가 건방지게 잔말을 하느냐"면서 폭행까지 하려고 했습니다.

<중략> 나는 그날부터 박물관을 지키기로 했습니다. 숫제 숙식은 이곳에서 하면서 박물관을 지켰는데 밤중에는 무섭기도 했지만 나는 사명감에서 박물관을 떠나지 않았습니다.[296]

해방이 되자 박물관은 직원 모두가 떠나고 관리가 전혀 이루어 지지 않았던 것이다. 이런 무방비 상태를 돌아본 민태식은 당시 공주읍에서 한일당 약방을 경영하고 있던 유지 유시종을 찾아가 이런 사태를 앞으로 어떻게 할 것인지를 의논했다.

유시종은 그 때의 상황을 다음과 같이 회술하고 있다.

정말 무방비 상태의 박물관이었습니다. 그런데 하루는 충남대학교 총장을 지낸 민태식 박사가 찾아 왔더군요. 그리고는 "아니 귀중한 박물관이 저렇게 방치되어서야 되겠습니까? 돌아보니 가슴이 아팠소. 당신 같은 사람이 좀 맡아서 관리해 주어야 하겠소" 하는 것이었습니다. 그래서 나는 민 박사의 사정에 못 이겨 박물관을 맡기로 하고 현장에 가보았더니 엉망이었죠. 할 수 없이 나는 내 사비를 투입하여 박물관 진열실도 정리하고 건물 보수도 했으며 직원들도 채용했습니다.[297]

---

296 邊平燮,『實錄 忠南 半世紀』, 創學社, 1983, pp.166-167에서 재인용.

297 邊平燮,『實錄 忠南 半世紀』, 創學社, 1983, p.165.

그러나 박물관장이라는 것은 당시 유시종이 공주 지역에서 가장 유력한 인사였기 때문에 지역 유지들 사이에서만 통하는 박물관장이었다. 미군정청이나 중앙박물관에서 공식 발령을 낸 것은 아니었다. 그리고 박물관이란 이름을 가지고 그 유물이 230여 점 밖에 되지 않았다니 이게 어떻게 박물관이라 할 수 있는가! 과연 내부 진열품 230여 점으로 박물관 자체가 성립될 수 없는 일이다.

만신창이가 되긴 했지만 공백기를 몸으로 지킨 김영배와 개인 사비를 투입하여 박물관 직원을 채용하고 박물관을 정리하면서 산일을 방지한 유시종, 이들이 아니었으면 유물이 보존되기는 어려웠을 것이다.

1945년 9월 8일

미군 인천에 상륙

1945년 9월 8일 미국 태평양육군총사령관 맥아더 장군 휘하의 하지 중장이 지휘한 제24군단이 인천에 상륙했다. 이날 저녁 인천에 상륙한 주조선 미점령 군사령관 하지 중장 휘하의 선발대는 당일 밤으로 서울에 진주했다.

1945년 9월 9일

일본의 항복조인식

9월 9일 오후 총독부 제1 회의실에서 38도선 이남의 한국에 잔존한 일본 육·해군 대표가 재조선 미군사령관에게 항복문서를 넘기는 의식을 행했다.

『매일신보』 1945년 9월 11일자에는 다음과 같은 기사를 싣고 있다.

지난 9일 오후 4시 일본제국주의의 착취와 압박으로부터 3천만 동포가 해방되는 역사적 조인식이 거행되었다. 즉 연합군 측 하지 장군 앞에 일본 측 고즈키上月 조선군관구사령관, 아베阿部 조선총독, 야마구치山口 진해경

항복 조인식 장면

비사령관이 협정조약에 의한 항복문서에 조인을 한 것이다. 승리의 기록을 자랑하는 연합군 측 대표 안에 떨리는 손으로 펜을 잡고 서명하는 일본 측 대표의 꼴도 꼴이거니와 이 역사적 순간을 길이 3천만 동포에게 크나큰 감명을 주었으리라!

이어 미군 제24군사령부의 지령에 따라 일본 국기는 9월 9일 오후 4시 이후부터 모두 내리고 일본 국기를 표지한 것도 깨끗이 없애기로 하였다.[298] 9일 오후 4시 30분 총독부 앞뜰에서는 진주군 군악대의 취주가 끝나고 미군들이 국기 게양대를 입구(口)자로 둘러쌌다. 이윽고 미군 장병 두 사람이 지휘관의 호령에 따라 일장기를 내렸다. 제국주의의 간판이 땅위에 떨어지는 순간이었다. 총독부 안팎을 겹겹이 둘러싼 군중들의 박수소리가 일제히 일어났다. 이어 군악대가 취주하는 가운데 성조기가 올라갔다.[299]

같은 날 9월 9일 맥아더는 미국 태평양 방면 육군 총사령관 자격으로 38도선 이남의 행정권이 당분간은 모두 맥아더사령부의 군정 아래 시행될 것임을 포고했다. 동시에 미군의 포고 명령을 위반하는 자는 미군사재판을 받게 되고, 법화法貨는 조선은행권과 미군표로서 할 것을 포고하였다.

---

298 『每日申報』 1945년 9월 9일자.
299 『每日申報』 1945년 9월 11일자.

1945년 9월 10일

9월 10일부터 총독부청사 정문 좌우에 미군 병이 2명 섰다. 국기게양대에는 성조기가 날고 있었다.

1945년 9월 14일

중앙박물관 창고 문짝 파괴

9월 14일(금) 아침에 창고(萬春殿과 회랑의 일부)의 문을 파괴하고 내부에 미군 병사들이 들어가는 것을 순시가 소식을 전해 왔다.

아리미츠는 학무국장실로부터 급보를 받고 현장에 달려갔다. 수 명의 미군 병사가 내부를 탐색하는 군화 소리와 그들의 목소리가 들려 왔다. 아리미츠는 겁에 질린 목소리로 이를 제지하는 소리를 질렀다. 그러던 중 장교 한 명이 달려왔다. 그가 바로 학무국장에 취임한 대위였다. 사연인즉 창고의 문에 영문으로 출입금지를 표시하지 않아 미군 병사들이 모르고 수색을 하였다는 것이다. 경부군이 맡았건, 기정긴, 친구긴 따에 있는 회령에는 류낭널, 아사카와淺川 능이 모아놓은 민예 자료가 보관되어 있었다. 그런데 매일 밤 허술한 이 건물의 문을 부수고 미군들이 기념품 삼아 유물을 가져가려고 침입을 하였다. 이를 막기 위해 김재원 관장은 명륜동 본가에서 11월에 관사로 급히 이사를 했다고 한다. 이 물건들은 후에 민족박물관으로 옮겨졌으나 김 관장은 당시 작은 물건들은 손실이 컸을 것으로 보고 있다.

1945년 9월 14일 군정장관은 "태평양 미국 육군총사령관 포고 제1호 제2안에, 현재 조선에서 경찰 기구, 기능을 계속 중이다. 정치단체 명단이나 기타 일반 시민대가 경찰력의 기구 행사를 하는 것을 금한다"고 하였다.

1945년 9월 15일

총독 이하 총독부 수뇌부 해임

9월 15일에 총독을 비롯한 총독부 각 수뇌부를 전부 해임시킨 다음[300] 1945년 9월 16일 군정장관 아놀드 소장은 다음과 같이 발표하였다.

일본인 대신으로 조선인을 장차 채용하겠는데 어느 정도로 필요한 일본인은 종전대로 현역에 이용하겠다. 이에 대하여 그들의 직무 이행을 방해하지 않도록 일반은 주의해 주기 바라며 군정하의 각 관공서직원들은 전 조선총독이 가지던 직권과 권리를 나 자신 즉 군정장관인 아놀드가 장악하고 있는 것과 또 국제법에 의한 군정장관의 모든 권리를 행사할 수 있는

---

300 『每日申報』 1945년 9월 15일자.

것을 인식하지 않으면 아니 된다. 그리고 앞으로 모든 기관의 정치는 직접 내가 지배하기로 되었음으로 특히 현재의 일본인 관리들은 이것을 널리 알리어서 각 관직에 그대로 유임할 것이며 내가 해직명령을 하는 때까지 사무 이행에 유감이 없기를 기할 것이다.[301]

같은 날 군정장관 아놀드 소장은 각 관공서의 혼란을 우려하여 남긴 일본인 관리들에 대해 "앞으로 내가 해임명령을 할 때까지 사무이행에 유감이 없기를 기할 것이다. 이 같이 자기의 할 일을 계속하라는 것은 관리 전부에게 인용되는 것으로 누구든지 자유로 그 직무를 떠날 때는 이를 군률회의에 부의附議하여 조처하겠다"고 하였다.[302]

당시 한국의 여론은 일본인 관리들이 하루빨리 물러날 것을 원했으나[303] 인수인계가 단시일에 이루어지기 어려웠기 때문에 각 기관에는 일부의 일본인 관리를 남길 수밖에 없었다.

---

301 『每日申報』1945년 9월 16일자.
302 『每日申報』1945년 9월 16일자.
303 9월 16일 서울시 천도교 대강당에서 당원 1600여 명이 참가한 한국민주당 결단식이 열렸다. 이때 긴급건의안으로 "현행 행정기관에 임시적으로나마 일본 관리를 남기는 것은 불안과 침체를 초래하니 공정하고 有爲한 인물을 조선인 중에서 채용할 것"을 상정하여 가결함으로서 이를 건의하였다.

1945년 9월 16일

미군 선발부대 부산항에 도착

1945년 9월 16일에 미군 선발부대 3백 명이 부산역에 도착하였으며, 9월 17일에는 미군에 대해 현지 부두 안내가 이루어졌다. 그 후 9월 25일에는 미군 제41사단이 부산에 진주하였다. 일본인 철수에 대한 본격적인 그들의 활동도 역시 9월 하순 내지는 10월 초에 와서 정상적으로 이루어졌다. 따라서 이 시기까지는 일본인이 소장하고 있던 문화재에 대한 통제가 제대로 이루어지지 않았다고 할 수 있다. 이 같은 기회를 틈타 재빠르게 서두른 자들은 모두 막대한 물건들을 산더미 같이 쌓아 가져갔던 것이다.

예로 부산의 대표적인 삼화고무공장 사장 요네쿠라米倉淸三郎란 자는 일본이 패전하자 전시에 쌓아두었던 통제물자를 시장에 내다 팔았다. 전시에 구하기 어려웠던 고무신, 광목 등을 팔아 백 원짜리 지폐 수십 가마니를 전세 낸 배에 싣고 미군이 진주하기 전에 떠났다.[304]

한국 땅에서 치부를 하였던 재벌들, 일부 관리들은 금은보화는 물론이고 많은 현금과 골동품을 몽땅 팔아 먼저 빠져 나갔다.

---

304 釜山文化宣揚會, 『釜山總鑑』, 1988, p.66.

1945년 9월 17일

9월 17일 아놀드는 일본군인, 관리, 일반 거류민 송환에 대하여, "현재 일본
군인이 철거하고 있는 중인데 군인을 먼저 보낸 다음에 일반 거류민과 관리를
보내기로 되었으며 서울 이외의 지역에 있는 일본인 거류민과 관리도 현재 자
발적으로 철거 중인데 미군 감시 아래 보내고 있다"[305]고 하였다.

1945년 9월 19일

전 총독부의 행정기구를 그냥 이용하기로 하고 총독 대신에 군정장관을 두
고 그 아래 종전대로 정무총감과 각 국장을 미국인으로 임명하여 사무를 보았
다. 사무를 보는 곳은 전 총독부 건물인데 미국인들은 청사건물이 흰 돌로 지
이졌다고 하여 처음에는 화이트 홀(백관)이라 부르나가 1945년 9월 19일에 와
서 공식명칭으로 군정청이라 선포하게 되었다.[306]

9월 19일 오전 11시에 아베 전 조선총독은 부인과 비서를 대동하고 미군의
호위하에 미군용기로 일본으로 떠났다.

---

305 『每日申報』 1945년 9월 17일자.
306 『每日申報』 1945년 9월 19일자.

중앙도서관에서는 9월 19일에는 개성으로 소개하였던 도서의 안전이 걱정되어 직원 2명을 파견하였다.[307]

1945년 9월 21일

9월 21일 정오에 미군정부의 발표에 따라 총독부 일본인 관리는 거의 파면되고 총독부박물관에는 아리미츠만 남으라는 명령이 내렸다. 일본인 관원이 파면됨과 동시에 김재원이 관장후보로 내정되었으며, 일본인이 빠져나간 자리를 채우기 위해 도쿄제국대학 출신의 이홍직, 와세다대학 출신 민천식, 연희 문과를 나온 서갑록을 채용하고, 이어 김원룡을 채용하였다. 이렇게 하여 1915년 12월 1일 개설한 조선총독부박물관의 역사를 1945년 9월 21일자로 종식하게 되었다.

1945년 9월 22일

서울 경기도 일대에 재주하던 일본인들은 인천항을 통해 갖은 물품과 현금을 가지고 민간 선박을 이용하여 밀항 도주하였다.[308] 해방이 되고 미군이 진주

---

307 朴熙永, 「國立中央圖書館과 나」, 『圖書館』제102호, 1966.
308 『每日申報』1945년 9월 27일자.

하기 전까지는 인천부두국은 거의 휴업상태에 있었다고 한다. 미군이 진주한 후에야 세관인들은 자치위원회를 만들어 무보수로 일했다고 하니,[309] 인천부두를 통한 밀항은 배만 있으면 얼마든지 가능했던 것이다. 인천항에서 일본으로 밀항하는 자들이 이어지면서 9월 22일 군정관의 명령으로 인천을 중심으로 어떤 배든지 부두국의 출항증명이 없으면 출입을 엄금한다 했다.[310]

1945년 9월 23일

경주분관장 오사카 긴타로 밀항

김재원 초대 국립박물관장은 해방 후 8월 어느 날 아리미츠의 편지를 가지고 경주박물관에 가서 "경주박물관의 서기 최순봉 씨를 불러 같이 오사카 긴타로 大坂金太郎[311]와 관장실에서 면담을 하고 경주박물관의 다음 책임자는 최순봉 씨

---

309 嚴承煥, 「稅關野史」, 『中央日報』 1975년 6월 16일자.
310 『每日申報』 1945년 9월 29일자.
311 大坂은 1915년부터 경주공립보통학교 교장으로 취임기 때문에 경주에서 유시를 합부하는 사람 중에는 그의 제자가 많았다. 그는 일찍이 경주고적보존회의 일원으로 활동했으며, 『경주의 고적』, 『趣味의 慶州』 등의 저서는 경주고적에 대한 안내서 역할을 했다. 1921년 『조선』지에 발표한 「慶州의 傳說」과 1935년 조선지에 발표한 「新羅 廢寺址의 寺名推定에 대하여」 등은 경주에 대한 좋은 자료가 되고 있다.
1908년 공립회령보통학교 교감, 1912년 함경북도 도서기, 1913년 회령공립간이농업학교 훈도(교장) 1915년 경주공립학교 훈도-38년까지, 1938년 조선총독부 사회교육과 촉탁을 역임하였다.

가 될 터이니 오늘 당장 최순봉 씨에게 모든 창고의 열쇠를 인계하라. 그러나 직장은 아직 이탈하지 말고 중앙의 지시가 있을 때까지 기다려라"[312]고 지시를 하고 서울로 올라왔다고 한다.

그 후 소개품을 가지러 1945년 10월 15일에 다시 경주에 갔을 때에는 오사카 긴타로大坂金太郎와 나카무라中村春壽는 일본으로 밀항하기 위해 9월 23일 출발을 하였다고 한다. 중요한 자료를 몽땅 싸가지고 달아난 것이다.

미군은 진주 후 제일 먼저 일본인 송환 기구를 정비하였다. 미군정은 1945년 9월 23일 일본인 송환 업무 창구를 외사과로 통일하고, 조선총독부와 일본인 송환을 위해 설치한 종전사무처리본부와 일본인세화회를 관활 감독케 했다.

1945년 9월 26일

단구미술원을 설립

순수한 조선 문화의 한 분야로서 새 조선의 미술을 건설하고자 유지들이 단구미술원檀丘美術院을 설치하였다. 앞으로 할 사업은 연구회 창설, 조선 문화로서의 동양화 교육문제연구, 월간 동양미술지 발행, 조선고미술조사연구소개, 박물관

---

312 김재원, 『경복궁 야화』, 탐구당, 1991, p.8.

미술관연락 정기미술전과 임시전 개최 등이며 사무 분담과 회원은 다음과 같다.

　총무부 : 장우성, 배렴

　기획부 : 김영기, 이응로, 정홍거

　재무부 : 이유태, 이석호

　무부 : 이건영, 정종여, 조중현

　회원 : 김영기, 정운면, 정홍거, 정미조, 정종여, 조룡승, 조중현, 이석호, 이응로, 이유태, 이팔찬, 이건영, 배렴, 박원수, 심은택, 심형필, 오주환, 최근배, 장우성[313]

　단구미술원은 일제 강점기를 통해 가장 오염이 심한 영역인 동양화에서의 왜색을 탈피하고 새로운 동양화를 정립하자는 취지를 내걸고 의욕적으로 출발하여 1946년과 1947년 두 차례에 걸친 전시를 가졌다. 왕성한 창작욕을 보이고 있었던 중견작가들의 모임이었다는 점에서 주목을 끌었을 뿐 아니라 전통적인 회화의 재정비와 정체성 추구라는 측면에서 관심을 모았다.[314]

1945년 9월 27일

　1945년 9월 27일에는 일본인 고바야시小林三郞로부터 금동관음보살상을 자진 납부 받아 부여박물관에 부과했다.

---

313 『每日申報』 1945년 9월 26일자.

314 國史編纂委員會, 『新編 韓國史』 52, 2002.
　　참가 작가는 金永基, 張遇聖, 裵濂, 李應魯, 李惟台, 趙重顯, 張德이었다.

1945년 9월 28일

중앙도서관은 9월 28일에 일본인들로부터 도서관의 운영권을 완전히 이양 받기로 합의하였다.

9월 29일에는 군정청 문교 당국과 협의하여 관명을 국립도서관으로 결정하고 간판을 내걸었다. 9월 30일에는 일인 관장과 합의하여 박봉석을 부관장으로 임명하고 도서관 운영권을 완전히 인수받았다.[315]

일본인 송환

하지 중장은 무장 해제 된 일본 군인과 기타 일본인의 수송에 관하여 1945년 9월 28일 다음과 같이 발표하였다.

> 매일 평균 4,000명의 무장 해제된 일본 군인을 부산항으로부터 수송할 계획이 완성되었다. 수송되는 무장 해제 군인은 정기선으로 이재민 수용항으로 향할 터인데 그들은 개인 소지품과 10일간 소요 식량 및 의료품 이외는 휴대를 금한다.[316]

---

315 朴熙永,「國立中央圖書館과 나」,「圖書館」제102호, 1966.
316 『每日申報』1945년 9월 28일자.

일본인 송환은 한국인에게 위협이 되는 군인들을 우선으로 하고,[317] 귀국 소지품을 제한하였다. 군인은 9월 29일부터 하루 4천 명씩 송환 계획이었으나 후에는 하루 1만 명가량을 송환하였다. 1945년 9월 27일부터 12월 28일까지 일본 군인 17만 6천241명을 송환했다.[318]

1945년 9월 29일

사학연구회 결성

조선역사연구가 90여 명이 모여 9월 29일 사학연구회를 결성하여 우선 삼국사기, 삼국유사, 고려사, 이조실록, 동국통감, 문헌비고 기타 야사를 우리 한글로 쉽게 번역하여 널리 일반에게 반포하기로 했다. 제일착으로 삼국유사의 번역은 오는 11월중으로 완료하기로 되었다.[319]

역사연구가 90여 명! 하지만 이 단체는 처음부터 많은 문제를 안고 있었기 때문에 아무런 실효를 거두지 못했다.

---

317 군인들의 송환은 10월중에 완료할 예정이었다(『신조선보』 1945년 10월 10일자).
318 森田芳夫, 『朝鮮終戰の 記錄, 자료편 제3권』, 嚴南堂書店, 1980, p.348.
319 『每日申報』 1945년 10월 4일자.

1945년 9월

일본인 송환

다나베 다몬田邊多聞이 기록한 「종전 전후의 부산지방 교통국」의 사정을 보면
다음과 같다.

9월 2일. 고안마루興安丸가 인양민을 만재하여 출항하고, 도쿠주마루德壽丸
가 조선인 2천5백 명을 싣고 왔다.

9월 3일. 도쿠주마루德壽丸가 하카타항을 향해 출항

9월 4일. 고안마루興安丸 출항

9월 5일. 고안마루興安丸, 도쿠주마루德壽丸 매일 1회 운항 확보

9월 6일. 아침에 고안마루興安丸가 출항 후 잔류자가 2천이 되었다. 본일부
터 100인 이상 선박은 생활 필수 수송을 허가를 받아야 항해가 가능하다.

9월 8일. 미군이 인천항에 상륙

9월 16일. 미군 선발대 300명이 부산에 도착, 현지 사정을 설명 들음[320]

이 같은 사정을 보면 부산항에서부터 미군의 통제가 9월 말 가까이 돼서야
성립이 된다. 해방 후 이 기간에는 얼마든지 마음만 먹으면 그동안 소장한 모
든 골동 등은 얼마든지 가지고 떠날 수 있었다고 볼 수 있다.

---

320 森田芳夫,『朝鮮終戰の記錄』, 資料集 第3卷, 巖南堂書店, 1985. pp.280~288.

그동안 자신이 소유하였던 재산을 조금이라도 더 챙기려던 자들은 미군의 통제를 받게 되자, 그동안 취미 삼아 또는 직업상 수집하였던 골동들을 밀항이 아니고는 가져갈 수가 없었다. 그래서 안면이 있는 한국인 수집가들에게 헐값으로 팔아넘기거나, 다급한 나머지 집 앞에 골동 등 귀중품을 쌓아놓고 급매처분하기도 하였다.

1945년 9월 23일자『조선인민보』에는 다음과 같은 기사가 있다.

(인천지국 발) 항도 인천에는 때 아닌 일인 만물상이 제멋대로 속출하고 있다. 갖은 비열한 수단을 다 써서 우리의 피와 땀을 짜내던 그네들은 쫓겨가는 바에는 한 푼이라도 많이 가져가려고 그 본성인 야욕을 발휘하여 인형, 불상, 화병, 각종 기기묘묘한 골동품, 가재도구 등을 각기 현관방에다 진열하여 두고 미군 손님 오기를 기다려 접대에는 진한 화장을 한 젊은 며느리 또는 딸들이 애교를 떨며 미 군인이 물가 사정을 모르는 것을 기화로 엄청난 고가로 팔고 있다. 그들의 개점은 전 상공회의소 회두 모의 저택을 위시하여 뒷골목 거주 일인까지 가지각색의 진품을 진열하고 있다.[321]

몰래 보따리 속에 숨겨간 것도 있었겠지만 대부분은 급매처분을 하거나 고￼￼￼￼￼￼￼ 간직 머리무ㅗ 싼 수뫄에 없었다. 이런 상황이 회사 기본에 있던 한국인 골동상들은 급매 처분한 귀중 골동들을 그저 모으다시피 하였다. 또는 일본인 골동상점에서 잔심부름이나 하던 한국 점원들 중에는 그들의 물품과 점포를 인

---

321 경기도사편찬위원회,『경기도사 자료집(1)』, 2004, p.23.

수하여 점주로 된 일들도 있었다. 명동의 일본인 거상 아마이케天池의 점포를 인계받은 장봉문, 충무로에 있던 구하산방의 점포를 인계받은 구하산방 주인 홍기대 등이 이에 속한다.

혼란기에 서울 시내에는 곳곳에 골동상들이 생겼다. 골동상 박고당 주인 황규동은 "당시 남대문 안 명동거리에 많이 있던 골동 서화점들이 인사동 관훈동, 공평동, 견지동으로 모이여 지금도 그 동리는 골동 서화상의 시장으로 변하였다. 그때 행상으로 지방 사람과 연락하여 사가지고 와서 각 골동 서화점에 조달하고 점주들은 다투어 사서 곧 팔게 되니 금방 사가지고 10배의 이득을 본 일들도 많았다"[322]고 한다.

장석구 같은 자는 부동산업으로 모은 거금을 골동 수집에 무제한 쏟아 부었다. 그는 충무로 입구의 대판옥호서점의 나이토內藤定一郎, 동양제계주식회사 사장 이토伊東愼雄, 인천의 정미소를 하던 스즈시게鈴茂, 성환목장을 운영하던 아카보시赤星 등으로부터 1급품들을 사 모음으로써 일약 대수장가 되기도 했다.

일제기에는 서화 골동을 취급하는 한국 상인들은 문명상회 이희섭과 배성관을 제외하고는 일본 상인들의 재력과 권력에 눌려 크게 활동할 수 없었다. 그러나 해방이 되어 일본인들이 철수하면서 두고 간 물건들이 쏟아져 나오자 골동을 취급하는 상점이 갑자기 불러났다.

당시 일인들은 일본 송환에 대비하여 재산을 정리하여 현금화하려 하자 일부 탐욕한 한국인들을 상대로 재산 매매 또는 경영권 이양을 자행하여 국내 경제를 혼란케 하는 모리행위를 조장하였다. 이에 대해 한국민주당은 "적산을 사

---

322 황규동, 「해방 후의 골동서화계」, 『월간문화재』, 1971년 12월호.

지마라, 사지 않으면 그대로 두고 갈 것이 아닌가" 라는 내용의 전단을 뿌렸다.

1945년 10월 5일자『매일신보』는 사설에서 재일동포는 귀국시 재산을 방매하고자 해도 일인들이 사주지 않아 버리다시피 하고 온다고 밝히고, 한국인들이 다투어 일인 가옥을 사들이는 것을 보고 어떤 일인이 "조선인의 친일심에는 하등 변함이 없으니 몇 해 후에는 권토중래할 기회가 반드시 있으리라"고 장담하더라고 통탄했다.

1945년 10월 1일

중앙도서관은 10월 1일부터 한국인의 손에 의한 본격적인 도서관 운영이 시작되었다.

박봉석은 과거 이 도서관에 근무하였던 유경험자들을 불렀다. 1944년 총독부도서관을 사임한 이재욱에게 3번이나 사람을 보내어 상경하게 함으로써, 10월 2일에 이재욱에게 관장을 맡게 하고 박봉석은 부관장을 맡았다.[323]

---

323 朴熙永,「國立中央圖書館과 나」,『圖書館』제102호, 1966.

1945년 10월 2일

다시 찾은 '우리말광' 원고

10월 2일에 일본 관헌에게 압수되었던 조선어학회에서 수십 년간 각고의 노력으로 작성한『우리말광』원고를 찾았다. 이 원고는 조선어학회의 이윤재 주간 하에 이극로, 최현배 등의 노력으로 거의 완성 단계에 있었던 것으로 46배판 6,000쪽에 달하는 거대한 사전이다.

이것은 소위 조선어학회 사건으로 인해 1942년 10월 1일에 이윤재, 한징, 최현배, 이희승, 정인승, 김윤경 등이 함경남도 홍원경찰서에 구속되었다. 이들 외에도 조선어학회 관계자 들이 구속되었다. 이 때 증거물로『우리말광』원고를 압수하였던 것이다. 그 후 함흥지방법원 검사국에 송국된 후 재판 결과는 최고 6년 최하 2년을 선고 받았다. 그동안 이윤재, 한징은 잔학한 고문과 학대로 인하여 눈을 감지 못한 채 옥사를 하고 말았다. 남은 사람들은 곤경을 참아가며 경성고등법원에 상고를 하였다. 그리하여『우리말광』원고는 1945년 7월에 그 증거물로 서울로 전송되었다. 그러는 사이에 해방을 맞아 조선어학회 관계자들은 석방되었다.

석방이 되자마자 이극로, 최현배, 이희승, 정인승 등은 서울에 올라와『우리말광』원고를 찾기 위해 백방으로 수색을 하였다. 미군이 진주하기 전까지는 일본 관헌들의 방해와 비협조로 뜻을 이루지 못했다. 홍원서 고등계에서는 이 원고를 경성고등법원으로 보냈다고 하고, 경성고등법원에서는 온 일이 없다하여 원고의 거처를 알 수 없었다. 그러던 중 1945년 10월 2일 경성역 안에 있는 조선운수주식

회사 창고에서 드디어 찾을 수 가 있었다. 압수당한 지 3년 만에 찾은 것이다.[324]

『매일신보』1945년 10월 6일자에는 다음과 같은 기사가 있다.

조선어학회 일제에게 압수되었던「우리말광」원고 되찾음

1942년 10월 이래 만 3년 동안 일본관헌에게 압수되었던 우리어학계의 유일한 보배인「우리말광」전부가 곱게 조선어학회의 손으로 들어 왔다. 이 원고는 수십 년간 이윤재 주간 하에 이극로, 최현배 제씨의 노력으로 거의 완성되어 일부는 조판까지 된 것으로 전부를 합치면 46배판으로 6,000페이지에 달하는 거대한 사전이 된다고 한다. 그러면 이 귀중한 원고가 어찌하여 그 동안 일본관헌에게 압수되었으며 그 후 어떻게 하여서 오늘까지 보관되어 다시 완성된 말광으로 우리 어학계에 이바지 하게 되었는가? 누구나 궁금하게 여기는 바로 이에 자세한 내력을 조선어학회 김병제에게 듣기로 하자.

"지금으로부터 만 3년전 즉 1942년 10월 1일에 이윤재, 한승, 이극로, 최현배, 리희승, 정인승, 김윤경 제씨를 함경남도 홍원경찰서에서 검속하였습니다. 이분들 외에도 조선어학회에 관계하고 있던 여러분이 같이 검속되었는데 그 때 증거물로 말광원고를 압수하였던 것입니다. 그 후 함흥지방법원 검사국에 송국된 후 재판결과는 최고 6년 체형 2년의 극형이있습니다. 그 동안 이윤재와 한승 두 분은 진인무도한 학대로 인하여 우리말광의 완성을 보시지 못하고 원한의 눈을 감지 못한 채 옥사하였습니다.

324 『每日申報』1945년 10월 6일자;『신조선보』1945년 10월 6일자.

그러니 남은 여러분은 가진 곤경을 참아 가며 학자로서의 정의를 밝히고 초지관철을 위하여 경성고등법원에 상고를 하였습니다. 그리하여 말광 원고는 증서물로 금년 7월 28일에 서울로 전송되었습니다. 그러자 우리 에게 해방과 자유의 길이 열린 8월 15일에 석방되어 상고 중이던 이극로, 최현배, 이희승, 정인승 제씨는 서울로 올라오자 말광원고를 전력을 다하 여 찾았습니다. 그러나 미군이 진주하기 전까지도 일본관헌의 방해로 찾 을 길이 아득하여 일시는 매우 염려되던 차에 정성과 이 꾸준한 노력의 보람으로 10월 2일 만2년만에 경성역안에 있는 조선운송주식회사朝運 창 고에서 발견하였습니다. 만약 상고하지 않았더라면 찾을 수 없었을는지 도 모르겠습니다. 앞으로 이극로, 최현배, 이희승, 정인승, 김윤경 제씨와 내가 주간이 되어 완성을 기하기로 되었는데 46배판으로 약 6,000 페이지 나 되는 것으로 일본제국주의 하에 된 것인 만큼 주석에 수정할 것도 있 어 좀 시일이 걸리겠습니다. 그러나 인쇄가 원활하면 넉넉잡고 2년만에 는 출판되리라고 믿습니다.

*조선어학회 사건

일제는 1938년 교육령을 개정하여 학교에서 우리말 수업이 사라지고 일본어 상용화가 실시되었다. 학교뿐만 아니라 관공서에서도 일본어를 사용하도록 강 요하였다.

당시 조선어학회는 표면적으로는 독립운동을 나타내지 않아 일제 당국의 해 체 통고는 받지 않았으나, 일본어 사용을 통용화 하려는 일제로서는 민족운동으로 파악하여 언제든 탄압을 염두에 두고 있었다. 즉 조선어학회가 하는 일은 민족문화 사수운동이며 민족정신의 고취로 파악하고 있었던 것이다.

1942년 8월 함흥영생고등여학교에 다니는 한 여학생의 편지가 홍원경찰의 손에 들어가게 되었다. 그런데 이 편지의 내용이 그들이 볼 때 불량 사상이 있는지라 그 여학생과 관련자 4~5명을 잡아 가두고 모진 고문을 가하여, 그런 민족주의적 사상을 불어넣은 선생을 대라고 하였다. 고문을 이기지 못한 그 여학생은 정태진 선생의 이름을 대었다. 정태진은 영생여학교에서 재직을 하다가 조선의 과목이 폐지됨에 따라 1940년 5월에 그 학교를 떠나 조선어학회에서 편집 사무를 보고 있었다. 이 사건으로 인해 1942년 9월 5일 홍원경찰서로 붙잡혀 갔다.

일제는 이 기회에 조선어학회 자체를 붕괴시키려는 심산으로, 1942년 10월 1일에 이극로, 이중화, 한징, 정인승, 최현배, 이윤재, 김윤경 등을 포함한 11명을 구속했다. 계속해서 10월 22일에는 이병기 등 7명을, 11월 23일에는 이인상, 안재홍 등 8명, 이듬해 1943년 3월 5일에는 2명, 4월까지 관련자 33인을 구속하였다.

『매일신보』 1945년 10월 10일자에는 '조선어학회 사건의 진상 발표'라는 제하의 기사에 당시의 사정을 다음과 같이 기술하고 있다.

조선어학회 사건의 진상 발표

우리 조선어학회에 계신 여러분들이 3년 동안 고초를 겪고 혹은 최후의 희생을 당하게 된 소위 '조선어학회 사건'의 진상을 한글날을 기하여 밝히고자 한다. 조선어학회 사건은 1942년 함흥 일출여고의 여학생 간에 사상 사건이 일어난 일이 있는데 그 여학생의 취조에 따라 여학생들이 조선독립에 대한 사상적 영향을 받은 것이 그 전년에 동교의 교원으로 있던 정태진丁泰 鎭이라하여 당시 어학회의 사무원으로 있던 정을 검거하고 이어서 조선어 학회의 하는 일에 억지의 의심을 품게 되었다. 여기에 함남 홍원경찰서에 서는 그 해 10월 1일에 이윤재, 한징, 이극로, 정인승, 이중화, 김윤경, 이석 린, 최현배, 권승욱, 이희승, 장지영 등 11씨를 검거하고 취조하는 중 그 후 다시 일곱 사람씩 세 차례에 걸쳐 검거하여 모두 32명을 홍원서에서 검거 하였었다. 죄명은 치안유지법 위반이라고 붙이고 어학회는 국체변혁을 목 적으로 하는 결사라 하여 죄를 구성시키려 억지로 혹독한 고문을 시작하였 다. 유일한 조선어사전까지 빼앗었다가 사전을 편찬하는 목적은 어디 있느 냐 또는 조선어사전편찬은 장래 조선독립을 목적으로 하는 것이 아니냐 혹 은 일본말로 사용하는 시대에 한글을 연구 보급하는 것은 조선 문화의 향 상과 민중에 민족의식을 높혀 유사지추에는 조선독립을 꾀하는 것이 아니 냐는 제 마음대로의 해석 아래 이를 억지로 시인시키려던 것이었다. 그리 하여 사건은 함흥지방법원으로 넘어가 작년 12월 22일부터 금년 1월 8일까 지 공판이 계속되었는 바 그 결과 16인이 공판에 회부되어 이윤재, 한징 두 분은 옥사를 당하고 정렬모, 장지영 두 분은 예심에서 면소되고 나머지 12 명에 유죄판결이 내리었다. 그리고 그 외의 사람들은 기소유예로 석방되었 는데 유죄로 판결된 분들 가운데 이극로, 최현배, 정인승, 이희승, 정태진은 체형이었으나 그 중 정태진은 만기가 되어 출옥하고 나머지 네 사람들은 다시금 상고되었다. 또 김양수, 김도연, 이인, 이우식, 이승화, 김법린 6씨는 집행유예가 되고 장현식은 무죄가 되어 나갔다. 그리하여 이극로, 최현배,

정인승, 이희승 네 분만이 남아서 고생을 하다가 8월 17일 조선해방과 함께 광명의 천지로 함흥형무소를 나오게 된 것이다. 조선어학회 사건이 홍원서에 검거되어 취조를 받는 동안은 얼마나 고초가 컸던가는 이윤재, 한징 두 선생이 옥창속에서 별세하시었다는 것만으로도 알 수 있다. 담임형사는 호랑이형사라고까지 이름난 안정모란 자와 함경남도 경찰부에서 응원온, 창씨명 시전건차(제주도 출생 김모로 그 후 경기도 경찰부로 전근)란 자로 때로는 천정 대들보에 두 팔을 끌어매어 달아 놓기도 하고 혹은 목총이나 죽검으로 뭇놈의 형사가 보리타작하듯 치기도 하고 개짐승같이 마루바닥에 엎드려 꿇어 놓기도 하고 같이 취조 받고 있는 동지까지 서로 맞세워 놓고 죽검으로 마주 때리라고 강박도 하고 혹은 유도로 볏단을 던지듯 들러 메꽂기도 하고 몽둥이로 뭇놈의 형사가 떡치듯 돌아가며 내치기도 하고 혹은 콧구멍에 물주전자를 대고 붓기도 하여 날이면 날마다 야만적인 고문이 우리 선생들의 약한 몸 위에 그칠 때가 없었다. 그때마다 우리 선생들은 한참씩 까무러쳐 버리기까지 하였던 것이다. 그러나 홍원서에 있을 때엔 행여나 그 매질에 죽으면 자기네들의 책임이라 하여 강심제도 놓아 주고 또 사식도 허락하였다. 그러다가 함흥형무소로 넘어간 후로는 동지 가운데 이윤재와 한징은 마침내 옥중의 이슬로 쓰러진 것이었다.

구속된 날로부터 온갖 고문이 시작되었다. "어학회 목적이 무엇이냐?", "누구와 무슨 이야기를 했느냐?" 등을 물으며 모진 고문을 가하였다.

권승욱은 당시의 고문을 다음과 같이 기술하고 있다.

함흥에 간 지 사흘 되던 날 이극노 씨를 끌어 내갔다.<중략>

정적을 깨트리는 외마디의 "아!" 하는 비명소리가 들린다. 마치 닭이 삶에게 불려가는 닭의 비명소리다. 나는 머리털에서 발끝까지 자릿자릿 할 뿐, 온몸은 돌과 같이 굳어졌다. 저렇게 튼튼하고 모질고 의지가 굳은 분이 얼마나 못견디면 저런 소리를 지를까. 그러자 또 "아!" 천정을 뚫고 벽을 따르는 외마디 소리에 나까지 숨이 막히고 전신이 아찔하여 진다. 나는 '기절할 때까지'를 생각했다. 비명소리는 계속되었다. 적막은 또 다시 흐른다. 아마 기절했나보다. 이렇게 하여 이극노 씨는 일주일 취조에 사흘을 두고 일곱 번을 기절했다. 그 다음에 정인승 씨가 끝나고 내 차례를 당했다. 여러 날을 굶주려 파리하여 졌다. 형사는 나를 꿇어앉히며 "바른대로 말 안하면 죽이다"고 얼러댔다. 그러나 아무 감각이 없이 돌과 같이 그저 끌려갈 뿐이다. 취조실에 들어섰다. 형사 7, 8명이 죽 늘어앉았다. 마치 백정과 같이 살기를 띠고 "어학회 목적이 무엇이냐?" 그리고 "이극노랑 한 이야기를 말하라" 하고 밑도 끝도 없는 말로 묻는다. 나는 "학술문제 외에는 할 말이 별로 없다" 라고 대답을 하였다. 그러니 "요녀석 무엇이 어째" 하고 뺨을 후려갈긴다. 눈에는 불이 번쩍 정신이 아찔하다. 그런 식으로 물으니 그와 같이 대답할 뿐이다. 그런 가운데 발로 차이고 궁글림을 당하고 매 어침을 당하고 하니, 견디기 어려워 죽여 달라고 소리치며 울었다. 그러니 "요 녀석 말 잘했다. 죽여 주마" 하고는 벌거숭이로 만들고는 옆방으로 끌고 갔다. 끌려가 보니 수도가 있고 그 밑에는 큰 물동이가 놓여 있고 주전자가 서너 개 있으며 수술대 같은 긴 나무로 된 의자같은 틀이 가로 놓여 있었다. 싸늘하고 무시무시하다. 틀에다가 묶어 놓고는 두 다리의 발목을 틀에 동여매어 꼼짝 못하게 하였다. 나는 '기절할 때까지'를 입속으로 외웠다. 다만 물 따르는 소리밖에 아니 들린다. 한 놈은 발에 올라타고 한 놈은 머리를 움켜 꺾어 꼼짝 못하게 하고는 한 놈은 주전자를 들어 염불하듯이 "이 물을 먹으면 저승에 가고 저승에 못가면 폐병에 걸린다" 하면서 가슴에다 폭포수 같이 붓기 시작한다. 온몸이 싸늘해지는데 입과 코에다가 떨어뜨린다. 그러니 숨을 쉬는 바람에 물을 아니 마실 수 없다. 폐로 물이 들어가게 되니 숨이 막히고 숨이 막히는 바람에 물을 벌컥 넘기어 고통에 못 이겨 "아!" 하고 외마디의 비명을 지르며 몸부림을 친다. 그러면 머리카락이 한 줌씩 빠지며 고개만이 자유롭게 되는 틈에 숨을 얻어 쉰다. 이러기를 거듭하는데 참으로 죽을 지경이다. 죽을 작정으로 숨을 아니 쉰다. 그러나 산목숨이 숨을 아니 쉴 수야 있으리오. 기절할 때까지 어느 때나 기절하나? 고통은 더 심하고 정신은 점점 맑아진다. 이렇게 하여 서너 주전자를 먹는 중에 위를 중심삼아 온 힘줄을 갈퀴고 긁어모으는 상태에 이르더니 위가 불룩해지며 분수처럼 입으로 토한다. 토하고 나니 그지없다. 정신이 아찔하고 개 떨리듯 떨린다. 나중에 생각하니 기절할 때까지가 아니라 토할 때까지가 원칙인 듯 싶다. 기질이 약한 사람은 기절하고 강한 사람은 토하는 것이 아닐까? 이런 고통의 경지를 여러 날을 두고 겪은 뒤, 우리 3인은 힘흥에서 10월 23일 홍원성찰서로 옮기이 끌려갔다.[325]

후에 이들은 함흥형무소 미결감으로 28명이 옮기게 되었으며, 1943년 9월

---

325 權承昱,「조선어학회 수난의 회고」,『民聲』5권 5호, 1949년 5월.

18일에 기소유예로 12명이 석방되었다. 그리고 기소되어 예심에 회부된 사람은 16명이었다. 그 중 1943년 12월에 이윤재가 옥사하였으며, 1944년 2월 22일에는 한징이 옥사하였다. 1944년 9월 13일에 2명은 출옥하였으며, 나머지 12명은 1945년 1월 16일 공판에서 징역 6년에서 2년형을 받았다.

이 판결에서 이극로, 최현배, 이희승, 정인승 등 4인은 상고를 하였으나 시일이 경과하는 사이에 해방을 맞아 1945년 8월 19일 함흥감옥에서 출옥을 하였다.[326]

감방의 고초가 얼마나 심했는지 이희승은 다음과 같이 회고하고 있다.

그날 그날의 하루하루가 판에 박은 듯 단조롭기 짝이 없다. 일반 사회의 사람들은 이렇게 줄을 친 듯한 단조로운 생활에서 도저히 배겨나지 못할 것이오. 또 그 정도는 상상할 수 없을 것이다. 그러나 감방 안에 사는 사람들은 달고 치면 맞는 격으로, 장 속에 갇힌 새의 몸이기 때문에 옴치고 뛸 수 없어 부득이 당하게 되는 것이다. 그러므로 아무리 혀를 잘 놀려서 표현할지라도 그 진상을 전할 도리가 없고, 더구나 붓끝으로는 그 몇 십 분의 일 몇 백 분의 일도 그려 낼 수 없다.[327]

이 때 담당형사는 안정모와 시바타 겐지로芝田健次郎(김석묵의 창씨명)로 그

---

326 權承昱,「조선어학회 수난의 회고」,『民聲』5권 5호, 1949년 5월;「우리말의 등대수 김윤경 박사 훈육 50년」,『국민보』1961년 10월 25일; 李熙昇,『딸각발이 선비의 일생』, 창작과 비평사, 1996.
327 李熙昇,「朝鮮語學會 事件 回想錄」,『思想界』96호, 1961년 6월.

고문의 양상은 이루 형언할 수 없었다고 한다.[328] 고문의 형태는 천정 대들보에 두 팔을 뒤로 묶어 매달아 놓고 치고, 꿇어 앉혀 놓기도 하며, 취조받는 동료끼리 마주보고 죽검으로 찌르게 하는가 하면, 유도로 메다꽂기도 하며 코에 물을 붓기도 하였다.[329]

김석묵은 10여 년 동안 고등계형사 생활을 하는 동안 선열들을 모진 매와 고문으로 가장 못되게 굴던 악질적인 자이다. 그가 함경북도 경찰부에서 조선어학회 사건을 맡았을 때 어찌나 심했던지 이윤재, 한징 두 사람은 죽음으로 몰았을 뿐 아니라 이극로 이하 어학회 회원들은 반신불구를 되게 한 자이다. 해방 후에도 중부경찰서 경부보로 근무하면서 악행을 일삼아 모리森라는 일본인 전당포 주인을 협박하여 30여 만 원을 사취한 일로 경찰서에 인취되기도 했다.[330]

고문왕 김석묵은 해방 전에는 일본인처럼 보이게 하기 위해 집안에서도 일본인 복장을 하고 다다미방에서 일본말을 쓰던 자이다. 그런데 해방이 되자 "나는 시바다가 아니고 김석묵이라는 조선 사람이요" 라고 하며 중부경찰서 경부보로 태연하게 앉아 버티었다. 그러나 타고난 천성을 버리지 못하고 공갈 협박을 한 혐의로 법정에 서게 되어 정체가 드러나게 된 것이다. 1946년 4월 11일 공판정에 나선 김석묵을 석성인石星人(필명)은 다음과 같이 기술하고 있다.

4월 11일 공파성에 나선 김서무으 그 비대히 ■긴 괴둥피둥힌 닡비는 신

328 『每日申報』1945년 10월 10일자.
329 서울시사편찬위원회, 『서울六百年史』 제4권, 1981, p.156.
330 『東亞日報』1945년 2월 13일자.

과 다름없으나 다만 팔목에 채인 고랑과 머리에 얹인 용수만이 다를 뿐이다. 판·검사 뒷좌석에는 일찍이 어학회 사건의 한 사람으로 함흥 홍원에서 동지들의 고문 받는 광경을 목격하였을 뿐 아니라 이 자에게 고초를 받았던 이인李仁 대법관이 특별 방청하였다.

김석묵의 처단 받는 양을 바라보는 감개무량한 표정 목전에서 단죄 받는 김석묵의 손에 돌아간 이윤재, 한징 양 동지를 생각할 때 얼마나 가슴 아프랴! 얼마나 치가 떨리랴!

자기가 괴롭히던 이인 대법관과 눈이 마주칠 때 그의 가슴엔 어떠한 생각이 떠올랐을 것인가. 극적 대면은 방청객으로 하여금 죄와 벌에 대한 인생의 운명을 하염없이 느끼게 하는 순간이었다.[331]

김석묵은 이날 1년 6개월의 징역이 선고되었다. 이 날 받은 것은 순전히 독직죄에 한한 것이지만, 정부 수립 후 당연히 정리할 친일 반역죄는 여기에 적용하지 않은 것이다.

1945년 10월 3일

1945년 10월 3일 아놀드 소장은 담화를 발표 "일본인들은 군정 당국의 지휘하에 가급적 빠른 시일에 귀환 시킨다. 일본인은 세화회에 등록해야 한다. 개

---

331 석성인, 「반역자의 우명」, 『新天地』, 1권 5호, 1946년 6월.

인적인 귀환을 금한다"고 했다. 모든 송환은 세화회에 등록하여 정당한 절차를 밟아 송환이 이루어지도록 하였다.[332]

1945년 10월 8일

불법 밀송이 성하자 1945년 10월 8일에는 군정청 법령 제10호로 "일본 국적을 가진 사람들은 경찰서를 통하여 허가장을 요하지 않고 소재지로부터 10킬로미터 이상 여행함을 금한다"고 하여 거주지 이탈을 막았다.

1945년 10월 10일

일본 민간인의 송환(送還) 개시

일본 민간인의 송환은 1945년 10월 10일부터 개시되었다. 즉 3천명의 일본인을 태운 열차는 10일 서울을 출발하여 부산으로 향했는데, 이 열차는 부산에서 돌아올 때는 일본에서 귀국한 3천명이 동포들 태우고 올라있다.[333] 미군이 민간인을 공식적으로 송환한 것은 10일에 서울서 출발한 일본인이 부산을 떠

---

332 『毎日申報』 1945년 10월 6일자.
333 『毎日申報』 1945년 10월 10일자.

난 1945년 10월 16일부터라고 할 수 있다.

10월 중순에는 서울, 인천, 대구, 군산의 일본인 세화회 대표가 부산에서 회합하여, 인천, 대전, 대구, 군산의 일본인세화회 연락원이 부산에 상주하여 일을 보게 하였다.[334]

일본인 세화회의 활동이 본격화 되자 부산은 집결지가 되어 인산인해를 이루었다. 서울에서 부산까지 하루 세 번 수송열차가 운행되었다. 만주나 북한지역에 거주하던 일본인들이 부산에 모려든 것은 10월 중순부터인데, 이들은 진주한 소련군으로부터 많은 시달림을 받았다고 한다. 만주와 북한 등지에서 부산에 도착한 일본인들은 각 학교, 사원, 등에 수용되었다. 10월 10일 현재로 부산에 모여든 일본인 수는 1만 7천여 명이었던 것이 15일에는 2만 2천여 명으로 증가하였으며[335] 수용소마다 초만원을 이루었다. 이밖에도 일본으로 철수를 기다리는 패전군이 3만이나 떠나지 못한 채 기다리고 있었다.

미군정청은 해방 전 부산 – 시모노세키 간을 운행하던 토쿠주마루德壽丸, 고안마루興安丸 등 7척의 여객선을 징발하여 인원 수송에 충당했으나, 그나마 배가 부족하여 일본인들은 기범선이고 거룻배고 가릴 것 없이 타고 떠났다.

귀환자는 미군에 의해 신체검사를 받고 짐과 몸을 수색하여 귀금속, 무기류, 골동품 등은 모조리 몰수하여 미군에 인계되었다. 이때 일부 귀금속과 국보급 골동품이 미국 민간인 손에 들어가 국외로 반출된 사례도 적지 않았다.[336]

334 부산직활시사편찬위원회,『부산시사(제1권)』, 1989, p.1056.
335 부산시사편찬위원회,『부산시사(상권)』, 1974, p.1119.
336 嚴承煥,「稅關野史」,『중앙일보』1975년 6월 16일자.

재산을 일본으로 가져가기 위해 배를 전세 내는 관리나 상인들이 있는 반면, 송환 날짜를 기다리는 자들은 힘든 나날을 보냈다. 해방 전 전주에 거주하다가 철수하던 일본인은 당시를 다음과 같이 회술하고 있다.[337]

전주에서 철수한 것이 1945년 10월 25일로 기억된다. 전주역 남쪽에 있던 철도관사 마당에서 간단한 신체검사를 하고 현금은 1인당 천원으로 제한 되었다. 왜 내가 번 돈을 마음대로 가져가지 못하는지 이해가 되지 않았 다. 등에는 쌀 한 말을 짊어졌고 취사도구와 옷가지를 챙겼다. 짐차에 짐 짝처럼 실리어 오후 4시경 전주역을 출발하였다. '화원정이여! 전주여 잘 있어라!' 생각하면서 모두 눈물을 흘리며 살아오던 전주를 뒤로하였다. 다 음날 오후 부산역에 도착하였다(船山參男, 1979년 회술).

지금까지 알고 지내던 조선 사람 자경단 태도가 갑자기 거만해졌다. 집을 무 단으로 들어와서 "당신들은 진주에 올 때 빈손으로 왔지 않았는가? 일본에 들 어갈 때도 빈손으로 가야할 게 아닌가? 여기 있는 물건들은 전부 한국의 재산 이다. 가져가지 말라!" 등의 말을 하고 갔던 일도 있었다.

그렇게 비판하는 한국인도 있었지만, 개개인의 친절은 고맙게 느껴졌다. 1945년 11월 20의 역치무 진주를 주민(兎)나 알 만찬 이람들이 배상 해주에 감사 하기 짝이 없었다. '진주여! 잘 있어라!' 화물열차에서 손을 흔들며 떠났다(陶山 不二南, 1979년 회술).

---

337 全州文化財團, 『日帝 植民時代 口述實錄(1907~1945)』 제1권(2007)에서 재인용.

1945년 10월 13일

박물관 소개품 회수

박물관 인수가 정상적으로 이루어지고 있는 가운데 10월에 들어서자 김재원은 아리미츠와 협의하여 개관준비를 위해 경주와 부여에 소개하였던 중요미술품을 회수하기로 하였다.[338]

공습에 대비하여 해방 전에 소개되었던 진열품을 가져오려고 부여, 공주, 경주로 출장을 하였다. 당시 일행으로는 김재원 관장(당시 36세), 아리미츠, 군정청 교화국국장 미첼 중위, 미 운전사 등이었다.

10월 10일에 김재원과 아리미츠는 여행에 필요한 신분증명서를 발급 받고 10월 12일에 출발하여 13일에 공주에 도착하였다.

해방 후 공주박물관은 지방 유지들이 바로 접수하였고 그 진열품을 유시종이 맡아 보관 관리하고 있었다. 공주에서는 당시 고적현창회의 진열관은 일본의 패전과 함께 자치위원회에서 접수하여 폐쇄 중이었다.

공주에서는 약종상을 하고 있던 유지 유시종을 분관장으로 맡기기로 했다.

10월 13일(토)에 김재원 일행은 공주박물관 상태를 점검하고 14시에 부여에 도착하였다. 부여에는 규암리 사지에서 출토된 전이 소개되어 있었다.

10월 14일에 부여분관 귀중 소개 진열품을 포장하여 싣고 부여를 출발했다.

---

338 이하, 소개품 회수 일정은 有光敎一의「私の朝鮮考古學」(『朝鮮學史始め』, 青丘文化史, 1997)에 따른 것임.

이 과정에서 부여 유지의 추천으로 군청에 근무하고 있던 홍사준을 부여분관장 후보로 정했다.

홍사준은 해방 전 부여군청에 근무하였다. 당시 이른바 내선일체의 사업으로 부여신궁 건립을 추진하고 있을 때 그 주무를 맡고 있었다. 그러나 홍사준은 이 사업에 적극적일 수 없었으며 이로 인해 일본인 상사와 마찰이 생기기도 했다.

10월 14일에 중요 소개품을 싣고 부여를 출발한 일행은 15일에 경주에 도착하였다.

경주에서는 해방 전에 오사카 긴타로[339]가 분관장으로 있었으며 서기는 한국인 최순봉이 맡고 있었다. 최순봉은 오사카가 경주보통학교 교장으로 있을 때의 제자이기도 했다.

소개품을 싣고 경주를 출발하여 10월 19일에 박물관으로 돌아왔다. 당시 지방에서 가지고 온 것은 경주에 두었던 금동미륵반가상, 금제요대 등 1급 국보급 유물과 부여에서 가지고온 문양전 등이었다.

1945년 10월 16일자 재조선 미육군사령관 사령 제16호에 의해 학무국 문화보존계 국립박물관장에 김재원이 정식으로 임명되었다.

소개품을 가지고 돌아온 다음날 조속한 개관 준비를 하였다.

---

339 大阪은 1915년부터 경주공립보통학교 교장으로 있었기 때문에 경주에서 유지로 활동하는 사람 중에는 그의 제자가 많았다. 그는 일찍이 경주고적보존회의 일원으로 경주고적에 대한 각별한 애정과『경주의 고적』,『趣味의 慶州』등의 저서는 경주고적에 대한 안내서 역할을 하였으며, 1921년『조선』지에 발표한『慶州의 傳說』과 1935년 조선」지에 발표한「新羅 廢寺址의 寺名推定에 대하여」등은 경주에 대한 좋은 자료가 되고 있다.
1908년 공립회령보통학교 교감, 1912년 함경북도 도서기, 1913년 회령공립간이농업학교 훈도(교장) 1915년 경주공립학교 훈도-38년까지, 1938년 조선총독부 사회교육과 촉탁을 역임하였다.

10월 22일부 김재원은 미군정부 상충에 아리미츠를 가능한 장기간 한국에 남길 것을 요청하였다. 박물관의 질서를 회복하고 진열품이 공개되어 정상적인 상태가 될 때까지 아리미츠를 근무케 한다는 명령서를 받아내, 아리미츠는 그때까지 박물관에 남아 있기로 하였다.[340]

군정청은 "정부에 지위를 점령하고 있는 일본인은 가급적 속히 해임시켜야 하나 그들 직무의 모든 수속 기능 세목과 그들 자금과 의무의 평가를 발견하여서 적당히 조선인으로 교체시키기 위해서 필요한 기관에는 그들을 유임시켜야 한다. 수천이 넘는 정부의 지위를 차지할 경험 있고 훈련받은 조선인 직원을 훈련하기 위해서는 적당한 시기가 필요하다. 다수의 조선인이 이전에 그 지위에 있던 일본인으로부터 정부 관직 세목을 학습할 필요가 있다"고 했다.[341]

아리미츠의 귀국을 연기할 수밖에 없는 이유는 우선 박물관 어디에 무엇이 있는지도 아는 한국인이 없었다.

아리미츠 외에도 아사카와淺川伯敎는 미군정청의 허가를 얻어 1946년 10월 말까지 한국에 잔류하여 도요지를 조사하였다. 아사카와가 수집한 공예품 도자기편 등 3천여 점을 정리 국립박물관에 기증하였다. 그 외도 가토加藤權覺는 1946년 가을까지 경성일본인세화회에 기거하다가 세화회 인양 후 동본원사에 1실을 마련하여 남아 있었다.

---

340 그 후에도 1945년 11월 28일, 有光教一은 경성일본인세화회에 가서 개관일 이후의 인양 열차를 예약했다. 12월 19일 출발하는 열차를 예약했다. 17일에는 김재원 관장 댁에서 송별회까지 가졌다. 18일에는 모든 수속을 마치고 있었는데, 미군정부 고문으로 재채용한다는 통보와 함께 필요한 서류를 작성하고 협력할 것을 통보해 옴에 따라 귀국을 늦추게 되었다.
341 『中央日報』 1945년 11월 17일자.

1945년 10월 15일

국립도서관 개관

　미군이 입경한 후 10월 5일에 일본인 전부를 파면하고 '국립도서관' 이란 새 간판을 걸고 1945년 10월 15일에 개관을 하였다.

　그 동안 일본인들이 소개한 도서를 미군의 원조를 받아 복귀시켰다. 또 일본인들이 소위 비본秘本이라 하여 일반에게 금지시켰던 조선 역사 및 사상 관계 서적과 식민지 정책의 비밀도서 등 1만여 권도 완전히 접수하였다.[342]

소공동 시절의 국립중앙도서관

342　朴奉石,「舘報를 내면서」,『國立圖書舘舘報』제1호, 1946년 3월;『新朝鮮報』, 1945년 10월 16일자.

『매일신보』 1945년 10월 15일자에는 다음과 같은 기사가 있다.

조선에서 가장 큰 도서관인 부내 남대문통에 있는 전총독부 도서관은 이 번 국립도서관으로 이름을 갈고 15일부터 일반에게 열람을 공개하기로 되 었다. 8월 15일 이후 조선사람 직원은 일본인의 발악적 파괴와 용감히 싸 우면서도 도서관 전체를 완전히 보호하는 한편 지방 각지에 소개하여 두 었던 도서 약 15만권을 다시 반입하여 문화전당의 면목을 갖추고 이번 개 관을 하게 되었다.

종전에 불온사상이라고 열람을 금지했던 사회과학 방면의 서적 수만 권 도 이번에 새로운 햇볕을 받고 독서자의 진리탐구를 위하여 해방되리라고 한다. 그리고 군정청으로부터 지난 5일 관장에 이재욱 부관장에 박봉석이 임명되었다.

신문기사에는 지방에 소개하였던 15만 권의 도서를 반입했다고 하는데 어 디에 소개했던 것인지 명확하지 않다. 정작 중요한 것은 11월 이후에 반입하게 된다. 당시의 「관내일지」를 보면 다음과 같다.[343]

1945년 11월 7일. 전 일본 관원 야마나카山中 서기가 퇴거하고 관사를 인수

1945년 11월 8일. 미군 화물자동차로 아현정 서고에 소개하였던 도서 일 부를 오전 9시부터 본관에 반입

343 『國立圖書館館報』 제2호, 1946년 4월.

1945년 11월 10일. 아현정 서고로부터 도서 반입

1945년 11월 13일. 전 일본인 관장 아키야마萩山 씨 장서 일부를 본관에 정식 기증함

1945년 11월 23일. 개성 소개 도서 반입 조사차 출장

1945년 11월 24일. 개성 소개도서 제1회 81상자 운반 반입

1945년 11월 27일. 개성 소개도서 제2회 71상자 반입

1945년 12월 29일. 개성 소개도서 중 조선해륙운수 개성지점에 일임하였던 도서운반 조사차 부관장 출장

1946년 1월 2일. 오후 8시경에 미군 전용차로 개성에 소개하였던 도서를 서울역에 수송

1946년 1월 5일. 도서관원이 총동원되어 서울역으로부터 소개도서를 화물차를 이용하여 도서관으로 반입

1946년 1월 9일. 개성 소개도서 반입을 완료

개성도서관으로 옮긴다던 귀중본 1만여 권은 일제가 일본으로 반출하려다가 실패한 것으로 추정된다. 개성으로 도서를 찾으려간 이의영 일행은 개성도서관에서 허탕치고 수소문 끝에 개성역에서 찾아냈는데, 일본행 화물로 둔갑해 창고에 쌓여 있었다고 한다.[344]

당시 이의영은 아현동 서고를 담당하였는데 그때만 해도 아현동 서고 근처는 집이 별로 없는 밭 가운데 있었다고 한다. 11월 10일에는 미군 트럭을 이용

344 高學用 기자, 「사라지는 서울의 명물, 국립중앙도서관」, 『조선일보』, 1973년 5월 8일자.

하여 분관에 소개된 장서와 비품을 모두 옮겼다. 인계인수에 따른 목록작성은 며칠을 두고 특근을 하면서 이루어졌다.

11월 24일과 27일 두 번에 걸쳐 미군 트럭을 빌려다가 운반해 왔으나 다 운반하지 못하였다. 더 빌릴 수 없고 해서 할 수 없이 미군용 화차 2량을 빌려 전부 실어오게 되었는데 다음해 1월 2일에야 서울역에 도착하였다.

해인사에는 1945년 3월 27일 귀중도서 15상자를 소개하였는데, 이것은 워낙 먼데 있어서 해방이 되어도 바로 찾아오지 못하고 1947년 늦여름에야 찾아오게 되었다. 이의영은 트럭 1대를 빌려 가지고 해인사에 가보니 소개도서는 경찰서로 옮기고 거기에는 없었다. 할 수 없이 경찰서로 갔으나 그 때 하필 대구 근처

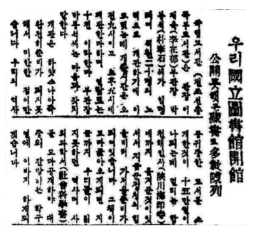

『자유신문』 1945년 10월 25일자 기사

에 폭동이 일어나서 되돌아오게 되었다. 큰길로 오지 못하고 소로로 오자니 차가 빠지고 고개를 못 오르고 하여 많은 고생을 했다고 한다. 그 후 소개도서는 경찰서에서 모두 보내주어 아무 일 없이 옮겨 올 수 있었다.[345]

---

345 이의영, 「장서 수호와 나」, 『도서관』 28권 9호, 국립중앙도서관, 1973년 10월.
동아일보의 정동우 기자가 쓴 「국립중앙도서관서 '외길 50년 이의영 옹'」(『동아일보』 1983년 2월 5일자)에서는 당시 소개도서를 바로 옮긴 것으로 기술하고 있다. 정동우 기자는 이의영의 회고담을 옮겨 "합천에서 모두 13상자의 책을 목탄트럭에 싣고 서울로 오는데 대구에 이르니 대구폭동으로 전시가가 유혈천지가 되었더군요. 폭도들을 피해 산길로 김천으로 돌아오면서 3일간이나 굶기도 했습니다" 라고 하고 있다.

1945년 10월 16일

재조선미국육군사령부 군정청 임명사령

1945년 10월 16일자 재조선 미육군사령관 사령 제16호에 의해 학무국 문화보존계 국립박물관장에 김재원을 비롯하여 도서관장 등이 정식으로 임명되었다. 그 내용은 다음과 같다.

임명사령 제16호

1) 좌기 인을 경성대학의학부 별기 관직에 임명하고 그 직권행사를 명함

씨명 임명직명

윤일선 의학부장

2) 좌기 각 인을 별기 지위에 임명하고 그 직권행사의 권權을 부여함

씨명 임명직명

안동혁 경성공업전문학교교장

조백현 수원농림전문학교교장

최규남 경성대학리공학부장대리

쇠싱새 굉수의약진군힉교교싱

최용식 광산전문학교교장

현상윤 경성대학예과과장

김재원 학무국문화보존계 국립박물관장

이재욱 학무국문화보존계 국립도서관장

고평간 대구의학전문학교교장

백악준 경성대학법문학부장

3) 본령은 1945년 10월 16일 오전 영시부터 유효함

1945년 10월 16일

재조선미국육군사령관의 지령에 의하여 발령함

조선군정장관

미국육군소장 A. B. 아놀드

임명사령 제16호 1945년 10월 16일

1945년 10월 17일

10월 17일 중앙박물관에 본관에 도둑이 들어 경주 옥포총玉圃塚의 금제이식을 훔쳐 달아났다. 도적은 본관 정면 서측 문을 뚫고 들어갔다.[346]

1945년 10월 20일

이왕직의 명칭은 법령 제26호(1945년 10월 20일)로 변경하여 구왕궁이라 칭하게 되었다.

---

346 有光教一,「私の朝鮮考古學」,『朝鮮學史始め』, 靑丘文化史, 1997.

일본이 조선 약탈의 한 보상으로 설립한 이왕직의 존재는 8·15 해방과 함께 자연 소멸되었다. 따라서 이왕직의 명칭은 구왕궁으로 칭하고 1946년 2월에 다시 구왕궁사무처로 변경하고 사무장관에 윤홍섭이 취임하였다.[347]

1945년 10월 22일

문화재 접수

1945년 10월 22일에는 요코야마 쇼자부로橫山將三郎 교수가 20년간 수집한 석기시대 유물과 고고학관련 사진, 기록 등을 일괄하여 기증하겠다고 스스로 찾아와 23일 아침에 아리미츠가 운전병과 함께 한 트럭분을 가져 왔다.[348]

1945년 10월 23일

군정청은 1945년 10월 23일 '일본인 재산 양도에 관한 조령'을 발표하면서 마지막에 밀항을 방지하기 위해 "일본인이 저의 나라로 돌아갈 때는 군인은 500원 기타는 1천원까지이네 부산을 거치지 않고 비합법적으로 비밀히 밀항하는 일이 많은 모양이니. 그것은 미처 경찰력이 거기까지 미치지 못한 탓도 크나. 그러나

347 『서울신문』 1946년 2월 5일자.
348 有光敎一, 「私の朝鮮考古學」, 『朝鮮學史始め』, 靑丘文化史, 1997.

조선인 선박업자 자신이 돈에 팔려 그들의 꾀임에 빠지지 않도록 반성하여 조선의 돈과 물자를 새지 않도록 지켜야 한다. 그리고 이러한 밀항을 방지하고 취체할 무슨 좋은 방안이 있으면 군정청에 말하여 주기 바란다"고 하였다.[349]

1945년 10월 24일

10월 24일 현재 17만여명 일본인송환, 15만여명 동포귀환

외사과장 앤더스 소좌의 발표에 의하면 10월 24일 현재 귀국한 일본인 총계는 일본 군인 109,722명, 일반 일본인 63,991명에 달하였고 일본으로부터 돌아온 조선인은 동일 현재 157,981명이라고 한다.[350]

1945년 10월 31일

인천시립박물관장 발령

1945년 10월 31일 제1대 인천시장 임홍재가 시립박물관장으로 이경성을 발령, 당시 대우는 촉탁이었다. 이때부터 5개월간 개간준비를 하였는데 전문적인 관원도 없이 단독으로 동분서주하였다. 당시 박물관의 소장품으로는 향토관의

---

349 『每日申報』 1945년 10월 24일자.
350 『每日申報』 1945년 10월 28일자.

것으로 불과 수십 점에 불과하였다.

이후 실제 개관은 1946년 4월에 이루어진다. 따라서 1945년 10월 31일부터 이듬해의 개관 때까지는 유물 수집 기간이라 할 수 있다. 대부분 일본인들은 해방을 전후하여 헐값에 내놓고 일본으로 돌아가기도 했지만, 곧바로 일본으로 돌아가지 않은 일인 수장가들의 미술품을 인천시립박물관에서 접수하였다.[351]

---

351 일본인세화회의 小谷益次郎을 만나 정식으로 교섭을 하기도 하고, 일본인 부호 加藤 등을 방문하여 수집하기도 했다.

이러한 수집과정에서 재미있는 비화도 있었다. 하나는 지금의 작약도를 소유하고 그곳에서 살고 있던 鈴木라는 자가 고려자기를 많이 가지고 있다는 소문을 듣고 군정청 문화담당관 홈펠 중위와 함께 경찰선을 타고 작약도의 鈴木의 집을 찾아 갔다. 그날 鈴木의 부인만 남아 있어 물으니, 청자들은 모두 영종도의 어느 한국인의 집으로 가져갔다는 것이다. 즉시 영종도로 건너가 어느 민가 추녀 끝에다 숨겨둔 상자 20여 개를 접수하여 박물관으로 운반하였다. 상자들을 열어보니 도자기만 5백여 점이 되는데 90%가 가짜였다.

또 하나는 加藤라는 일본인 부호가 값진 진사를 갖고 있다는 소문을 듣고 홈펠트 중위와 함께 방문하여 교섭을 하였더니 서울의 모인에게 몇 트럭이나 되는 값진 미술품을 팔았다는 것이다. 그래서 다시 서울로 와서 수소문한 결과, 장석구라는 자가 몽땅 산 것을 알게 되었다. 이때부터 장석구를 찾아 나서게 되었다. 결국 어느 날 아침 홈펠트 중위와 같이 누하동의 집에 자고 있는 그를 만나게 되었다. 가토로부터 가져온 미술품들을 돌려 달라고 하였다. 그러나 물건들은 이미 매각하였거나 숨겨두어 할 수 없이 고려청자 조선백자 19점과 현금 20만 원을 내놓기로 하여 이 사건은 결말지었다. 돈은 박물관 후원회를 만들고 19점의 미술품은 소장품으로 등록하였다고 한다. 당시 장석구는 일본인 대수장가들로부터 일급 명품들을 싼 값으로 많이 사들여 창고에 산더미처럼 쌓아 놓고 동방상회를 통해 팔고 있었던 것이다. 그렇기 때문에 당시 기토 등으로부터 사온 물건을 이경성이 빈진힐 수 없었던 것이나.

일제말기가 되자 군수물시의 부족으로 허덕이던 일제는 공출이란 명목하에 금속류 수탈에 혈안이 되었다. 숟가락 제기, 심지어는 각 사찰의 불상, 범종까지 수탈하여 갔다. 전등사에 전해오던 종도 이때 빼앗겼다. 해방 후 전등사 측은 빼앗긴 종을 찾기 위해 부평군기창고에 갔다. 소위 대동아전쟁 말기에 일본군이 중국과 만주에서 강제로 공출한 중국 금속품을 부평조병창 고철적재장에 무기를 생산하기 위해 쌓아두었다. 전등사 측이 부평창고에 도착했을 때는 빼앗긴 종은 어디론가 사라지고 없었으며 그곳에서 중국

1945년 10월

규장각도서 분실 확인

규장각도서가 미군의 관리 하에 들어간 후 미군들의 경계가 아무리 철저하다고 해도 조선 사서의 보고인 규장각도서가 혹시라도 산일될까 하여 몇몇 한국인들은 무척 걱정을 하고 있었다. 이에 대하여 1945년 9월 24일 미군정청에서는 현재 이에 대한 경계를 철저히 한다고 하며, "규장각 도서의 보관에 관하여는 각방으로 질문이 있었는데 조사한 결과에 의하면 현재 규장각은 마침 미군이 쓰고 있는 병사의 한복판에 자리를 잡고 있어 감히 훔쳐낼 우려가 추호만치도 없은즉 일반은 안심하기를 바란다"[352]고 하였다.

하지만 접수 당시에 "도서만은 너희들 이상 잘 보관할 터이니 조금도 염려 말라"는 약속까지 하였으나, 그들의 관리 소홀로 인해 일부 분실되는 사고가

에서 옮겨다 놓은 종을 발견하고 이를 전등사로 옮겼다.

1946년 3월에 인천박물관장 이경성은 부평군기창고에 일부 유물이 있을 것으로 추측하여 수색에 나섰다. 고철더미 속에는 중국철제 범종 3점, 청동정 2점, 수형대포 1점, 관음좌상 1점을 찾아내어 인천박물관으로 옮겼다.

인천시립박물관에서 주목을 끄는 맘모스상아는 8·15이전에 일본군이 몽고로부터 일본으로 가져가던 도중 인천항구에 이르러 8·15를 맞아 이 박물관에 들어오게 되었다. 이렇게 미술품을 구하는 동시에 건물은 예산이 없어 직접 현품으로 군정청의 도움을 얻어 충당했다. 전시품이 빈약하여 국립중앙박물관으로부터 전시품 일부를 대여 받아 1946년 4월 1일 개관을 할 수 있었다. 인천시립박물관은 이 같은 이경성의 열정적인 접수 노력이 있었기에 개설이 가능했던 것이다.

참고 : 李慶成, 「仁川市立博物館 創設事情」, 박물관뉴스(1971년 7월 1일); 李慶成, 「仁川博物館藏 觀音像」, 『고고미술』 1-2; 『大衆日報』 1947년 1월 1일자.

352 『조선통신』 21호, 1945년 9월 25일.

발생했다. 도적이 든 것을 자치위원이 발견하고 미군 당국에 경고한 일이 있었다. 그리고 시중의 서점에서 '규장각도서인'이 찍힌 도서 5권이 발견되어 다행히 다시 매수하기도 했다.

이에 서울대 법문학부 자치위원회 위원장 이명선은 더 이상 두고 볼 수가 없어 미군 당국에 출입허가를 얻어냈다. 도서관에 들어가 보니 일부 도서와 연구자료로 보관해 두었던 신문은 휴지와 함께 불에 탄 것도 상당히 있었고 도적으로 인해 유실된 것도 일부 있었다. 이 사건으로 하여 규장각 도서의 날인이 있는 도서는 발견하는 즉시 통지해 주기를 홍보하기도 했다.『매일신보』1945년 10월 14일자에는 다음과 같은 기사가 있다.

경성대 법문학부자치위원회, 규장각도서관의 도서 불상사 언명
경성대법문학부자치위원회 위원장 이명선은 법문학부 규장각도서관의 도서 불상 사건에 대하야 다음과 같이 말하였다. "반만년의 역사를 가진 우리 조선의 찬란한 문화를 자랑하는 유일한 국보인 경성대 법문학부 규장각도서관은 조선에 완전한 독립국가 건설을 위하야 진주한 미군을 맞이하여 동 군의 관리 하에 들어갔었다. 그런데 일전 도적을 당하는 것을 자치위원이 발견하고 미군당국에 재삼 경고한 일이 있다. 그 후 모 서점에서 동관 도서 5권을 발견하여 다행히 매수하였다. 이러한 불상사를 보고 그대로 둘 수 없어서 미군당국에 충고하여 양해 하에 동관 출입허가를 받았다. 도서관에 들어가 보니 단군 이래 대대로 전하여 오던 유일한 국보문화 도서와 연구재료로 보관해 두었던 신문은 휴지와 함께 화장을 당한 것도 있었고 몰상식하고 악덕한 자들의 도적으로 인하여 유실된 것도 다수 있

는 모양인데 상세한 수량은 지금 조사 중이다. 그리고 도서는 부정취급으로 말미암아 엉망진창이 되어 정리에 수개월을 요할 형편이다. 이 사실을 안 요즈음에는 철저한 감시를 하고 있으니 안심이다.

이러한 불상사건은 물론 세계의 제일 문화인이며 신사적인 미군의 의식행동이라고는 볼 수 없으나 교사접수 최초에 도서만은 너희들 이상 잘 보관해 줄 터이니 조금도 염려 말아라, 라는 약속이 있음에도 불구하고 경솔한 관찰과 불철저한 감시로 말미암아 이러한 사고를 내게 되었다는 것은 매우 유감이다. 더욱 미군들 밑에서 일보고 있는 조선인은 이 도서가 어떻게 귀중하고 유일한 도서라는 것을 잘 인식하고 있을 터인데도 불구하고 미군들에게 잘 인식조차 시키지 않고 한 개의 휴지와 같이 태워 버렸으니 분개할 일이다. 그리고 사회제현에게 바라는 바는 유실된 도서를 1권이라도 회수하여 대대로 우리의 역사적 연구의 초석으로 보존코자 하오니 본부 날인한 도서를 발견하시면 곧 통지하여 주시면 대단히 고맙겠다"

하지만 분실된 것이 정확히 어떤 것이고 얼마나 회수 되었는지는 미상이다.

일제 강점기에 일본 관리의 손에 의해 전남 우수영에서 자취를 감췄던 이순신 대첩비가 전 총독부박물관 구내에 버려져 있는 것이 발견되었다. 지난 1942년 5월 당시 경남 경찰부장 아베阿部의 손에 의해 뜯겨져 행방불명이 되었던 것이다.

1945년 11월 2일

1945년 11월 2일 군정청 재무국장은 조선을 떠나는 일본인은 저금통장은 은행이나 우편국에 반납하지 않으면 안 된다고 하였다.[353]

1945년 11월 3일

군정청에서는 신사에 관한 정책을 발표하였는데 군정장관은 신사회를 폐지하는 동시에 신사의 본전은 일본인이 희망하면 태워버려도 무방하다고 38도 이남의 각 도지사에게 통고를 하였다. 그리고 본전을 태우는 데에는 관리의 현장 입회가 필요하며 또한 그 신사소재지의 10마일 이내에 주둔하고 있는 미군 부대장에게 이를 보고하지 않으면 안 된다고 한다. 그러나 신사에 속한 제반서류와 재산은 이를 압수하여 군정청 적산관리과의 관리 하에 두고 그 재산은 일정한 수속을 거치면 곧 처분한다고 발표하였다.[354]

---

353 『每日申報』 1945년 11월 3일자.
354 『자유신문』 1945년 11월 3일자.

1945년 11월 8일

민족박물관장에 송석하宋錫夏 임명(임명사령 제68호 1945년 11월 8일)

1945년 11월 12일

1945년 11월 12일, 외무과에서는 12일 현재 일본인 32만 명을 송환하였다고 발표하였다.[355]

1945년 11월 16일

'경성'을 '한성' 으로 표시하고, '서울'로 부름

1945년 11월 16일부로 경성을 한성시로 표시하고, 서울로 부르기로 하고 또 부윤을 시장으로 개칭하였다.[356] 서울은 조선 태조3년째인 1394년 음력 10월 28일에 수도를 지금의 서울로 정하였는데 그 때 도읍을 '한양' 이라 하였다. 그로부터 1년 뒤 태조는 한양을 '한성' 이라 고쳐 부르게 되었다.(태조4년 음력 6월 6일) 그로부터 1910년까지 서울은 '한성' 이라 불렸다. 그리고 1910년부터

---

355 『자유신문』 1945년 11월 14일자.
356 「해방 이후 건국일지」, 『建設』 제5호, 1945년 12월.

해방 까지 36년간은 '경성' 이라 불렀다. 1945년 해방이 되자 서울로 고쳐 부르게 되었으며, 1946년에는 '서울특별시'로 승격됨으로서 36년 동안 행정상 경기도에 소속되었던 것을 예전 한성부 때와 같이 독립시켰다.[357]

1945년 11월

1945년 11월에는 미군정청이 재산관리과에 지시하여 일본인의 귀중한 서류, 예술품 등을 재산관리과에서 접수하여 재산관리과의 이름으로 조선은행에 보관하도록 했다.[358]

1945년 12월 2일

한국고미술협회 창설

해방 후에 경성미술구락부를 모방한 한국고미술협회가 창설되어 1945년 12월 2일 전 일본인 골동상 나가노永野 상점 2층에서 고미술품 전시 및 교환회가 처음 개최되었나. 이때 일세 때부터 이름난 수장가를 비롯하여 상인 동호인들

357 『소년동아』, 1961년 11월 19일자.
358 『서울신문』 1945년 11월 23일자.

이 출품하였는데 평소에는 도저히 볼 수 없는 진품들이 대거 출품되어 성황리에 끝났다.

물론 출품된 것은 대부분 일본인들이 남기고 간 구장품들이었다. 한국고미술협회는 이후 계속 경매회를 개최하였는데 해방 이후 초기에는 일본인들이 남기고 간 미술품들이 대량으로 쏟아져 나왔다.

빨리 떠나지 못한 일본인들은 그동안 취미 삼아 또는 직업상 수집하였던 골동들을 가져갈 수가 없었다. 그래서 안면이 있는 한국인 수집가들에게 헐값으로 팔아넘기거나, 다급한 나머지 집 앞에 골동 등 귀중품을 쌓아놓고 급매 처분하기도 하였다. 일본인들이 철수하면서 두고 간 물건들이 쏟아져 나오자 골동을 취급하는 상점이 갑자기 불러 나기도 했다.[359]

---

359 森田芳夫에 의하면(『朝鮮終戰の記錄』, 巖南堂書店, 1979, p.121), 물량이 대량으로 쏟아지자 일확천금을 노린 한국인들의 골동 매매는 해방 전에 비해 10배나 급등하였다고 한다.
　　이영섭의「내가 걸어온 고미술계 30년」(『월간 문화재』, 1973년 5월)에 의하면, 서울만 하여도, 장봉문(명동), 김동승(남대문로 3가), 홍기대(충무로2가), 고정식(소공동), 노제현(퇴계로), 엄창익(소공동), 윤장엽(퇴계로), 홍익표(인사동), 정원진(신세계 4층), 정성진(명동), 조영하(퇴계로) 등이 새로 생겼다고 한다. 이 상점들은 당시 시중을 범람하던 일본인들이 남기고 간 물건들을 대부분 취급하였다.
　　『藝術通信』1946년 11월 12일자에 의하면, 골동상점뿐만 아니라 고서적상까지 갑자기 불어났다. 해방 전 서울에는 고서점이 약 70개 처에 불과했는데, 1년이 경과한 1946년 11월에는 200여 개소로 급증하였다고 한다. 이곳에서 서화 등을 취급하기도 했다.

1945년 12월 3일

국립중앙박물관 개관

박물관 개관 준비는 매일 10명의 인부를 고용하여 작업을 하였다. 이는 아리미츠가 선두에서 지휘하고 회수한 소개 진열품을 더하여 보관 전시 준비를 마친 것이 11월 24일(토)이고 개관일은 12월 3일(월)로 결정되었다.

설명표찰을 붙이고 요소요소에 영문을 가하여 미군들의 관람에 도움을 주고자 했다. 아리미츠가 품목의 명칭과 시대를 말하면 글씨는 최영희가 모필로 받아 적었다.

아리미츠 교이치는 당시를 "1945년 일본이 패망한 후 미군정의 지시로 10월 말부터 휴일도 없이 미술관 개관 준비를 한 끝에 그해 12월 3일 국립박물관은 문을 열 수 있었습니다. 개관식 날 새벽에 서울에는 눈이 내렸는데 저는 아직도 그 눈과 감회를 잊을 수가 없습니다" 라고 회고하고 있다.

개관식은 12월 3일 오전 10시에 이루어 졌다. 김재원 관장이 박물관을 인계받은 후 진용을 갖추어 비로소 이 날 국립박물관으로서 역사적 개관을 하였다.

12월 3일 10시에 아놀드 미군정장관을 위시하여 각 관계 직원 다수의 참석하에 개관식을 본관에서 가지게 되었다. 우선 최승만 학술종교과장의 식사에 이어 김관장의 인사가 있었고 다음에 아놀드 장관의 축사가 있었다. 이날 아놀드 장관은 "조신의 새로운 문화 창선에 바탕이 되는 고미술 유적의 보전과 그 진가의 현양에 앞으로 많은 조선 사람의 노력이 필요하다"는 축사를 하였다. 기념촬영으로 식을 종료하고 관장 인도 하에 관내를 일순하였다. 오후에는 각계 명사들을 초대하여 관람을 하였다.

경복궁에서 촬영한 국립박물관 직원 단체사진
(《한국박물관100년전》 자료)

개관 당시 박물관은 관장 아래 총무과, 진열과, 학예과 등 3과로 조직하였다.

이때까지만 하여도 해방 전과 같이 학무국 사회교육과의 한 과에 불과하였다. 따라서 관장이 있지 않았으며, 박물관 직원은 본부 학무과에 비치된 출근부에 날인을 하고 박물관에 나왔다. 이를 김재원 관장은 박물관을 독립된 기구로 만들었다.[360]

『동아일보』 1945년 12월 4일자에는 다음과 같은 기사가 있다.

경복궁 안에 있는 국립박물관은 새로이 금재원을 관장으로 맞이하여 3일 상오 10시 아놀드군정장관 입회하에 개관식을 거행하였다. 이날 아놀드 장관은 고예술품에 대하여 찬탄을 한 후 "조선의 새로운 문화 창건의 바탕이 되는 고미술 유적의 보전과 그 진가의 현양에 앞으로 많은 조선 사람의 노력이 필요하다"는 부탁까지 있어 의의 깊은 가운데 식을 마치었다.

---

360 "박물관 관계와 병립되어 있던 고적계의 사무를 아리미츠의 조언을 받아 박물관은 고건축수리사업을 떼어서 다른 부서에 주었다. 이것이 박물관에서 고적보존사업이 분리된 원인이며 현재는 그 사무를 문화재관리국에서 하고 있는 것이다. 학무국 산하에는 도서관도 있고 과학관도 있다."(『藜堂隨筆集』)

그런데 동관은 그동안 휴관 중에 있을 뿐더러 소위 방위소개라는 명목으로 진열품을 경주박물관으로 옮겨 갔었는데 이번에 신라시대의 순금제보관을 비롯하여 진품을 많이 가져다 진열하여 이 방면에 이채를 던지게 되었다. 동 관은 4일부터 공개한다. 또한 경주분관은 최순봉, 부여분관은 홍사준이 각각 관장으로 취임하였다.

1945년 12월 10일

국립박물관 공주분관으로 결정

공주박물관은 1945년 12월 10일자로 정식으로 국립박물관 공주분관으로 결정하고 초대관장에 유시종이 임명되었다.

1945년 12월 10일에는 공주박물관이 국립박물관 공주분관으로 현판식을 가졌다. 공주분관으로 개편함과 동시에 기구가 정비되면서 선광사 임시불전도 정리하였다. 이어 공주에 살던 일본인이 소장하고 있던 문화재 20점을 접수하고 이것을 계기로 유물 찾기 운동이 활발하게 이루어졌다. 그 해 12월 30일에는 공주 미군정관으로부터 일인이 가지고 있던 47점의 문화재가 공주박물관에 접수되었다.[361]

---

361 中央博物館,『舘報』제1호, 1947년 2월.

국립도서관 소장 법률관계 도서를 법제도서관으로 이관하라는 압력이 들어오다.

외부로 소개하였던 도서를 반입하여 도서들을 정리하기에 여념이 없는 사이에 국립도서관에 소장하고 있는 법률관계 도서를 법제도서관으로 이관하라는 압력이 들어왔다.

1945년 12월 10일에 미군정청 미국인 총무과장이 도서관에 와서 관내를 시찰하고는, 법제도서관을 창설할 예정인데 법률관계도서를 법무국에 이관할 수 없느냐고 물어왔다. 이에 관장은 절대로 이관할 수 없다고 하면서 관외 대출은 고려하겠다고 대답을 하였다. 그리고 얼마 후 12월 23일에는 학무국장 타카 대위, 교화과장 최승우, 무관교화과장 크네비치 대위가 법률관계도서 이관을 협의하기 위해 도서관에 왔다. 이때도 역시 도서관 측에서는 절대 응할 수 없다고 하였다. 국립도서관은 전 국민을 상대하는 도서관이고 법제도서관은 법제국 내의 한 도서실에 불과한 것이므로 응할 수 없는 이유를 밝혔다. 그리고 국립도서관 내에 특별조사실을 특설하여 그들의 편의를 도모하겠다는 양보안을 내놓았다.

그런데 1946년 4월 25일에는 법제도서국 직원 여러 명이 도서관에 찾아와 3차 도서이관 문제를 협의하려 왔다고 하여, 관장은 크네비치를 방문하여 재차 동의 할 수 없음을 밝혔다.

그 후 1946년 4월 30일에 또 다시 사법부 미군장교의 인솔하에 직원 10여 명이 도서관으로 와서 금일 하오 안으로 법제관계도서를 반출할 것을 요구해 왔다. 도서관 측에서는 상부로부터 반출에 대한 아무런 연락이 없었을 뿐 아니라 상부에 대하여 최후 진정을 하고자 하니 2~3일 여유를 달라고 하였으나 물러

서지 않았다. 이 일은 군정청 법령 제67호 제3조에 의하여 행하는 것이니 철회할 수 없다는 것이다.

도서관에서도 더 이상 버티질 못하고 결국 5월 2일부터는 사법부 직원과 국립도서관 직원들은 명령대로 이관 준비에 착수하였다. 명령에 따라 어쩔 수 없이 이관준비를 하면서도 또 한 번 진정을 하기로 하였다. 5월 6일에는 전 직원이 서명 날인한 진정서를 러취 장관에게 전달하였다. 이 사안은 여러 문화단체에도 전달되었다. 50여 개의 문화단체에서 법령 중 해당조항을 삭제해 줄 것을 러취 장관과 문교, 사법부장에게도 진정을 하였다. 각 신문은 이 사실을 국민에게 알림과 동시에 신문기자단은 도서이관을 반대하는 의사를 표명하고 건의안을 러취 장관에게 전달하였다.

국민의 여론이 이관 반대로 흐르자, 1946년 5월 8일부로 법령 제67호의 제3조[362]를 삭제한다는 서한이 도서관에 도착하였다.[363] 이로써 진행 중이던 법률관계도서를 법무국에 이관은 중지되고 중앙도서관의 도서가 분산되는 것이 방지되었다.

---

362 법령 제67호의 제3조,
　　서적 및 예산액 배분의 빕제도서관 이관
　　법제도서관이 국법제정의 편의를 도모하기 위하여 현재 본정 4도서관 및 국립도서관에
　　보장한 법률관계서적은 법제도서관에 移與함.
　　서적의 교부는 사법부장의 요구에 따라 행함.
　　1946년 4월 2일
　　조선군정장관
363 「본관 법률도서 이관 문제에 대하여」, 『國立圖書館館報』 제4호, 1946년 6월.

1945년 12월 15일

12월 15일 군정장관 아놀드 소장은 38도 이남 조선에 있는 일본에 소속된 공사유재산과 이권은 그 형태와 내용의 여하를 불문하고 전부 군정청에서 접수하였다고 다음과 같이 발표하였다.

금반에 군정청은 일본인 공사유재산과 이권에 대하여 철저적으로 조처를 하였는데 이는 조선에 있는 일본인의 경제와 재정의 지배권을 근본적으로 제거하려는 미국과 기타 연합국이 공고한 결정을 실행할 목적으로 취해진 것이다. 종전에 일본인에 소속되어 있던 조선내의 광산, 공장, 주택, 농장, 채권 등 기타 각종각류의 재산은 전부 군정청에서 장래 조선정부를 관리하고 있는 중이다. 이 재산 중에는 조선에 있는 삼릉三菱, 삼정三井, 안전安田 기타 일본인의 공사기관의 전 재산이 포함되고 있는데 이 접수한 일본상업기관과 금융기관은 조선 사람으로 적임자가 발견되고 한편 이를 지배할 만한 사람이 양성되는 대로 즉시 조선 사람에게 경영을 맡기고 있다. 이렇게 군정청은 일본인이 지배하던 양적을 모조리 없애려는 노력은 하지만 이를 매매치는 않는다. 전반 12월 7일에 포래 대사의 말로 보도된 바와 같이 연합국으로서는 해방된 국가를 배상의 대상으로 하지 않는다는 언명에 의하여 군정청은 일본인재산을 임시로 소유하고 있을 뿐이며 그 기업의 운영은 최대한도로 조선 사람 손에 맡기려고 한다. 그러므로 현재 이러한 재산을 소유하고 있는 사람은 즉시 군정청에 보고하기 바라며 이런 기업기관을 벌써 운영하고 있는 사람은 군정청에서 지시가 있을 때까지 종전대로 그 운

영을 계속하려면 각도당국에 허가신청을 해야 한다. 관리법령은 일반지령 제33호로 발포되어 있으며 9월 25일 현재로 군정청에서 관리하는 일본인 재산은 수십억 원의 고액에 달하고 있다(『중앙신문』 1945년 12월 15일자).

1945년 12월 17일

문화재 접수

아리미츠 교이치有光敎— 에 의하면, 1945년 12월 28일에는 경부분관 최순봉이 김재원 관장 앞으로 서한을 보내 왔는데 12월 17, 18일경 K대위가 부산의 가시이 겐타로, 대구의 이치다 지로, 오구라 다케노스케 등의 소장품 신라소, 불상, 회화 등 1천여 점을 뽑아 경주분관으로 옮기고 경주분관에 보관 중이라고 했다.[364]

중앙박물관의 『관보』 제1호(1947년 2월)에 의하면 다음과 같은 접수 미술품이 나타나 있다.

경주분관 적산미술품 접수
1945년 12월 당시 미국인 교화국장 크네비치 대위의 주선으로 일인 미술품을 접수, 관원이 총동원하여 목록을 작성하여 격납하였다.
1. 부산 가시이 겐타로香椎源太郎 수집품 도자기, 금속품, 서화 등 1,628점
2. 대구 오구라 다케노스케小倉武之助 수집품 도자기, 금속품, 서화 등 670점
3. 대구 이치다 지로市田次郎 수집품 토기, 옥석류, 도자기 등 325점
계 2,623점

『동아일보』 1945년 12월 27일자에는 다음과 같은 기사가 있다.

최 종교예술과장의 담, 8·15 이후의 혼란한 틈을 타서 남선전기사장 소창무지조, 대구의 시전차랑 등은 일찍부터 수집하였던 귀중품과 미술품을 재빨리 가져가려던 것을 도로 찾아 방금 경주박물관에 보관중이다.

1945년 12월 당시 미국인 교화과장 크네비치 대위의 주선으로 관원이 총동

---

364 有光敎一, 「私の朝鮮考古學」, 강재언, 이진희 편, 『朝鮮學事め』, 청구문화사, 1997.

원하여 목록을 작성하여 경주분관에 격납하였다. 경부박물관으로 옮긴 것은 이들로부터 접수한 서화, 도자기, 금속품 등 총계 2,623점이었다.[365] 이것은 반출 직전에 접수 처리된 것으로 보인다. 시라카미의 경우에는 대구시에 기증한 것과는 별도로 상당수를 부산을 통해 몰래 가져가려다 적발되어 부산사무처에 보관했다가 경주박물관에서 접수한 것도 상당수 있다.[366] 이 중 일부는 나중에 대구시립박물관이 탄생하자 대구시립박물관에 대여해 주었다가 1953년 10월에 돌려받은 것으로 나타나 있다.[367]

1945년 12월 27일

아유카이 후사노신鮎貝房之進의 고서적 잡지류 1,068점을 1945년 12월 27일

---

365 中央博物館, 『舘報』 제1호, 1947년 2월.

366 1953년 10월에 국립중앙박물관장이 경주 분관장에게 보낸 '대여 진열품 검수에 관한 건'(慶州博物館, 『4283년 次降 疏開遺物目錄綴』)은 다음과 같다.
   국박 제211호
   단기 4286년 10월 28일
   국립박물관장   김재원
   경주분관장 귀하
   대여 진열품 검수(檢收)에 관한 건
   대구시립박물관에 대여 중이던 별지 목록 신열품은 현재 본관 부산사무처에 반환자 반입되어 있는바 귀직(貴職)으로 하여금 이를 검수케 하겠사옵기 대구시장과 연락하야 이를 검수하신 후 상황을 보고하심과 귀 분관에 임시 보관하심을 요망하나이다.
   추신 : 귀 분관에 이를 보관 중 그 일부를 진열용으로 사용하심도 무방하오며 차후 본관의 필요에 따라서 서울 본관에 반송토록 하심을 요망하나이다.

367 慶州博物館, 『4283년 次降 疏開遺物目錄綴』.

에 군정청을 통하여 중앙박물관에서 접수했다.[368]

1945년 12월 31일

문화재 접수

1945년 12월 31일에는 일반 고시 제7호로 문화적 물품을 반환하고 일체 일본으로 가져가는 것을 불허하였다.[369]

아놀드 군정장관은 일반고시 제7호로서 한국 안에서 일본인에게 국보적 예술품 역사적 기록 혹은 서적, 종교 미술품을 약탈 혹은 불법소유를 당한 사람은 곧 보고하라고 널리 한국인에게 고시했다. 보고형식은 다음과 같다.

가) 각 문화재의 명칭 혹은 표제, 출소 및 연대

나) 소유자의 성명과 주소 및 소유권 증명서

다) 될 수 있으면 현품사진

라) 문화재를 만든 재료 및 척수

마) 제명, 표제, 결손된 개소 상흔 등을 기입할 것

368 中央博物館,『館報』제1호, 1947년 2월.
369 『조선일보』 1946년 1월 8일자.

이상과 같은 기준으로 하여 자세한 청구서를 만들어 지방 각 경찰서에 제출하면, 경찰서에서는 군정청 총무과로 보내고 군정청에서는 물건이 확실히 현존하고 소유자에게 돌려줄 수 있는 것만을 취급하였다.[370] 하지만 이미 대부분의 일본인들이 떠난 후라 이것은 별 효과를 보지 못했다.

1945년 12월

피탈문화재 반환 요구

원래 일본에 대하여 피탈문화재 반환에 대한 요구는 해방 직후부터 지식층에서 일어난 운동으로 일반 국민감정의 발로라 할 것이다. 해방의 기쁨과 더불어 반세기 동안 억압당했던 일제 통제에 대한 성토적 기분은 각 분야에서 일어났다. 처음 군정청 학무국과 문화계 유지들이 중심이 되어 일본에 가져간 한국 문화재를 반환하도록 아놀드 군정장관을 통하여 맥아더사령부로 요청했다. 그 결과 맥아더사령부로부터 조사보고서를 제출하라는 통보를 받게 되었다.

『동아일보』 1945년 12월 27일자에는 다음과 같은 기사가 있다.

연합군사령부 지시에 따라 도일 문화재 조사 착수

신생 조선문화를 수립하여 오던 전통을 찾고자 조선의 정신과학계는 공전

---

370 『조선일보』 1946년 1월 8일자.

의 활기를 띠우고 있다. 각 문화단체 또는 전문학회가 재조직되고 박물관이 국립박물관으로 개관이 되고 대학을 비롯하여 각 공사립도서관이 모두 조선인 과장을 맞아 비품과 도서정리에 분망 중인데 한편 왜구들이 가져갔던 문화재를 찾아 새 문화건설에 이바지하려는 반가운 소식이 있다. 이즈음 군정청 학무국과 문화계 유지 제씨가 중심이 되어 일본서 가져간 고문화재를 도로 찾도록 해달라고 아놀드 군정장관을 통하여 요청한 결과 맥아더사령부로부터 조사보고서를 제출하라는 쾌소식을 받았다. 이에 방금 경성대도서관장 이인영, 국립박물관장 금재원 등 제씨가 중심이 되어 도일 문화재를 조사 중인데 근간 정식반환청구를 하기로 되어 있다. 현재 조사되어 제1차로 보고하게 된 것은 경주에서 발굴된 부부총 안의 진품을 비롯하여 삼국유사 원본, 조선판불경서 등 수백 권이다.

이에 대하여 최승우 종교과 예술과장은 다음 같이 말하며 일반의 협력을 구하였다.

그 동안 조선서 가져간 고문화재는 수천점에 달하였는데 주로 일본 궁내성 도서로 동양문고 동경제대 도서관 등 공공단체를 필두로 경도, 산구에 있는 개인 장서가 골동품상의 손에 흩어져 있다. 8·15 이후의 혼란한 틈을 타서 남선전기사장 소창무지조, 대구의 시전차랑 등은 일찍부터 수집하였던 미술품을 재빨리 가져가려던 것을 도로 찾아 방금 경주박물관에 보관 중이다. 왜구들은 임진왜란을 계기로 진귀한 도서, 불상 등 문화재를 도적질해갔고 이즈음 와서는 더욱 합법적으로 자원 뿐만 아니라 조선의 얼을 빼앗기에 온갖 힘을 썼다. 미술품 판목 서책을 비롯하여 유서깊은 서화, 불상을 가져다가 소위 내선일체의 헛된 이념을 체계화 시키기에 구구했던 것인데 이제 와서는 이런 유서 있는 것은 도로 찾어다가 조선 문화의 산 연구자료로 써야겠다. 그러므로 일반은 이 점을 특히 유의하여 일본인이 가지고 있는 거소는 가지고 간 곳을 아는 분은 곧 연락하여 찾도록 하여야 겠다.

1945년 10월에 평양에서 내려온 이인영은 일본이 임진왜란 때 우리나라에서 약탈해간 서적을 반환하라는 요구서를 만들어 맥아더사령부로 보내도록 요청하였다. 그 때 초고를 받아 정서한 사람이 손보기였다.

이인영에 의해 1945년 11월 20일자로 완성하여 맥아더사령부로 보내진 문서는 다음과 같다.

일본인이 약탈한 서적의 반환을 요구한다.

우리는 과거에 있어서 일본인에게 비합법적으로 약탈되었던 조선의 서적과 미술공예품 전부의 반환을 기하고 여기에 제1차로서 서적의 반환을 요구하는 것이다.

최근 70년간을 제외하고는 유사 이래 일본이 문화적으로 또는 경제적으로 우리의 혜택을 입어 온 것은 다 같이 아는 사실이다. 그럼에도 불구하고 일본은 은혜를 도리어 침략과 강탈로서 갚아왔으니 이는 매우 유감된 일이라 할 것이다. 과거 일본이 조선에 대한 침략은 가장 큰 것이 두 번 있었다. 하나는 1592년으로부터 1598년에 이르는 임진왜란이었고 또 하나는 1910년으로부터 1945년에 이르는 소위 합병에 의한 일본 총독정치가 그것이다.

그러나 지금 일본의 세국주의적 침략은 완전히 소멸하고 밀았다. 우리는 새로운 자유와 독립을 맞이하였다. 우리는 이제부터 일본인에게 파괴되었던 우리의 문화를 다시 건설하기로 하였다.

1592년 4월에 일본의 정치와 군사권을 장악한 풍신수길은 돌연히 19만 대병을 동원하여 조선을 침략하였으니 이것은 아무런 이유도 없는 강도행위였다. 조선은 명나라와 협력하여 전후 7년간 일본군을 격퇴하기에 노력하였다. 다행히 수길은 병사하고 말았으므로 일본군은 조선으로부터 전부 철퇴하고 말았으나 이 정당방위전에 있어서 조선이 받은 타격은 실로 막대한 바 있으며 조선의 문화시설은 도처에서 파괴되었으니 허다한 조선 사람들이 포로가 되어 일본으로 잡혀갔다. 포로가 된 조선사람 중에는 학자와 기술자도 많았다. 수많은 서적과 활자와 미술품도 약탈되었다. 이 일본의 강도적 침략이 끝난 뒤 일본의 정권을 대표한 덕천가강은 조선과의 화평을 희망하고 대부분의 포로를 돌려보내게 되었으나 일본인이 약탈해 간 물품과 서적은 하나도 내놓지 않았던 것이다.

<중략>

요컨대 우리는 제1차로 여기에 임진란 때 일본인에게 약탈된 조선 서적의 반환을 요구하는 바이니 현재 일본인 자신의 조사에 의하여 우리가 알고 있는 범위에 있어서 이들 서적이 지금 보관되어 있는 곳은 다음에 적은 10개 처이다.

1, 동경시 궁내성도서료

2. 동경시 봉좌문고편 봉좌문고 조선본목록을 참고목록으로 첨부함

3. 동경시 제국도서관

4. 동경시 전전후작 존경각문고

5. 동경시 덕부저일랑 성기당문고

6. 동경시 덕천 후작가

7. 수호시 창고관문고

8. 미택시 미택도서관

9. 추시 동춘사

10. 화가산시 화가산사범학교[371]

이 일은 학산 이인영이 평양에서 서울로 돌아온 다음 맨 먼저 한 일이며, 당시 맥아더사령부로 보내진 문서의 일부이다. 이인영이 요구한 것은 임란 때의 서적들로서 모두가 일본인들의 자료에 분명히 나타나 있는 것들을 요구했다. 이인영은 우선 1차적으로 임란 때의 약탈된 것을 보냈던 것이고, 2차, 3차 계속해서 해방 전까지의 약탈된 문화재를 요구할 생각이었다.

1950년 8월에 이인영이 북한으로 납북된 다음 이 문서의 처리는 20년이 지난 1965년 6월 22일 한일조약 및 협정 가운데 문화재 반환 문제에 관한 문화재 및 문화협정의 부속문서로, 고고미술품에 관한 협정의 부속문서로 사용되었다. 그렇게 된 데에는 후에 '통감부 설치 이후 강압에 의한 것'이라는 규정을 둠으로서 힘을 발휘할 수 없게 되었다.

후일 이홍직은 "처음 군정 당국에서 찾아준다고 하였는지 또는 문화단체의 당로자當路者들의 요청으로 그런 문제가 논의되었는지 지금 자세히 알 수 없으나 하여튼 해방 직후의 우리나라의 공기는 패전한 일본에 대하여 다년간 억압

---

371 학산 기념 학술연구회, 『일본이 야탈한 조선의 국새와 서적』, 도서출판 혜안, 2001.

된 울분을 한꺼번에 발산하고자 승리한 연합군의 위세를 빌어서 상당히 덤벙 댄 감이 없지 않다"[372]고 하였다.

이홍직의 지적과 같이 다소 감정적인 측면이 있었다고 하나 해방 이후 곧바로 문화재 반환을 요구한 것은 후일을 위해서도 마땅한 일이었다. 비록 준비가 미흡했다하나 당연히 취해야하는 시급한 문제였던 것이다.

덕수궁미술관 사정

이왕가박물관은 당시의 한국인 수석직원 이규필에게 인계되어 그가 관장에 취임하고 덕수궁박물관으로 개칭하게 되었다. 이 박물관이 소장한 1만여 점의 미술품을 인계받았다.[373] 그런데 이왕직의 기구가 무용화되고 일본궁내성에 속해 있었기 때문에 해방이 되자 그 소속이 분명치 않았다. 혼란기라 관장은 미술관 문을 닫고 지키고만 있었던 것이다.

그러던 중 미군정청에서 그 때 설치된 미소공동위원회 사무실로 석조전을 쓰기로 결정하고 이것을 사무실로 개조한 것이다. 이 명령을 집행한 자가 미국 군인이었다. 그들은 본래 이 건물이 무엇으로 쓰였는지 알지도 못했으며 그 안의 진열시설이 얼마나 중요한 것인지를 모르고 있었다. 진열장은 모두 부수어

---

372 李弘稙, 「일본에 흘러간 중요문화재」, 『新太陽』, 1957년 12월.
373 최순우, 「고미술품의 수난」, 『최순우 전집 4』, pp.39-40.
      황수영, 「6·25와 문화재」, 『황수영전집 5』, 도서출판혜안, 1997.

버리고 순식간에 사무실로 개조하였다. 이러는 동안 관장은 아무 말도 못하고 지켜보고만 있어야 했다.

일제강점기의 이왕직은 구왕궁의 관리부처로서 총독부 소속이 아닌 일본 궁내성 소관이었다. 해방 후에는 그 소속이 분명치 않아 오래도록 제자리를 찾지 못했다. 소속은 분명치 않으나 구 왕실에는 전국에 산재한 막대한 토지나 산야 등 많은 재산이 있었다. 그러나 혼란기에 이러한 것을 원활하게 운영할 수 없어 직원들의 월급조차 주기가 어려웠다. 그래서 덕수궁의 강당을 결혼식장 등으로 대여하기도 하였다.[374]

민족박물관 사정

서울에는 시정기념관이라는 것이 있었다.[375] 일제의 조선통치의 기록을 기념하고 그 역사를 일반에게 공개하기 위해 왜성대에 있는 전 총독관저에 설치했던 것이다.[376] 이는 일제강점기의 통치와 관계있는 유물들을 모아놓은 것이다. 역대 통감과 총독의 초상, 일왕이 한국에 왔을 때 사용한 마차와 한일합방조인

---

374 『자유신문』 1945년 12월 12일자; 『서울신문』 1946년 2월 17일자; 1946년 3월 21일자; 『동아일보』 1946년 3월 5일자; 1949년 11월 25일자; 『조신일보』 1946년 3월 14일자; 『경향신문』 1949년 7월 2일자.

375 이 건물은 1885년에 건축하여 여러 번 증축 수선하여 공사관, 통감, 총독의 관저로 사용하였다. 그 후 신축 중이던 총독관저가 1939년 8월에 준공되어 이전하게 됨에 따라 구 관저는 공관으로 남게 되었다. 총독부에서는 시정30년을 기념하여 이곳 구 관저를 시정기념관으로 개조하여 개관, 조선시정 기록을 진열하였다(『동아일보』 1939년 8월 17일자).

376 『매일신보』, 1941년 3월 30일자.

식의 가구 등이 있었다. 해방 이후 시정기념관을 송석하가 인수하였다. 여기에는 류종렬, 아사카와 노리타카淺川伯敎 등이 수집하여 경복궁 회랑에 진열하였던 것을 이관하였다. 이를 국립민족박물관으로 개칭하였다.

장서각 사정

1924년과 1935년에는 『이왕가장서각 고도서목록』을 편찬하였다. 이 목록에는 적상산사고본 실록이 포함되어 있다. 1935년 이왕직에서 간행한 『이왕가장서목록』에 의하면, 창경궁 내의 장서각은 1915년에 건축한 것으로 장서각 소장의 도서는 구한국시대 적상산사고의 조선왕조실록 및 각 영소營所에 보관하였던 등록謄錄, 의궤와 1909년 이래 구입 또는 기증받은 서적을 합한 것이다. 장서각 소장의 도서는 고도서 5,382부 56,076책 및 신도서 2,577부 4,096책이다. 그러나 이후 반입된 도서에 대해서는 목록이나 자료가 부족하여 자세히 알 수가 없다.

1937년에는 창경궁에 있던 이왕직박물관이 덕수궁으로 옮겨간 후 비어 있는 이왕직박물관으로 창덕궁의 장서각 도서를 옮기게 되었다.

그 후 대전 중에 공습의 위협을 느끼자 귀중도서는 전부 포장하여 소개를 하려고 준비를 완료하였다. 비원 안에 견고한 방공호를 파고 그곳에 귀중도서를 격납할 수 있도록 실을 꾸몄다. 하지만 준공 후에 보니 습기가 너무 심하여 도저히 전적을 보존할 수 없어서 단념할 수밖에 없었다. 그래서 여러모로 차선책을 궁리하였다. 옛 지혜를 본받아 심산으로 비장하는 방법도 생각하였다. 지방에 흩어져 있는 이왕가 재실 같은 곳으로 옮기는 방법도 고려했다. 그러나 당시 이왕직 주무자들은 운반 기타의 경비 관계에 염두를 내지 못했다. 또한 화재 도난 등도 고려하지 않을 수 없어 주저하는 동안 다행히 해방이 되었던 것이다.[377]

해방 후 1945년 11월 8일 미군정청은 이왕직을 구왕궁사무청으로 개편하고 장서각도서는 구왕궁사무청이 관장하도록 하였다. 구왕궁사무청이란 말만 남아 있지 사실상에는 힘도 경제력도 다 상실한 상태이다. 이렇다보니 후일의 일이지만 수차의 도난을 면하지 못했다. 적상산사고본 실록은 1947년의 1차 도난 사건, 1948년의 2차 도난사건을 거쳐 마지막에는 6·25 직후 바로 김일성의 지령에 의해 북으로 이송되었다. 나머지 소장 유물들도 상당수 불타거나 유실되기도 했다.[378]

해방이 되었다고 하나 문화재를 보존할 수 있는 법령 제정에는 손을 대지 못했다. 1945년 12월 1일 군정청 학무국장은 조선의 고미술품, 고적, 기타 고물을 보존하는 것이 절대 필요하다고 했다. 그래서 군정청 특별지령 제21호로 미술품 또는 종교 관계품이나 고적을 손상 또는 이동하는 사람은 벌금과 처벌에 처한다고 했다.[379] 미군정하에서의 임시방편이었다.

---

377 이홍직, 「도난당한 이조실록」, 『새한민보』 2권 4호, 1948년 2월 15일.
    이홍직은 해방 전 이왕직 서고의 주무자로서 다년간 근무하여 그 방면의 사정에 능통하고 있다.
378 정규홍, 『위기의 문화재』, 학연문화사, 2010.
379 『신조선보』, 1945년 12월 2일자.

같은 해

해방 직후의 아쉬움

1. 일본인 송환의 문제점

각 도시는 모든 관공서 등을 완전히 접수하기 전에는 그들이 소위 말하는 기밀문서 처리는 그들 마음대로 소각 처리 했으며, 일본인들의 재산도 그들 마음대로 처리할 수 있었다.

미군은 9월 13일에 개성, 17일에 청주, 20일에 춘천, 10월 1일에 대구, 9월 29일에 전주, 10월 5일 광주, 10월 하순에 대전에 주재하였다. 비록 각 지방마다 치안유지회의 활동이 있었다고 하나 그것이 체계적일 수 없었기 때문에 해방 직후 얼마간은 행정마비로 인한 혼란이 계속될 수밖에 없었다.

대구의 경우에는 미군이 대구에 온 10월 1일에 일본군의 근거지를 접수하고 일본군을 무장 해제하는 한편 경북도청과 대구부청 등 관공서도 접수를 하였다. 그러나 10월 10일에야 미군 대령이 경북도지사에, 미군 대위가 대구부윤으로 취임하였다. 그로부터 3일 후에야 일본 관리들을 전부 파면하고 행정기구 개편을 단행하면서 대구의 치안을 대구부윤이 관할했다. 이어 자치조직인 치안유지회를 해산하고 대구경찰서의 기능을 장악하였다.[380] 따라서 이때까지는 일인들의 재산을 통제할 수 없었다. 이는 대구의 예일 뿐이며 각 지역도 마찬가지다.

---

380 大邱市史編纂委員會, 『大邱市史 제1권』, 1995, p.1202.

건국준비위원회 부산지부가 8월 17일에 조직되자 이들은 경남도청을 접수하려 도지사 공관에 찾아가 노부하라信原 일본인 지사를 비롯한 간부들과 3시간 동안이나 연석회의를 가졌다. 그러나 일본인 측은 "통치권이 없어진 것은 사실이다. 그러나 태평양 연합군 총사령관인 맥아더 원수의 별도 지시가 있을 때까지 현상을 유지하라는 포고가 있었으며, 아직 한국에 정부가 수립된 것이 아니어서 도정을 이양하기에 사실상 어렵다"는 이유를 내세움으로서 건준 경남지부의 도청 접수 시도는 좌절되었다.

경남지사였던 노부하라信原는 패전이 발표되자 도내의 각 경찰서에 지시를 내려 벽지에 살고 있는 일본인들을 모두 보호하라고 지시 한 다음, 내륙 지방에 있는 일본인들을 울산, 진해, 마산, 통영, 삼천포, 부산 등 각 항구에 집결시켜서 미군이 진주하기 전에 한 명이라도 더 귀환시키려고 동분서주하였다.[381]

미군이 진주하기 전에는 일본인 귀환 기점인 항구도시 등을 일본군이 장악하고 있었기 때문에[382] 약삭빠른 재벌이나 일부 관리들은 금은보화는 물론이고 현금과 고급가구, 골동품 등을 몽땅 가지고 먼저 빠져나갔다.

8월 하순에 전북에서는 군산, 부안 등의 항구를 이용하였다. 군 관계자, 항구 하역 관계자들이 가장 빨랐고 민간인의 철수가 뒤따랐다. 군산의 건국준비위원회에서 중요물자의 반출을 방지한다는 이유로 건국준비위원회의 청년대원이 항구에서 일본인의 하물을 해체하여 검사를 하기도 했다. 또 일본인들의 배

---

381 부산직활시사편찬위원회, 『釜山市史(제1권)』, 1989, p.1055.
382 이완범, 「解放前後 國內政治 勢力과 美國의 關係, 1945~1948」, 『解放前後史의 再認識』, 책세상, 2006, p.67.

가 검사를 기피하여 몰래 출항하였을 경우에는 청년대원들이 선박을 추적하여 붙잡는 일도 있었지만[383] 그것은 극히 일부에 지나지 않았다.

마산은 인구 6만 명 중에 일본인이 6천명이었다. 일부 마산 주둔 일본 군부대 지휘관들은 착검 무장한 병력을 이끌고 당시 건준위원회 사무실을 포위하여 "일본인들의 생명과 재산에 위협을 가하거나 탈취하는 행동을 한 자에 대해서는 무력을 행사하겠다"고 했다. 마산의 일본인들은 별다른 박해나 봉변을 받지 않고 무사히 철수할 수 있었다.[384]

해방 직전의 목포는 인구 8만 5천명으로 그 중 일본인의 수는 1만 명을 차지하였다. 이들은 미군 진주 전에 두 척의 배를 전세 내어 수송 작전을 개시하였다. 후에 미군이 목포에 진주한 10월 18일 이후에는 미군의 명에 따라 부산으로 집결시켜 이곳에서만 수송한다고 하여 목포의 일본인들은 부산으로 집결하여 송환되었다.[385]

당시의 부산 인구 30만 명 중 5분의 1에 해당하는 6만여 명이 일본인이었다. 부산의 관리 1,430명 중 한국인 관리는 130명에 불과했다. 부산의 일본인 유지들은 '귀환동포구호연합회'를 조직하여 철수하는 일본인의 수송을 돕기 위해 남해안 일대에서 기범선을 동원하여 일본의 시모노세키로 보냈다.[386]

부산의 일본인세화회는 9월 1일에 조직되어 몰려드는 일본인의 송환을 도왔다. 처음 부산의 일본인 송환업무는 일본군 병참부가 전적으로 맡았으며, 서울

383 全北鄕土文化硏究會, 『全羅文化의 硏究』 제7집, 1993.
384 馬山市史編纂委員會, 『馬山市史』, 1985, p.112.
385 木浦開港百年史編纂委員會, 『木浦開港 百年史』, 1997, p.331.
386 釜山市史編纂委員會, 『釜山市史(上卷)』, 1974, p.1117.

의 총독부에 두었던 종전연락사무처리본부에 속하는 보호부에서 부산에 안내소를 설치하여 철수하는 일본인들의 수용소를 관장하고 있었는데 10월부터는 부산의 일본인세화회에서 담당하였다.[387]

부산 영주동에 있던 부산 요새사령부는 거류일본인의 재산과 생명을 보호한다는 미명 아래 매일 라디오를 통하여 위협적인 방송을 하였다. 이 때문에 시민들은 미군이 부산에 진주하기 전까지 불안한 나날을 보내기도 하였다. 이런 상황에서 그들의 항해를 제지할 엄두를 내지 못했다. 부산에 미군이 진주하던 날 부산 지역사령관은 스스로 할복자살을 하였다. 일본군의 무장해제도 이때서야 이루어진 것이다.

1945년 9월 16일에 미군 선발부대 3백 명이 부산역에 도착(부산에 처음 도착)하였으며, 9월 17일에는 미군에 대해 현지 부두 안내가 이루어졌다. 그 후 9월 25일에는 미군 제41사단이 부산에 진주하였다. 일본인 송환에 대한 본격적인 그들의 활동도 역시 9월 하순 내지는 10월 초에 와서 정상적으로 이루어졌다. 따라서 이 시기

『동아일보』 1945년 12월 4일자 삽화

까지는 일본인이 소장하고 있던 문화재에 대한 통제가 제대로 이루어지지 않

---

387 부산직활시사편찬위원회, 『부산시사(제1권)』, 1989, p.1056.

앗다고 할 수 있다. 그래서 재빠르게 서두른 자들은 모두 막대한 물건들을 산더미 같이 쌓아 가져갔던 것이다.

그 예로 부산의 고무공장 요네쿠라 세이자후로米倉淸三郎란 자의 행각을 보면, 당시 부산상공회의소 회두였던 요네쿠라는 일본이 패전하자 전시에 쌓아 두었던 통제물자를 일시에 시장에 내다 팔았다. 전시에 구입하기 어려웠던 고무신, 광목 등을 팔아 챙긴 그는 100원 권 지폐 수십 가마니를 전세 낸 배에 싣고 미군이 진주하기 전에 일본으로 도망쳤다.[388]

『동아일보』1945년 12월 4일자에는 다음과 같은 기사가 있다.

소위 고등관이란 직함을 가지고 그 지위를 이용하여 밀항도 누구보다 앞서는 그들이다. 법으로서 금하는 화폐와 기타 물품을 몰래 실어가지고서 조선 목선을 사가지고 밀항 도주하다가 검거되는 밀항사건이 그동안 무릇 수십 건에 이른다.

총독부의 보안과장으로 있다가 전남지사로 나갔던 팔목八木은 동포의 고혈을 착취해 은행에 수만금을 맡겨 두었던 예금을 그날로 찾는 동시에 밤을 세워가며 도망칠 짐을 꾸리는 한편 부하 일인관리들에게 도망 준비를 시킨 후 수십만 원의 공금을 횡령하여 귀국수당이란 명목으로 1인당 천 원씩을 주어서 항복한 그 이튿날로 도 경지과 소유인 목선을 타고 고등관 관계의 가족들과 많은 금품을 실어가지고 도주케 하였다.

그러나 천도天道가 있는 세상이라 이들을 실은 배는 현해탄 한가운데서 마

---

388 釜山宣揚會,『釜山摠監』, 1988, p.66.

침내 그들이 늘 웨치던 신풍神風을 만나 파선을 당하여 고기의 제물이 되고 말았다 한다.

또 하나 이런 구체적 사실을 들어보면 경향가지에서 관리들의 가족이 밀항 도주하였다는 기맥을 알아차린 어느 지방세화회장은 이 틈을 놓쳐서는 아니 되겠다고 군사관구 자동차를 빌려가지고 착취한 물품을 가까운 항구로 실어낸 후 자동차는 팔아먹고 '야마배'로 도주하였으니 이것이 소위 야마도다마시大和魂의 소행이런가.

일본 해군은 연합군 사령부의 지시에 따라 8월 24일 이후 특별 지정된 외항 항해 중인 함선 이외의 선박에 대해서는 항해를 금지함을 통고했다. 그러나 대부분 소형의 선박이 귀환자들을 싣고 한국과 일본을 왕복했으며 이것은 연말까지 계속되었다.[389]

부산의 수산왕이라 불리는 가시이 겐타로香椎源太郎는 자신이 가지고 있던 거제도를 비롯한 남해안 일대의 여러 어장에서 20여 척의 선박을 동원하여 그가 수집한 많은 골동품과 재물을 반출하였다.[390] 가시이 자신은 부산 일본인세화회 회장을 맡아 일본인의 송환을 도왔기 때문에, 그가 일본으로 떠난 것은 송환 막바지에 이르렀을 때다. 뿐만 아니라 그동안 그가 소유한 선박은 물론이거니와 남해안 일대의 일본인 선박을 동원하여 일본인들의 밀항을 도왔음

389 崔永鎬, 「해방 직후의 재일한국인의 본국 귀환」, 『한일관계사 연구』, 제4집, 玄音社, 1995, p.105.
390 부산시사편찬위원회, 『부산시사(상권)』, 1974, p.1117.

은 충분히 추측할 수 있는 일이다.

미군이 진주하여 일본인 철수를 통제하였지만 밀항자를 막기에는 역부족이
었다. 부산항을 중심으로 경남 일대의 연안, 여수, 목포를 중심으로 한 전남 해
안 일대 군산, 인천을 중심으로 한 서해안 일대는 해방 이후 해상 경계기능이
거의 상실되어 있었다. 일본인들의 철수는 원칙적으로 수송 지정연락선을 이
용하고 밀항선으로 철수 하는 것은 엄금되어 있었다. 그러나 일본인들 중 많은
자들은 귀중 문화재와 중요물자를 배에 가득 싣고 밀항한 자들이 부지기수였
다. 이에 부산 미군정당국은 이를 방비하고자 경비선을 부산 근해에 배치하고
경계를 하였으나 교묘히 경계망을 벗어날 뿐 아니라 경계가 허술한 전남 해안
에서 다수 출항을 하였다.[391] 밀항 등을 통해 문화재를 포함한 동산의 일본 유
출이 계속되자 1945년 11월 16일에 안재홍은 하지 중장을 만나 이에 대해 더욱
엄중히 단속해 줄 것을 요구하기도 했다.[392]

그러나 아무리 밀항을 단속하였다 할지라도 해안 전체를 경계할 수가 없었
다. 1945년 10월 23일 미군정청에서는 일본인 재산처리 4개 조항 중 제1조를
발표하면서, 아놀드 장관은 별도로 "일본인이 저의 나라로 돌아갈 때는 군인
은 500원 기타는 1,000만원까지인데 부산을 거치지 않고 비합법적으로 비밀히
밀항을 하는 일이 많은 모양이다. 그것은 미처 경찰력이 거기까지 미치지 못한
탓도 크다. 그러나 조선인 선박업자 자신이 돈에 팔려 그들의 꾀임에 빠지지
않도록 반성하여 조선의 돈과 물자를 새이지 않도록 지켜야 한다."라는 당부까

---

391 『朝鮮日報』1946년 2월 11일자.
392 『自由新聞』1945년 11월 20일자.

지 했다.[393] 그럼에도 불구하고 불법 밀항에는 돈에 눈이 먼 한국인이 이에 동조하여 그들의 밀항을 도와주는 자들도 상당수 있어 더욱 힘들었다.

전 연전교수 백남석은 일본인 밀항 화물 밀수를 도와 이것이 나중에 적발되어 12월 10일 군정재판에 의하여 10만원 벌금과 집행유예 2년을 언도받기도 했다.[394]

재일교포 박용완(가명 박상집)은 해방 전 일본에서 어업을 크게 하였는데, 1945년 8월 20일부터 4개월간 12척의 선박을 동원하여 재일동포를 귀환시켰다고 한다.[395] 그는 들어난 것이 재일동포 귀환이지만, 이 선박들이 한국에서 일본으로 향할 때는 일본인들을 태우고 그들의 동산을 만재하여 갔던 것이다. 이와 같은 사례는 어쩌다 들어난 것이지만 작은 어선 등을 이용하여 밀항한 수는 헤일 수 없이 많았다.

1945년 8월부터 12월까지 일본인 인양 수는 46만 9천764명으로, 그 중 8월에 6만 3천648명, 9월에 10만 5천207명으로 나타나 있다.[396]

경성일본인세화회에서는 개설일로부터 1945년 12월 31일까지 경성 일본인 17만 명을 처리하였다고 한다.[397] 그러나 세화인회의 정상적인 활동에 의해 떠난 민간인은 일본 군인들이 상당 수 떠난 뒤인 1945년 10월 중순 이후이기 때문에 그 전에 떠난 일본인들은 그들의 재산을 챙길 수 있는데 까지는 최대한 가지고 갔다고 할 수 있다.

---

393 『每日申報』1945년 10월 24일자.
394 『東亞日報』1945년 12월 11일자.
395 『京鄕新聞』1950년 3월 19일자.
396 森田芳夫, 『朝鮮終戰の記錄』, 巖南堂書店, 1979.
397 森田芳夫, 『朝鮮終戰の 記錄, 자료편 제3권』, 巖南堂書店, 1980, p.11.

미군이 진주하여 일본인 철수를 통제하였지만 역부족이었다. 해방이 되면서 당연히 한국에 남기고 가야 할 문화재는 이런 허점으로 인해 헤아릴 수 없이 많이 유출되었다.

2. 문화재 접수 및 처리의 문제점

당시 철수하는 일인의 편의를 도모하기 위하여 일본인 자체 단체인 '세화인회'에서는 그들의 보따리를 일본으로 발송하는 임무를 맡아 서울역에서 부산으로 매일 수천 개씩 발송했다. 그러나 이 화물은 전부 대전에서 미군에 의하여 서울로 반송되었다. 반송된 물품은 조선운송주식회사창고와 미곡창고 및 그 외 창고에 수만 개씩 입고되었다. 그 입고된 보따리는 일부 물자영단에서 관리하여 민간에게 불하도 하였으나 미군 PX에 막대한 수량이 넘어가 PX에서 판매하기도 하였다.

불하가격은 한 개에 불과 10불 정도였다고 한다. 이 거래는 간단했다. 물자영단[398]에서 티켓을 끊어온 도매상들이 보따리와 바꾸는 것이다. 티켓을 가지고 지정된 창고로 가면 미군헌병이 지켜 서서 보따리를 하나하나 끌게 하고 무기나 서화 골동, 귀금속만 따로 골라 미제8군 소속 창고에 보내고 나머지는 티켓과 교환하여 주었다.[399] 보따리 가운데서 한국 골동은 나오는 대로 덕수궁 미술관에 이관되었고, 그 수가 수천 점에 이르렀다고 한다.

---

398 조선중요물자영단은 1945년 11월에 물자영단으로 이름을 고쳤다. 이 영단은 군정청의 자주기관으로 물자의 획득, 수납, 경영, 보관, 매각 기타 모든 구제품의 배급에 관하여 군정을 원조하기로 되었다(『每日申報』 1945년 11월 8일자).

399 李英燮, 「내가 걸어온 古美術界 30年」, 『月刊文化財』, 1973년 9월.

박물관에서는 그것을 접수번호를 매겨 석조전 지하실에 산더미처럼 차곡차곡 쌓아놓고, 그 후 약 15년 간 이유도 없이 습기 찬 곳에 처박아 두었다. 그 당시 고려청자음각화분대를 문의 받침대로 사용했다는 놀라운 얘기도 있어 이 사건은 국회에도 비화되어 박순천 의원의 날카로운 질문을 받게까지 되었던 것이다.

원칙적으로 미술품들은 모두 국유로 하는 것이지만, 이런 중에도 미군들을 통하여 민간에게 불하해서는 안 되는 고미술품들이 상당수 민간인들의 손에 넘어갔다. 특히 당시 미군부대와 관계하였던 몇 사람은 한국 골동을 미군부대로부터 불하받은 것이 적지 않았다고 한다. 역시 미군부대 청부업을 하던 이영섭도 적지 않은 미술품을 불하받았는데, "그 당시 관재청 처분국장으로 있던 그린 씨의 소개로 관재청에서 관리하고 있던 전 일본인 소유였던 동양 서화 1천 수백 폭을 불하 받아 화차에 실어 서울로 운반해 왔다. 부산에는 부유한 일본인들이 많이 살고 있었는데 그들이 소유하고 있다가 철수할 때 남겨둔 물건들이었던 것으로 풀이 된다"[400]고 한다. 이 같이 당연히 국가에 귀속되어야 할 문화재가 개인에게 넘어가거나 다시 외국으로 반출된 사례도 적지 않다.

김재원의 『경복궁 야화』에는 당시 미술품 접수의 사진이 하나 실려 있다. 경복궁 자경전 앞 뜰 바닥에 일본인들로부터 접수한 유물 앞에서 찍은 김재원 관장의 사진이다. 자경전 계단에 도자기가 맨바닥에 늘어 있고 앞쪽에는 박물관 직원이 정리하고 있는 모습이다. 하지만 "미군정청을 통하여 일본인 소지의 도서, 회화, 도자기 등의 미술품을 접수한 것이 수량은 막대하나 일품이 적은 것이 유감이다"라 하고 있다.

---

400 李英燮, 「내가 걸어온 고미술계 30년」, 『月刊文化財』, 1976년 10월, p.26.

3. 고적조사사업 및 박물관 자료 인수의 문제점

국립중앙박물관의 경우에는 곧 바로 접수가 이루어 지어 다행히 큰 피해를 막았지만 지방박물관의 경우에는 상당한 피해를 면하지 못했다.

부여의 경우에는 부여신궁 조영에 따라 부여일대의 서복사지西腹寺址, 동부건물지東部建物址, 금성산사지錦城山寺址, 구아리사지舊衙里寺址, 부여 정림사지 등을 비롯한 백제 유적은 거침없이 파헤쳐졌다.[401]

신궁 건설과 부여신도의 계획서와 진전 과정에 관한 서류는 일본의 패망과 함께 소각해 알 길이 없다. 또한 신궁조영에 따른 발굴조사 기록마저도 소각하거나 몽땅 가지고 달아나는 바람에 부여 일대의 사적에 대한 조사연구에 막대한 지장을 초래하고 있다.

이 기간에 있어서의 성과는 백제의 문화와 미술연구에 있어서 중대한 내용

---

401 해방 후 1948년 황수영은 정림사지5층석탑 주변의 정리공사 감독관으로 갔을 때 이 사지는 부여신궁 건립에 따라 발굴된 이후 그대로 방치되어 있었다고 한다. 그들이 신궁을 짓는다고 부소산 기슭에 모아놓은 석재 속에서 백제의 사택지적(砂宅智積)의 발원비(發願碑)를 찾아내기도 하였다.
黃壽永, 「三國의 金石文 資料」, 『黃壽永全集 4』, p.500에,
"해방 후 삼국 금석문의 새로운 발견은 1948년 가을 부여읍에 박물관 동방에서 우연히 발견된 백제 석비였다. 이 石片은 원 소재 지점을 아직 정확하게 알 수 없으나 이것이 상기 지점에서 옮겨온 것이 틀림없다. 그 까닭은 일정말기에 그 인근 주민으로 하여금 부소산에 부여신궁을 조영하기 위한 석재를 강제로 공출하였던 바 이 석편은 그 돌무더기 속에 들어 있었기 때문이다. 이것이 백제금석이 틀림없다는 것은 백제 大姓인 '砂宅'씨가 그 첫줄에 착안되었기 때문이다. 이때 필자는 공무로 10여 일 부여에 체류하면서 당시 부여 박물관장이었던 고 홍사준 선생과 같이 연일 고적조사를 진행하고 있던바 다행하게도 이때 初有의 백제비를 찾을 기회를 얻었던 것이다."

을 포함하고 있을 것인데[402] 유물이 일부 남아 있어도 보고서가 없어 사료적인 가치를 거의 발휘하지 못하고 있는 실정이다.

아리미츠의 일지[403]에 의하면 총독부박물관의 중요 유물을 소개하기 위해 7월 초에 분여분관에 갔을 때 후지사와 가즈오藤澤一夫의 안내를 받아 발굴조사 중인 금성산사지天王寺址방문했다는 기록이 보인다. 다른 지역은 발굴을 엄두도 못내는 중에도 부여의 백제 유적은 발굴이 계속되었다. 또한 부여지역 발굴 담당자인 "후지사와의 댁에서 후지사와의 발굴품을 견학" 했다고 하는데 이는 부여일대를 발굴 조사하면서 그의 집에 임시 보관 내지는 불법 소장하고 있었던 것이다. 그러나 해방 이후 후지사와가 소장했던 유물을 얼마나 접수했는지 구체적인 기록이 보이지 않는다.

후지사와는 이같이 귀중한 자료를 고스란히 갖고 도망간 후 아직껏 보고서를 내어주지 않는 사실이다. 오늘날 백제 고도의 연구에 치명적 상처로 남아 있다.

공주박물관은 9월 5일에야 겨우 비공식적이나마 인계를 받게 되었는데 일본인으로부터 인수를 받을 때 소장 유물이 230여 점에 지나지 않았다니, 이는 전혀 관리가 되지 않은 상태에서 만신창이가 되도록 방치해 두었다고 밖에 볼 수 없다. 관이란 것은 모두 문서로서 처리 및 관리된다. 그러나 핵심이 되는 공주 일대의 조사 기록이나 유물 관리대장에 관한 자료는 아직 듣지 못했다. 이는 의도적으로 대부분 소각시켰거나 담당자들이 일본으로 가져간 것으로 밖에 볼 수 없다.

이런 상태이기 때문에 해방 전의 중요 유물이 어떤 것이 있었으며 어떤 유물

402　黃壽永, 「百濟 半跏思惟石像 小考」, 『歷史學報 第13輯』, 歷史學會, 1983, p.27.
403　有光敎一, 「私の朝鮮考古學」, 강재언, 이진희 편, 『朝鮮學事め』, 청구문화사, 1997.

이 분실되었는지 알 길이 없게 되었다. 유적에 대한 연구 역시 많은 것은 공백 상태에서 다시 시작해야 하는 어려움에 봉착하게 되었다.

경주박물관의 경우에는 김재원이 총독부박물관을 접수한 후 8월 어느 날 아리미츠의 편지를 가지고 경주박물관에 가서 "직장은 아직 이탈하지 말고 중앙의 지시가 있을 때까지 기다려라"[404]고 지시를 하고 서울로 올라왔다고 한다. 그리고 1945년 10월 15일에 다시 경주에 갔을 때, 경주박물관의 마지막 관장이었던 오사카 긴타로는 나카무라中村春壽와 함께 9월 23일에 일본으로 밀항을 한 후라고 한다. 책임자인 오사카가 떠난 후이니 박물관 문서나 발굴품, 그리고 미공개 자료가 얼마나 있었는지 알 길이 없어지고 말았다.

오사카는 "지금까지의 각종 조사자료 즉 경주에 관한 것, 부여에 관한 것, 임나가야에 관한 것들을 대요 분류 정리해서 하나로 통합해서 보존회 창고에 격납했다. 그리고 나서 잠시 후에 종전을 맞이해 철수하게 되어 리크사쿠(배낭) 한 개로 1945년 9월 23일 경주를 떠났다. 68세 때이다" 라고 한다. 그 후 1959년에 확인을 해 보니, "1950년 6월 한국동란으로 인해 자신이 경주에 남기고 온 조사 자료가 전부 분실했다는 소식을 받았다"고 한다.[405] 그러나 구체적인 것은 전혀 밝혀지지 않고 있다. 6·25 때 경주박물관은 그나마 적의 치하에 들어가지 않았기 때문에 거의 피해가 없었던 곳이다. 그런데 막대한 자료들이 어떻게 분실되었는지 납득이 가지 않는다.

---

404 김재원, 『경복궁 야화』, 탐구당, 1991, p.8.
405 大坂金太郎, 「掛陵考」, 『朝鮮學報』 제39, 40집, 1976년 4월, p.17.

그 동안 수없이 많은 발굴조사와 수리를 하였으나 한국인의 연구를 원천적으로 막았기 때문에 우리가 우리의 역사자료를 제대로 확보하지 못하였을 뿐만 아니라, 해방 후 아리미츠 교이치를 남겨 박물관을 인수 받고 그의 경륜을 활용하여 발굴 지도를 받아야만 했었다.

당시 아리미츠의 잔류를 극히 반대했던 사람도 있었다. 아리미츠의 회고에 의하면 1946년 1월 16일 당시 경성대 교수로 있던 이인영은 아리미츠를 찾아와 귀국을 권고하였다고 한다. 이인영은 아리미츠에게,

해방된 지 얼마 되지 않은 지금, 서둘러 유적의 학술발굴조사 따위를 행할 수는 없다. 우리 고고학계의 수준이 충분히 높아지기까지 5년이고 10년이고 기다려도 좋다. 지금 아리미츠 씨를 붙잡아 놓고 한두 번 발굴의 실기를 보여준 들 무슨 쓸모가 있겠는가? 고고학 발굴의 기술은 한 두 번의 현장지도로 전해질 만큼 간단하진 않을 것이오. 그것보다는 더 기초적인 공부부터 시작해서, 다음으로 박물관 마다 수집되어 있는 고고학 자료를 확실히 관찰하고, 이미 발간된 보고서류와 비교해서 확인하는 것과 같은 순서를 따르는 것이 중요하다. 당신이 바로 돌아가더라도 조선고고학계에 별로 손실될 만한 것이 없다. 당신은 나갈 수 있는 대로 빨리 일본으로 돌아가서 가족과의 생활에 전념해야 할 것이다.[406]

406 有光敎一, 「1945-46년에 있었던 나의 경험담」, 『韓國考古學報』 제34집, 韓國考古學會, 1996년 5월.

라고 충고를 했다고 한다. 이러한 견해는 도유호(나중에 북한과학원 고고학 및 민족학 연구소장)도 아리미츠에게 전했다고 한다.

당시의 사정은 이인영이 지적한바와 같이 발굴 기술을 익히는 것이 중요한 것이 아니라 그들이 남긴 고고학 자료와 보고 서류를 확인하는 작업이 더 시급했던 것이다. 발굴 기술이야 후에도 얼마든지 익힐 수 있는 일이지만, 고적조사나 박물관 관계자들을 남겨 일제가 마구잡이식 발굴로 남긴 막대한 유물과 그들이 미처 정리하지 못한 자료들은 바로 확인하지 않으면 안 되는 것이었다.

4. 이런 모든 것은 우리의 아픈 역사이고, 앞으로 하나씩 풀어 나가야 하는 우리의 몫이다.

색인